누적 1억 명이
선택한 비상교재

만렙 AM

맞춤형 연산 유형 마스터

수학 I

만렙은 다르다

1 만렙은 나의 학습 수준에 맞는 문제들로만 구성되어 있다.

3 Level

2 Level

PM Pattern Master

핵심 문제 중심으로 실속있게 공부한다.

- ☑ 나에게 필요 없는 수준의 문제는 NO
- ☑ 핵심만을 모은 군더더기 없는 구성으로 학습 효과 UP

1 Level

AM Arithmetic Master

연산 문제 중심으로 기본기를 확실하게 다진다.

- ☑ 단순 반복적인 연산 문제는 NO
- ☑ 연산 유형을 체계적으로 구성하여 기초력 강화 UP

2 만렙은 STEP 구분 없이 한 개념에 대한 모든 문제를 한 번에 파악할 수 있다.

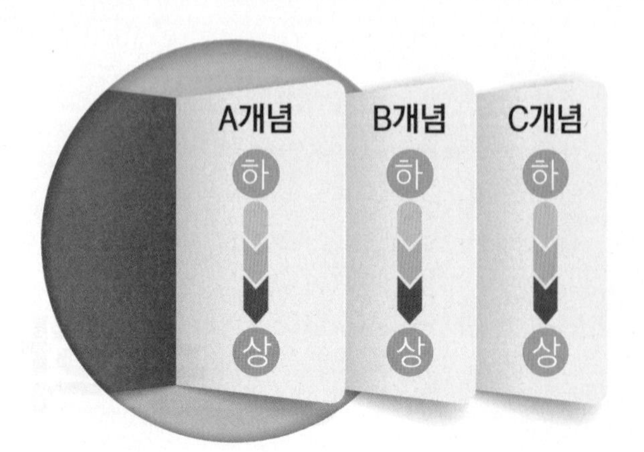

유형도 한 번에!

문제도 한 번에!

반드시 알아야 할 핵심 개념은 자세하게!

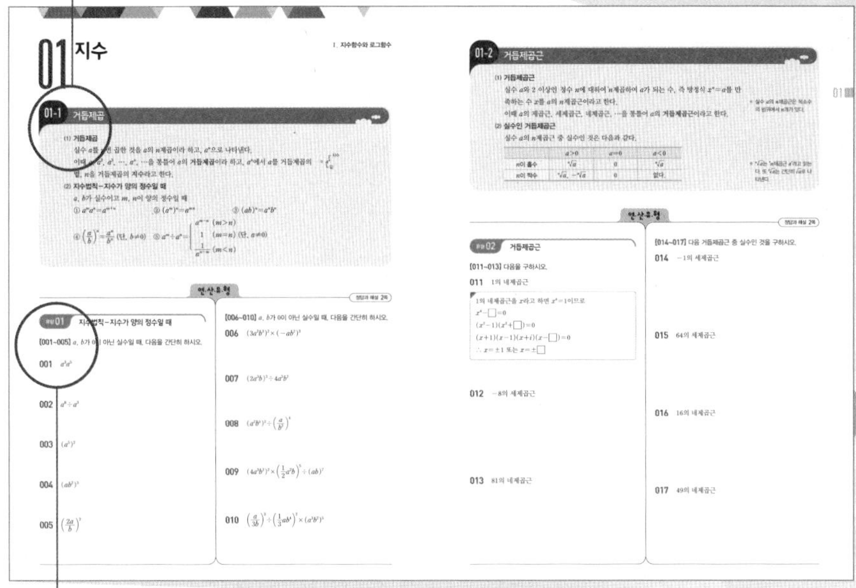

연습이 필요한 연산 문제는 유형별로!

연산 유형

기초를 탄탄히 할 수 있는
연산 문제를
유형별로 구성하였다.

구성

출제율 높은 실전 문제로 실력 확인!

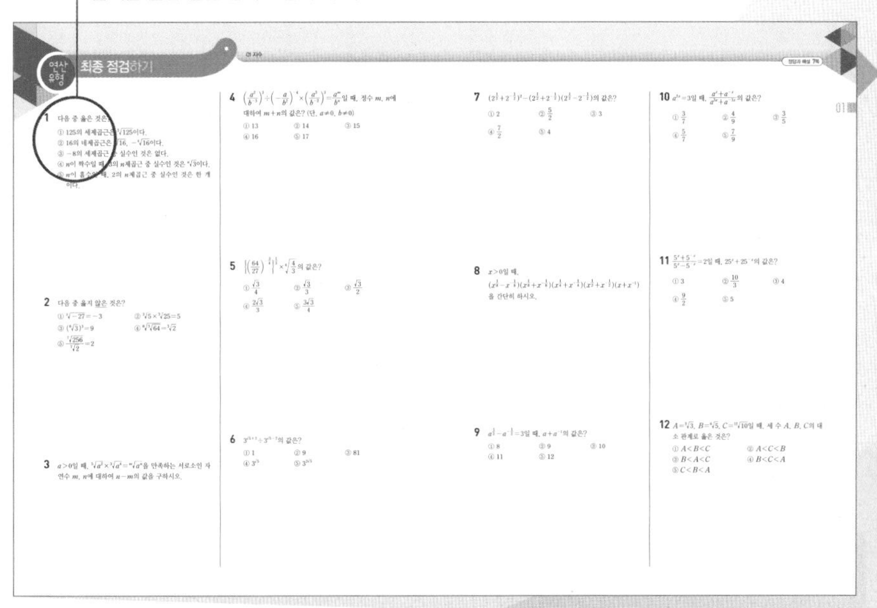

연산 유형 최종 점검하기

단원별 핵심 문제만을 모아
자신의 실력을
테스트할 수 있다.

AM의 차례

I. 지수함수와 로그함수

II. 삼각함수

III. 수열

01

지수

AM

유형 01 지수법칙 – 지수가 양의 정수일 때

유형 02 거듭제곱근

유형 03 거듭제곱근의 성질

유형 04 정수 지수의 계산

유형 05 유리수 지수의 계산

유형 06 실수 지수의 계산

유형 07 곱셈 공식을 이용한 식의 전개

유형 08 a^x+a^{-x} 꼴의 식의 값

유형 09 $\dfrac{a^x-a^{-x}}{a^x+a^{-x}}$ 꼴의 식의 값

유형 10 거듭제곱근의 대소 비교

01 지수

01-1 거듭제곱

(1) **거듭제곱**

실수 a를 n번 곱한 것을 a의 n제곱이라 하고, a^n으로 나타낸다.

이때 a, a^2, a^3, $\cdots$, a^n, $\cdots$을 통틀어 a의 **거듭제곱**이라 하고, a^n에서 a를 거듭제곱의 **밑**, n을 거듭제곱의 **지수**라고 한다.

a^n (지수: n, 밑: a)

(2) **지수법칙 – 지수가 양의 정수일 때**

a, b가 실수이고 m, n이 양의 정수일 때

① $a^m a^n = a^{m+n}$ ② $(a^m)^n = a^{mn}$ ③ $(ab)^n = a^n b^n$

④ $\left(\frac{a}{b}\right)^n = \frac{a^n}{b^n}$ (단, $b \neq 0$) ⑤ $a^m \div a^n = \begin{cases} a^{m-n} & (m>n) \\ 1 & (m=n) \\ \frac{1}{a^{n-m}} & (m<n) \end{cases}$ (단, $a \neq 0$)

연.산.유.형

정답과 해설 2쪽

유형 01 지수법칙 – 지수가 양의 정수일 때

[001~005] a, b가 0이 아닌 실수일 때, 다음을 간단히 하시오.

001 a^3a^5

002 $a^8 \div a^3$

003 $(a^5)^2$

004 $(ab^2)^3$

005 $\left(\frac{2a}{b}\right)^2$

[006~010] a, b가 0이 아닌 실수일 때, 다음을 간단히 하시오.

006 $(3a^2b^3)^2 \times (-ab^2)^3$

007 $(2a^3b)^3 \div 4a^5b^2$

008 $(a^2b^5)^2 \div \left(\frac{a}{b^2}\right)^4$

009 $(4a^3b^2)^2 \times \left(\frac{1}{2}a^2b\right)^5 \div (ab)^7$

010 $\left(\frac{a}{3b}\right)^3 \div \left(\frac{1}{3}ab^4\right)^2 \times (a^3b^2)^5$

01-2 거듭제곱근

(1) 거듭제곱근

실수 a와 2 이상인 정수 n에 대하여 n제곱하여 a가 되는 수, 즉 방정식 $x^n=a$를 만족하는 수 x를 a의 n제곱근이라고 한다.

이때 a의 제곱근, 세제곱근, 네제곱근, …을 통틀어 a의 **거듭제곱근**이라고 한다.

● 실수 a의 n제곱근은 복소수의 범위에서 n개가 있다.

(2) 실수인 거듭제곱근

실수 a의 n제곱근 중 실수인 것은 다음과 같다.

	$a>0$	$a=0$	$a<0$
n이 홀수	$\sqrt[n]{a}$	0	$\sqrt[n]{a}$
n이 짝수	$\sqrt[n]{a}$, $-\sqrt[n]{a}$	0	없다.

● $\sqrt[n]{a}$는 'n제곱근 a'라고 읽는다. 또 $\sqrt[2]{a}$는 간단히 $\sqrt{a}$로 나타낸다.

연.산.유.형

정답과 해설 2쪽

유형 02 거듭제곱근

[011~013] 다음을 구하시오.

011 1의 네제곱근

1의 네제곱근을 x라고 하면 $x^4=1$이므로

$x^4-\square=0$

$(x^2-1)(x^2+\square)=0$

$(x+1)(x-1)(x+i)(x-\square)=0$

$\therefore\ x=\pm1$ 또는 $x=\pm\square$

012 -8의 세제곱근

013 81의 네제곱근

[014~017] 다음 거듭제곱근 중 실수인 것을 구하시오.

014 -1의 세제곱근

015 64의 세제곱근

016 16의 네제곱근

017 49의 네제곱근

[018~023] 다음 중 옳은 것은 ○표, 옳지 않은 것은 ×표를 ( ) 안에 써넣으시오.

018 양수 a의 n제곱근은 $\sqrt[n]{a}$이다. ( )

019 27의 세제곱근은 $\sqrt[3]{27}$이다. ( )

020 256의 네제곱근은 ±4, $\pm4i$이다. ( )

021 8의 세제곱근 중 실수인 것은 3개이다. ( )

022 $(-5)^3$의 세제곱근 중 실수인 것은 -5이다. ( )

023 -9의 네제곱근 중 실수인 것은 $-\sqrt{3}$, $\sqrt{3}$이다. ( )

[024~029] 다음 값을 구하시오.

024 $\sqrt[3]{125}$

025 $\sqrt[3]{-27}$

026 $\sqrt[3]{0.008}$

027 $\sqrt[4]{625}$

028 $-\sqrt[4]{81}$

029 $\sqrt[4]{\frac{9}{16}}$

01-3 거듭제곱근의 성질

$a>0$, $b>0$이고 m, n이 2 이상인 정수일 때

(1) $\sqrt[n]{a}\sqrt[n]{b}=\sqrt[n]{ab}$

(2) $\dfrac{\sqrt[n]{a}}{\sqrt[n]{b}}=\sqrt[n]{\dfrac{a}{b}}$

(3) $(\sqrt[n]{a})^m=\sqrt[n]{a^m}$

(4) $\sqrt[m]{\sqrt[n]{a}}=\sqrt[mn]{a}=\sqrt[n]{\sqrt[m]{a}}$

(5) $\sqrt[np]{a^{mp}}=\sqrt[n]{a^m}$ (단, p는 양의 정수)

• $(\sqrt[n]{a})^n=\sqrt[n]{a^n}=a$

01

연.산.유.형

정답과 해설 3쪽

유형 03 거듭제곱근의 성질

[030~040] 다음을 간단히 하시오.

030 $\sqrt[3]{2}\times\sqrt[3]{4}$

031 $\sqrt[4]{3}\times\sqrt[4]{27}$

032 $\dfrac{\sqrt[3]{243}}{\sqrt[3]{9}}$

033 $\dfrac{\sqrt[4]{32}}{\sqrt[4]{2}}$

034 $(\sqrt[7]{11})^7$

035 $(\sqrt[6]{25})^3$

036 $\sqrt{\sqrt{256}}$

037 $\sqrt{\sqrt[3]{64}}$

038 $\sqrt[5]{7^{10}}$

039 $\sqrt[3]{5^9}$

040 $(\sqrt[8]{6})^4$

[041~046] 다음을 간단히 하시오.

041 $\sqrt[6]{4\times\sqrt[3]{8}}$

042 $\sqrt[15]{3^{20}}\times\sqrt[3]{3^8}$

043 $\sqrt[12]{6^4}\times\sqrt[5]{\sqrt[3]{36^5}}$

044 $\sqrt[4]{243}\div\sqrt{\sqrt[4]{9}}$

045 $\dfrac{\sqrt[3]{16}}{\sqrt[3]{2}}\times\sqrt{\dfrac{\sqrt{625}}{\sqrt[3]{64}}}$

046 $\sqrt{\sqrt[4]{256}}\div\sqrt[3]{3}\times\sqrt[3]{81}$

[047~052] $a>0$, $b>0$일 때, 다음을 간단히 하시오.

047 $\sqrt[7]{a^3}\times\sqrt[7]{a^4}$

048 $\dfrac{\sqrt{a^5}}{\sqrt{a}}$

049 $(\sqrt[3]{a^2})^9$

050 $\sqrt[4]{\sqrt[3]{a^{36}}}$

051 $\sqrt[6]{a^2b^{12}}\times\sqrt[3]{a^5b^3}$

052 $\sqrt{a^5b^3}\div\sqrt[4]{a^2b^{10}}$

01-4 지수의 확장

(1) 0 또는 음의 정수인 지수

$a\neq0$이고 n이 양의 정수일 때

① $a^0=1$ ② $a^{-n}=\frac{1}{a^n}$

(2) 유리수인 지수

$a>0$이고 m, $n(n\geq2)$이 정수일 때

① $a^{\frac{m}{n}}=\sqrt[n]{a^m}$ ② $a^{\frac{1}{n}}=\sqrt[n]{a}$

(3) 지수법칙 – 지수가 실수일 때

$a>0$, $b>0$이고 x, y가 실수일 때

① $a^xa^y=a^{x+y}$ ② $a^x\div a^y=a^{x-y}$

③ $(a^x)^y=a^{xy}$ ④ $(ab)^x=a^xb^x$

● 지수법칙은 지수가 정수이거나 유리수인 경우에도 성립한다. 이때 지수가 정수이면 밑은 0이 아니어야 하고, 지수가 유리수이면 밑은 양수이어야 한다.

연.산.유.형

정답과 해설 4쪽

유형 04 정수 지수의 계산

[053~057] 다음 값을 구하시오.

053 $(-1)^0$

054 2^{-4}

055 $(\sqrt{5})^{-2}$

056 $\left(\frac{1}{3}\right)^{-3}$

057 $\left(-\frac{3}{2}\right)^{-4}$

[058~062] $a\neq0$일 때, 다음을 간단히 하시오.

058 $a^{-6}\times a^{-4}$

059 $a^{-2}\times a^4\div a^{10}$

060 $a^{11}\times(a^{-3})^3$

061 $(a^2)^{-2}\times a^{-3}\div a^{-5}$

062 $\frac{(a^3)^4\times(a^{-3})^5}{(a^2)^{-7}\times(a^{-6})^{-2}}$

유형 05 유리수 지수의 계산

[063~066] 다음을 유리수인 지수를 사용하여 나타내시오.

063 $\sqrt{3}$

064 $\sqrt[3]{2}$

065 $\sqrt[4]{5^5}$

066 $\sqrt[5]{2^{-3}}$

[067~070] 다음을 근호를 사용하여 나타내시오.

067 $2^{\frac{1}{2}}$

068 $3^{\frac{2}{5}}$

069 $4^{-\frac{3}{4}}$

070 $\left(\frac{1}{81}\right)^{-\frac{1}{8}}$

[071~076] 다음을 간단히 하시오.

071 $(2^{\frac{5}{6}})^3 \times 2^{\frac{1}{2}}$

072 $4^{\frac{3}{4}} \div 4^{\frac{1}{4}}$

073 $(7^{\frac{5}{4}})^2 \times \sqrt{7} \div (7^{\frac{1}{3}})^6$

074 $16^{-\frac{3}{4}} \times 64^{\frac{5}{6}}$

075 $9^{\frac{9}{8}} \div 3^{\frac{1}{2}} \times 27^{\frac{1}{12}}$

076 $\left\{\left(\frac{8}{125}\right)^{\frac{5}{2}}\right\}^{-\frac{1}{5}} \times \left(\frac{2}{5}\right)^{\frac{1}{2}}$

[077~086] $a>0$, $b>0$일 때, 다음을 간단히 하시오.

077 $a^{\frac{3}{2}} \div a^{-\frac{1}{2}}$

078 $a^{\frac{8}{3}} \div a^{\frac{1}{6}} \times a^{-\frac{3}{2}}$

079 $(\sqrt{a^3} \times \sqrt[3]{a^2})^{\frac{1}{2}}$

080 $\sqrt[3]{a^2} \times \sqrt{a^5} \div \sqrt[6]{a^7}$

081 $\sqrt[3]{\sqrt{a}\sqrt[4]{a}}$

082 $\sqrt{a\sqrt{a\sqrt{a}}}$

083 $\sqrt{a\sqrt{a^3\sqrt{a^4}}}$

084 $\sqrt{\sqrt[3]{a^2\sqrt[4]{a^6}}}$

085 $(a^3b^2)^{\frac{1}{6}} \times (a^{\frac{1}{4}}b^{\frac{1}{3}})^2$

086 $\sqrt[3]{a^2b} \div \sqrt[4]{a^3b^2} \times \sqrt{ab^6}$

유형 06 실수 지수의 계산

[087~092] 다음을 간단히 하시오.

087 $3^{\frac{\sqrt{2}}{2}} \times 3^{\frac{3\sqrt{2}}{2}}$

088 $(25^{\sqrt{3}})^{\frac{\sqrt{3}}{2}}$

089 $2^{\sqrt{7}} \times 3^{\sqrt{7}}$

090 $2^{\sqrt{3}+1} \div 2^{\sqrt{3}-1}$

091 $(3^{\sqrt{20}} \div 3^{\sqrt{5}})^{\sqrt{5}}$

092 $(2^{\sqrt{8}} \times 3^{\sqrt{2}})^{\sqrt{2}}$

[093~098] $a>0$, $b>0$일 때, 다음을 간단히 하시오.

093 $a^{\sqrt{2}} \div a^{\sqrt{8}} \times a^{\sqrt{18}}$

094 $a^{\frac{\sqrt{2}}{3}} \times a^{\frac{2\sqrt{2}}{3}} \div a^{-3\sqrt{2}}$

095 $(a^{\frac{\sqrt{7}}{2}})^{6} \div a^{\sqrt{28}}$

096 $(a^{\sqrt{12}} \times b^{\sqrt{27}})^{\sqrt{3}}$

097 $(a^{3\sqrt{6}}b^{2\sqrt{6}})^{\frac{1}{\sqrt{6}}} \times (a^{2\sqrt{6}}b^{-\sqrt{6}})^{-\frac{1}{\sqrt{6}}}$

098 $(a^{\sqrt{2}})^{3\sqrt{2}-\sqrt{10}} \div (a^{3})^{2-\sqrt{5}} \times (a^{\sqrt{5}})^{\sqrt{20}-1}$

01-5 지수법칙의 응용

(1) **곱셈 공식을 이용한 식의 전개**

다음과 같은 곱셈 공식을 이용하여 주어진 식을 간단히 한다.

① $(a+b)(a-b)=a^2-b^2$

② $(a+b)^2=a^2+2ab+b^2$, $(a-b)^2=a^2-2ab+b^2$

③ $(a+b)(a^2-ab+b^2)=a^3+b^3$, $(a-b)(a^2+ab+b^2)=a^3-b^3$

(2) $\boldsymbol{a^x+a^{-x}}$ **꼴의 식의 값**

다음과 같은 곱셈 공식의 변형을 이용하여 식을 변형한 후 식의 값을 구한다.

① $a^2+b^2=(a+b)^2-2ab$

② $(a-b)^2=(a+b)^2-4ab$

③ $a^3+b^3=(a+b)^3-3ab(a+b)$

(3) $\boldsymbol{\dfrac{a^x-a^{-x}}{a^x+a^{-x}}}$ **꼴의 식의 값**

주어진 조건을 이용할 수 있도록 분모, 분자에 a^x을 곱하여 식을 정리한 후 식의 값을 구한다.

연.산.유.형

정답과 해설 5쪽

유형 07 곱셈 공식을 이용한 식의 전개

[099~101] $a>0$, $b>0$일 때, 다음 식을 간단히 하시오.

099 $(a^{\frac{1}{2}}+a^{-\frac{1}{2}})(a^{\frac{1}{2}}-a^{-\frac{1}{2}})$

100 $(a^{\frac{1}{2}}+a^{-\frac{1}{2}})^2-(a^{\frac{1}{2}}-a^{-\frac{1}{2}})^2$

101 $(a^{\frac{1}{3}}+b^{\frac{1}{3}})(a^{\frac{2}{3}}-a^{\frac{1}{3}}b^{\frac{1}{3}}+b^{\frac{2}{3}})$

유형 08 a^x+a^{-x} 꼴의 식의 값

[102~104] $a^{\frac{1}{2}}+a^{-\frac{1}{2}}=3$일 때, 다음 식의 값을 구하시오. (단, $a>1$)

102 $a+a^{-1}$

103 $a-a^{-1}$

104 $a^{\frac{3}{2}}+a^{-\frac{3}{2}}$

유형 09 $\frac{a^x-a^{-x}}{a^x+a^{-x}}$ 꼴의 식의 값

[105~108] $a^{2x}=2$일 때, 다음 식의 값을 구하시오. (단, $a>0$)

105 $\frac{a^x-a^{-x}}{a^x+a^{-x}}$

분모, 분자에 a^x을 곱하면

$\frac{a^x-a^{-x}}{a^x+a^{-x}}=\frac{a^{2x}-1}{a^{\square}+1}=\frac{\square-1}{2+1}=\square$

106 $\frac{a^{3x}+a^{-3x}}{a^x-a^{-x}}$

107 $\frac{a^{5x}+a^{-x}}{a^x+a^{-5x}}$

108 $\frac{a^{5x}-a^{-7x}}{a^x+a^{-3x}}$

[109~111] $\frac{2^x+2^{-x}}{2^x-2^{-x}}=3$일 때, 다음 식의 값을 구하시오.

109 2^{2x}

110 4^x+4^{-x}

111 2^x+2^{-x}

[112~114] $\frac{3^x-3^{-x}}{3^x+3^{-x}}=\frac{1}{3}$일 때, 다음 식의 값을 구하시오.

112 3^{2x}

113 9^x-9^{-x}

114 27^x+27^{-x}

01-6 거듭제곱근의 대소 비교

근호가 다른 거듭제곱근의 대소는 다음과 같은 순서로 비교한다.

(1) 거듭제곱근을 지수가 양의 유리수인 꼴로 변형한다.

(2) 지수를 각 분모의 최소공배수를 이용하여 통분한다.

(3) $x>y$이면 $x^{\frac{1}{a}}>y^{\frac{1}{a}}$임을 이용하여 대소를 비교한다. (단, $x>0$, $y>0$, $a>0$)

• $\sqrt[n]{a^m}=\sqrt[np]{a^{mp}} \iff a^{\frac{m}{n}}=a^{\frac{mp}{np}}$

01

연.산.유.형

정답과 해설 6쪽

유형 10 거듭제곱근의 대소 비교

[115~117] 다음 두 수의 크기를 비교하시오.

115 $\sqrt{2}$, $\sqrt[3]{3}$

$\sqrt{2}=2^{\frac{1}{2}}$, $\sqrt[3]{3}=3^{\frac{1}{3}}$이므로 지수의 분모를 2와 3의 최소공배수인 ☐으로 통분하면

$\sqrt{2}=2^{\frac{1}{2}}=2^{\frac{3}{6}}=(2^3)^{\frac{1}{6}}=8^{\frac{1}{6}}$

$\sqrt[3]{3}=3^{\frac{1}{3}}=3^{\frac{2}{6}}=(3^2)^{\frac{1}{6}}=9^{\frac{1}{6}}$

이때 $8<9$이므로 $8^{\frac{1}{6}}$ ☐ $9^{\frac{1}{6}}$

$\therefore \sqrt{2}$ ☐ $\sqrt[3]{3}$

116 $\sqrt[4]{3}$, $\sqrt[6]{5}$

117 $\sqrt{\sqrt{2}}$, $\sqrt[4]{\sqrt{6}}$

[118~120] 다음 세 수의 크기를 비교하시오.

118 $\sqrt{2}$, $\sqrt[3]{3}$, $\sqrt[6]{6}$

119 $\sqrt{2}$, $\sqrt[4]{5}$, $\sqrt[8]{10}$

120 $\sqrt{3}$, $\sqrt[3]{4}$, $\sqrt[4]{6}$

연산 유형 최종 점검하기

1 다음 중 옳은 것은?

① 125의 세제곱근은 $\sqrt[3]{125}$이다.
② 16의 네제곱근은 $\sqrt[4]{16}$, $-\sqrt[4]{16}$이다.
③ -8의 세제곱근 중 실수인 것은 없다.
④ n이 짝수일 때, 3의 n제곱근 중 실수인 것은 $\sqrt[n]{3}$이다.
⑤ n이 홀수일 때, 2의 n제곱근 중 실수인 것은 한 개이다.

2 다음 중 옳지 않은 것은?

① $\sqrt[3]{-27}=-3$
② $\sqrt[3]{5}\times\sqrt[3]{25}=5$
③ $(\sqrt[6]{3})^3=9$
④ $\sqrt[6]{\sqrt[3]{64}}=\sqrt[3]{2}$
⑤ $\frac{\sqrt[7]{256}}{\sqrt[7]{2}}=2$

3 $a>0$일 때, $\sqrt[5]{a^2}\times\sqrt[3]{a^4}=\sqrt[m]{a^n}$을 만족하는 서로소인 자연수 m, n에 대하여 $n-m$의 값을 구하시오.

4 $\left(\frac{a^2}{b^{-3}}\right)^2\div\left(-\frac{a}{b^2}\right)^{-4}\times\left(\frac{a^3}{b^{-2}}\right)^3=\frac{a^m}{b^n}$일 때, 정수 m, n에 대하여 $m+n$의 값은? (단, $a\neq0$, $b\neq0$)

① 13
② 14
③ 15
④ 16
⑤ 17

5 $\left\{\left(\frac{64}{27}\right)^{-\frac{3}{4}}\right\}^{\frac{1}{3}}\times\sqrt[4]{\frac{4}{3}}$의 값은?

① $\frac{\sqrt{3}}{4}$
② $\frac{\sqrt{3}}{3}$
③ $\frac{\sqrt{3}}{2}$
④ $\frac{2\sqrt{3}}{3}$
⑤ $\frac{3\sqrt{3}}{4}$

6 $3^{\sqrt{5}+2}\div3^{\sqrt{5}-2}$의 값은?

① 1
② 9
③ 81
④ $3^{\sqrt{5}}$
⑤ $3^{2\sqrt{5}}$

7 $(2^{\frac{1}{2}}+2^{-\frac{1}{2}})^2-(2^{\frac{1}{2}}+2^{-\frac{1}{2}})(2^{\frac{1}{2}}-2^{-\frac{1}{2}})$의 값은?

① 2 ② $\frac{5}{2}$ ③ 3
④ $\frac{7}{2}$ ⑤ 4

8 $x>0$일 때,
$(x^{\frac{1}{8}}-x^{-\frac{1}{8}})(x^{\frac{1}{8}}+x^{-\frac{1}{8}})(x^{\frac{1}{4}}+x^{-\frac{1}{4}})(x^{\frac{1}{2}}+x^{-\frac{1}{2}})(x+x^{-1})$
을 간단히 하시오.

9 $a^{\frac{1}{2}}-a^{-\frac{1}{2}}=3$일 때, $a+a^{-1}$의 값은?

① 8 ② 9 ③ 10
④ 11 ⑤ 12

10 $a^{2x}=3$일 때, $\frac{a^x+a^{-x}}{a^{3x}+a^{-3x}}$의 값은?

① $\frac{3}{7}$ ② $\frac{4}{9}$ ③ $\frac{3}{5}$
④ $\frac{5}{7}$ ⑤ $\frac{7}{9}$

11 $\frac{5^x+5^{-x}}{5^x-5^{-x}}=2$일 때, 25^x+25^{-x}의 값은?

① 3 ② $\frac{10}{3}$ ③ 4
④ $\frac{9}{2}$ ⑤ 5

12 $A=\sqrt[3]{3}$, $B=\sqrt[6]{5}$, $C=\sqrt[12]{10}$일 때, 세 수 A, B, C의 대소 관계로 옳은 것은?

① $A<B<C$ ② $A<C<B$
③ $B<A<C$ ④ $B<C<A$
⑤ $C<B<A$

02

로그

AM

유형 05 로그의 밑의 변환

유형 06 로그의 밑의 변환을 이용하여 로그의 값을 문자로 나타내기

유형 07 로그의 성질의 활용

유형 08 로그와 이차방정식

유형 09 로그의 여러 가지 성질

유형 10 상용로그의 값

유형 11 상용로그표를 이용한 상용로그의 값

유형 12 상용로그의 성질

유형 13 상용로그의 정수 부분

02 로그

02-1 로그

(1) 로그의 정의

$a>0$, $a\neq1$일 때, 양수 N에 대하여 $a^x=N$을 만족하는 실수 x는 오직 하나 존재한다. 이 실수 x를 $x=\log_a N$으로 나타내고, a를 **밑**으로 하는 N의 **로그**라고 한다. 이때 N을 $\log_a N$의 **진수**라고 한다. 즉,

$$a^x=N \Longleftrightarrow x=\log_a N$$

● $\log_a N$ (┌ 진수: N, └ 밑: a)

(2) 로그가 정의될 조건

$\log_a N$이 정의되기 위해서는

① 밑의 조건: $a>0$, $a\neq1$

② 진수의 조건: $N>0$

연.산.유.형

정답과 해설 8쪽

유형 01 로그의 정의

[001~005] 다음 등식을 로그를 사용하여 나타내시오.

001 $2^3=8$

002 $3^4=81$

003 $5^{-2}=\frac{1}{25}$

004 $6^{\frac{1}{2}}=\sqrt{6}$

005 $\left(\frac{1}{2}\right)^{-4}=16$

[006~010] 다음 등식을 지수를 사용하여 나타내시오.

006 $\log_2 32=5$

007 $\log_7 49=2$

008 $\log_3 \frac{1}{27}=-3$

009 $\log_{11} \sqrt{11}=\frac{1}{2}$

010 $\log_{\frac{1}{2}} 8=-3$

[011~018] 다음 등식을 만족하는 x의 값을 구하시오.

011 $\log_3 x=3$

012 $\log_2 x=-5$

013 $\log_4 16=x$

014 $\log_5 \frac{1}{125}=x$

015 $\log_{\frac{1}{2}} 8=x$

016 $\log_x 64=2$

017 $\log_x \frac{1}{10000}=-4$

018 $\log_2 (\log_3 x)=2$

유형 02 로그가 정의될 조건

[019~024] 다음 로그가 정의되기 위한 실수 x의 값의 범위를 구하시오.

019 $\log_3 (x+2)$

020 $\log_5 (x^2-3x+2)$

021 $\log_{x-1} 2$

022 $\log_{7-x} (x-5)$

023 $\log_x (x^2+x-12)$

024 $\log_{x+2} (-x^2+4x-3)$

02-2 로그의 성질

$a>0$, $a\neq1$, $M>0$, $N>0$일 때

(1) $\log_a 1=0$, $\log_a a=1$

(2) $\log_a M^k=k\log_a M$ (단, k는 실수)

(3) $\log_a MN=\log_a M+\log_a N$

(4) $\log_a \frac{M}{N}=\log_a M-\log_a N$

주의 $\log_a(M+N)\neq\log_a M+\log_a N$, $\log_a(M-N)\neq\log_a M-\log_a N$

• $\log_a \frac{1}{N}=-\log_a N$

연.산.유.형

정답과 해설 8쪽

유형 03 로그의 성질

[025~030] 다음 값을 구하시오.

025 $\log_7 1$

026 $\log_5 5$

027 $\log_3 3^2$

028 $\log_2 \frac{1}{16}$

029 $\log_7 \sqrt[3]{49}$

030 $2\log_3 \sqrt{3}$

[031~040] 다음을 간단히 하시오.

031 $\log_{20} 4+\log_{20} 5$

032 $\log_6 4+\log_6 9$

033 $\log_3 108+\log_3 \frac{1}{4}$

034 $\log_2 \frac{4}{7}+2\log_2 \sqrt{14}$

035 $\log_5 100-\log_5 20$

036 $\log_3 36-\log_3 4$

037 $\log_4 \frac{1}{2}-\log_4 \frac{1}{32}$

038 $\log_2 \sqrt[3]{12}-\frac{1}{3}\log_2 6$

039 $\log_3 12+\log_3 2-\log_3 8$

040 $\log_7 3-\log_7 \frac{6}{7}+\log_7 14$

유형 04 로그의 성질을 이용하여 로그의 값을 문자로 나타내기

[041~046] $\log_{10} 2=a$, $\log_{10} 3=b$일 때, 다음을 a, b로 나타내시오.

041 $\log_{10} 72$

042 $\log_{10} \frac{9}{16}$

043 $\log_{10} 60$

044 $\log_{10} 5$

045 $\log_{10} 0.0024$

046 $\log_{10} \sqrt[5]{15}$

02-3 로그의 밑의 변환

$a>0$, $a\neq1$, $b>0$일 때

(1) $\log_a b=\dfrac{\log_c b}{\log_c a}$ (단, $c>0$, $c\neq1$)

(2) $\log_a b=\dfrac{1}{\log_b a}$ (단, $b\neq1$)

예 (1) $\log_3 5=\dfrac{\log_2 5}{\log_2 3}$

(2) $\log_2 7=\dfrac{1}{\log_7 2}$

연.산.유.형

정답과 해설 9쪽

유형 05 로그의 밑의 변환

[047~052] 다음을 간단히 하시오.

047 $\log_2 3\times\log_3 2$

048 $\log_5 4\times\log_2 5$

049 $\log_7 3\times\log_3 \sqrt{7}$

050 $\log_8 27\times\log_9 2$

051 $\log_4 3\times\log_3 6\times\log_6 4$

052 $\log_8 5\times\log_{25} 7\times\log_7 16$

[053~057] 다음을 간단히 하시오.

053 $\log_9 3+\dfrac{1}{\log_{27} 9}$

054 $\log_2 24-\dfrac{1}{\log_3 2}$

055 $\log_5 \sqrt{3}+\dfrac{1}{\log_{25} 5}-\dfrac{1}{\log_{5\sqrt{3}} 5}$

056 $(\log_2 15-\log_2 5)(\log_3 24-\log_3 6)$

057 $\log_3 (\log_3 2)+\log_3 (\log_2 27)$

유형 06 로그의 밑의 변환을 이용하여 로그의 값을 문자로 나타내기

[058~063] $\log_{10} 2=a$, $\log_{10} 3=b$일 때, 다음을 a, b로 나타내시오.

058 $\log_2 3$

059 $\log_3 8$

060 $\log_{12} 2$

061 $\log_6 24$

062 $\log_3 \sqrt{54}$

063 $\log_5 6$

[064~069] $3^a=x$, $3^b=y$, $3^c=z$일 때, 다음을 a, b, c로 나타내시오. (단, $abc \neq 0$)

064 $\log_x xy^2$

065 $\log_{xy} y^2z$

066 $\log_{xyz} x^3$

067 $\log_z \frac{xz^2}{y^3}$

068 $\log_{yz} \sqrt{y^3z^4}$

069 $\log_{x^2y} \frac{x}{\sqrt[3]{xz}}$

유형 07 로그의 성질의 활용

[070~073] 다음을 구하시오.

070 $2^x=3^y=6$일 때, $\frac{1}{x}+\frac{1}{y}$의 값

$2^x=6$에서 $x=\log_2 \square$
$3^y=6$에서 $y=\log_3 \square$
$\therefore \frac{1}{x}+\frac{1}{y}=\frac{1}{\log_2 \square}+\frac{1}{\log_3 \square}$
$=\log_{\square} 2+\log_{\square} 3$
$=\log_{\square} 6=\square$

071 $4^x=36^y=12$일 때, $\frac{1}{x}+\frac{1}{y}$의 값

072 $40^x=5^y=2$일 때, $\frac{1}{x}-\frac{1}{y}$의 값

073 $100^x=4^y=5$일 때, $\frac{1}{x}-\frac{1}{y}$의 값

유형 08 로그와 이차방정식

[074~075] 다음 이차방정식의 두 근이 α, β일 때, $\log_2(\alpha^{-1}+\beta^{-1})$의 값을 구하시오.

074 $x^2-4x+2=0$

075 $x^2-16x+4=0$

[076~077] 다음 이차방정식의 두 근이 $\log_2 a$, $\log_2 b$일 때, $\log_a b+\log_b a$의 값을 구하시오.

076 $x^2-6x+3=0$

077 $x^2-4x+1=0$

02-4 로그의 여러 가지 성질

$a>0$, $a\neq1$, $b>0$일 때

(1) $\log_{a^m} b^n = \frac{n}{m}\log_a b$ (단, $m\neq0$)

(2) $a^{\log_c b} = b^{\log_c a}$ (단, $c>0$, $c\neq1$)

예 (1) $\log_4 27 = \log_{2^2} 3^3 = \frac{3}{2}\log_2 3$

(2) $3^{\log_5 2} = 2^{\log_5 3}$

• $a^{\log_a b} = b$

02

연.산.유.형

정답과 해설 12쪽

유형 09 로그의 여러 가지 성질

[078~085] 다음 값을 구하시오.

078 $\log_{5^2} 5^4$

079 $\log_8 256$

080 $\log_9 27$

081 $\log_4 2\sqrt{2}$

082 $7^{\log_7 6}$

083 $16^{\log_2 3}$

084 $3^{\log_9 25}$

085 $9^{\log_{27} 8}$

[086~090] 다음을 간단히 하시오.

086 $\log_9 3 + \log_{81} 3$

087 $\log_{\frac{1}{2}} 2 + \log_5 \frac{1}{5}$

088 $(\log_2 3 + \log_4 3)(\log_3 2 + \log_{27} 2)$

089 $\log_5 49 \times (\log_7 \sqrt{5} - \log_{\frac{1}{49}} 625)$

090 $2^{\log_2 25 - \log_2 5}$

02-5 상용로그

10을 밑으로 하는 로그를 **상용로그**라 하고, 상용로그 $\log_{10} N$은 보통 밑 10을 생략하여 $\log N$으로 나타낸다.
이때 $\log 10^n = \log_{10} 10^n = n$이므로 10의 거듭제곱 꼴의 수에 대한 상용로그의 값은 로그의 성질을 이용하여 구할 수 있다.
예 $\log 1000 = \log 10^3 = 3$, $\log 0.01 = \log 10^{-2} = -2$

연.산.유.형

정답과 해설 12쪽

유형 10 상용로그의 값

[091~096] 다음 상용로그의 값을 구하시오.

091 $\log 10^{-3}$

092 $\log 100$

093 $\log \frac{1}{10000}$

094 $\log 0.00001$

095 $\log \sqrt[3]{10^7}$

096 $\log 1000\sqrt{10}$

[097~100] 다음을 간단히 하시오.

097 $\log 10 + \log 1000$

098 $\log \sqrt{10} - \log \sqrt[3]{10}$

099 $\log 0.1 + \log \sqrt{\frac{1}{1000}}$

100 $\log \sqrt{1000} - \log \sqrt[3]{10} + \log \frac{1}{100}$

02-6 상용로그표

(1) **상용로그표:** 0.01의 간격으로 1.00부터 9.99까지의 수에 대한 상용로그의 값을 반올림하여 소수점 아래 넷째 자리까지 나타낸 표

(2) **상용로그표를 이용하여 상용로그의 값 구하기**

① 정수 부분이 한 자리인 양수의 상용로그의 값

예를 들어 $\log 5.26$의 값은 상용로그표에서 5.2의 가로줄과 6의 세로줄이 만나는 곳에 있는 수이므로 $\log 5.26=0.7210$이다.

② 정수 부분이 한 자리가 아닌 양수의 상용로그의 값

상용로그표에 나와 있지 않은 양수의 상용로그의 값은 양수를 $a\times10^n$ ($1\le a<10$, n은 정수)의 꼴로 변형한 후 로그의 성질과 상용로그표를 이용하여 구한다.

수	0	1	⋯	6	7
1.0	.0000	.0043	⋯	.0253	.0294
1.1	.0414	.0453	⋯	.0645	.0682
1.2	.0792	.0828	⋯	.1004	.1038
⋮	⋮	⋮	⋯	⋮	⋮
5.1	.7076	.7084	⋯	.7126	.7135
5.2	.7160	.7168	⋯	.7210	.7218
5.3	.7243	.7251	⋯	.7292	.7300

연.산.유.형

정답과 해설 13쪽

유형 11 상용로그표를 이용한 상용로그의 값

[101~104] $\log 3.26=0.5132$일 때, 다음 상용로그의 값을 구하시오.

101 $\log 32.6$

$\log 32.6=\log(3.26\times\square)$
$=\log 3.26+\log\square$
$=\square+1=\square$

102 $\log 3260$

103 $\log 0.326$

104 $\log 0.00326$

[105~108] 아래 상용로그표를 이용하여 다음 상용로그의 값을 구하시오.

수	⋯	2	3	4	5	6	⋯
⋮	⋮	⋮	⋮	⋮	⋮	⋮	⋮
2.1	⋯	.3263	.3284	.3304	.3324	.3345	⋯
2.2	⋯	.3464	.3483	.3502	.3522	.3541	⋯
2.3	⋯	.3655	.3674	.3692	.3711	.3729	⋯

105 $\log 22.5$

106 $\log 232$

107 $\log 0.0216$

108 $\log 0.000223$

02-7 상용로그의 정수 부분과 소수 부분

(1) 양수 N의 상용로그는

$$\log N = \underset{\text{log } N\text{의 정수 부분}}{n} + \underset{\text{log } N\text{의 소수 부분}}{\alpha} \ (n\text{은 정수, } 0 \le \alpha < 1)$$

와 같이 나타낼 수 있다.

예 $\log 51.6 = \log(10 \times 5.16) = \log 10 + \log 5.16 = \underset{\text{정수 부분}}{1} + \underset{\text{소수 부분}}{0.7126}$

(2) **상용로그의 정수 부분**

$\log N = n + \alpha$ (n은 정수, $0 \le \alpha < 1$)에서

① $n \ge 0$이면 N은 $n+1$자리의 수이다.

② $n < 0$이면 N은 소수점 아래 $-n$째 자리에서 처음으로 0이 아닌 숫자가 나타나는 수이다.

(3) **상용로그의 소수 부분**

숫자의 배열이 같고 소수점의 위치만 다른 양수의 상용로그는 소수 부분이 모두 같다.

연.산.유.형

정답과 해설 13쪽

유형 12 상용로그의 성질

[109~112] $\log 1.32 = 0.1206$일 때, 다음을 만족하는 N의 값을 구하시오.

109 $\log N = 1.1206$

$\log 1.32 = 0.1206$이므로

$\log N = 1.1206 = \square + 0.1206$

$= \log \square + \log 1.32 = \log \square$

$\therefore N = \square$

110 $\log N = 3.1206$

111 $\log N = -0.8794$

112 $\log N = -2.8794$

[113~116] $\log 4.17 = 0.6201$일 때, 다음을 만족하는 N의 값을 구하시오.

113 $\log N = 2.6201$

114 $\log N = 4.6201$

115 $\log N = -1.3799$

116 $\log N = -3.3799$

유형 13 상용로그의 정수 부분

[117~122] $\log 2=0.3010$, $\log 3=0.4771$일 때, 다음 수는 몇 자리의 수인지 구하시오.

117 2^{10}

> 2^{10}에 상용로그를 취하면
> $\log 2^{10}=10\log 2=3.01=\square+0.01$
> $\log 2^{10}$의 정수 부분이 $\square$이므로 2^{10}은 $\square$자리의 수이다.

118 3^{20}

119 2^{50}

120 6^{30}

121 30^{10}

122 5^{20}

[123~128] $\log 2=0.3010$, $\log 3=0.4771$일 때, 다음 수는 소수점 아래 몇째 자리에서 처음으로 0이 아닌 숫자가 나타나는지 구하시오.

123 $\left(\frac{1}{2}\right)^{10}$

> $\left(\frac{1}{2}\right)^{10}$에 상용로그를 취하면
> $\log\left(\frac{1}{2}\right)^{10}=\log 2^{-10}=-10\log 2$
> $=-3.01=\square+0.99$
> $\log\left(\frac{1}{2}\right)^{10}$의 정수 부분이 $\square$이므로 $\left(\frac{1}{2}\right)^{10}$은 소수점 아래 $\square$째 자리에서 처음으로 0이 아닌 숫자가 나타난다.

124 $\frac{1}{3^{10}}$

125 2^{-20}

126 6^{-30}

127 $\left(\frac{2}{9}\right)^{50}$

128 $\left(\frac{3}{5}\right)^{30}$

연산 유형 최종 점검하기

1 $\log_a 3=2$, $\log_b 5=2$일 때, ab의 값은?

① $\sqrt{6}$ ② $\sqrt{10}$ ③ $\sqrt{15}$
④ 10 ⑤ 15

2 $\log_2 \{\log_9 (\log_2 a)\}=-1$을 만족하는 실수 a의 값은?

① $\frac{1}{4}$ ② $\frac{1}{3}$ ③ 8
④ 9 ⑤ 27

3 $\log_{6-x}(-x^2+4x+5)$가 정의되도록 하는 모든 정수 x의 값의 합은?

① 10 ② 11 ③ 12
④ 13 ⑤ 14

4 다음 중 옳지 <u>않은</u> 것은?

① $\log_{\sqrt{3}} 1=0$ ② $\log_{\frac{1}{2}} \frac{1}{2}=1$
③ $\log_3 \frac{1}{9}=-2$ ④ $\log_5 \sqrt[3]{25}=\frac{2}{3}$
⑤ $\frac{1}{2}\log_7 \sqrt{7}=1$

5 $\log_2 24+\log_2 \frac{\sqrt{3}}{2}-\frac{3}{2}\log_2 3$의 값은?

① $\frac{1}{4}$ ② $\frac{1}{2}$ ③ 1
④ 2 ⑤ 4

6 $108^x=3^y=6$일 때, $\frac{y-x}{xy}$의 값은?

① $\frac{1}{3}$ ② $\frac{1}{2}$ ③ 1
④ 2 ⑤ 3

7 이차방정식 $x^2-ax+b=0$의 두 근이 $\log_3 5$, 1일 때, 상수 a, b에 대하여 $\frac{b}{a}$의 값은?

① $-\log_{15} 3$ ② $-\log_{15} 5$ ③ $\log_5 3$
④ $\log_{15} 3$ ⑤ $\log_{15} 5$

8 $\left(\log_2 \sqrt{3}+\frac{3}{4}\log_{\sqrt{2}} 3\right)\times\log_{\frac{1}{27}} 2\sqrt{2}$의 값은?

① -1 ② $-\frac{1}{2}$ ③ $-\frac{1}{3}$
④ 1 ⑤ $\frac{3}{2}$

9 $\log_2 3=a$, $\log_5 2=b$일 때, $\log_4 45$를 a, b로 나타내면?

① $\frac{a+2}{b}$ ② $a+\frac{1}{2b}$ ③ $a+\frac{2}{b}$
④ $a+\frac{b}{2}$ ⑤ $2a+b$

10 $\log 2=0.3010$, $\log 3=0.4771$일 때, $\log\frac{3}{5}$의 값을 구하시오.

11 $\log 4.28=0.6314$일 때, $\log 428=a$, $\log b=-1.3686$이다. 이때 $a+b$의 값은?

① 1.6742 ② 2.6742 ③ 5.9114
④ 6.9114 ⑤ 44.4314

12 $\log 2=0.3010$, $\log 3=0.4771$일 때, 18^{10}은 몇 자리의 수인지 구하시오.

13 $\log 2=0.3010$, $\log 3=0.4771$일 때, 12^{-20}은 소수점 아래 몇째 자리에서 처음으로 0이 아닌 숫자가 나타나는지 구하시오.

03

지수함수와 로그함수

AM

유형 10 지수함수와 로그함수의 관계

유형 11 로그함수의 함숫값

유형 12 로그함수의 그래프

유형 13 로그함수의 그래프의 평행이동과 대칭이동

유형 14 로그함수의 그래프의 성질

유형 15 로그함수를 이용한 대소 비교

유형 16 로그함수의 최대, 최소

유형 17 $y=\log_a f(x)$ 꼴의 최대, 최소

유형 18 $\log_a x$ 꼴이 반복되는 함수의 최대, 최소

03 지수함수와 로그함수

03-1 지수함수의 뜻

a가 1이 아닌 양수일 때, 임의의 실수 x에 a^x을 대응시키는 함수

$$y=a^x \ (a>0,\ a\neq1)$$

을 a를 밑으로 하는 **지수함수**라고 한다.

예 $y=2^x$, $y=\left(\frac{1}{3}\right)^x$, $y=5^{-2x}$ ➡ 지수함수

• $a>0$, $a\neq1$일 때, 실수 x에 대하여 a^x의 값은 하나로 정해지므로 $y=a^x$은 x에 대한 함수이다.

연.산.유.형

정답과 해설 16쪽

유형 01 지수함수의 뜻

[001~005] 다음 함수 중 지수함수인 것은 ○표, 지수함수가 아닌 것은 ×표를 ( ) 안에 써넣으시오.

001 $y=3^x$ ( )

002 $y=x^2$ ( )

003 $y=0.1^x$ ( )

004 $y=2^3+x$ ( )

005 $y=\left(\frac{1}{5}\right)^x$ ( )

유형 02 지수함수의 함숫값

[006~010] 지수함수 $f(x)=2^x$에 대하여 다음을 구하시오.

006 $f(2)$

007 $f(-1)$

008 $f\left(\frac{1}{2}\right)$

009 $f(3)f(4)$

010 $\frac{f(8)}{f(5)}$

03-2 지수함수의 그래프

(1) 지수함수의 그래프

지수함수 $y=a^x\,(a>0,\ a\neq1)$의 그래프는 a의 값의 범위에 따라 다음과 같다.

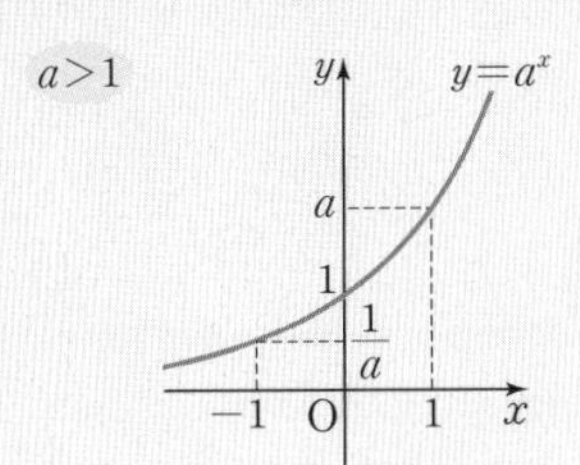

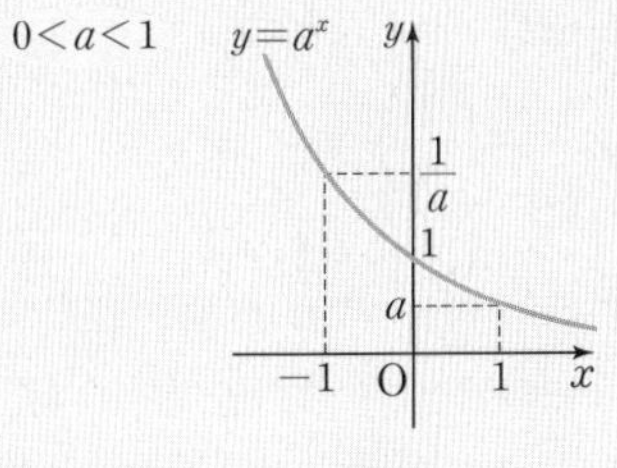

(2) 지수함수 $y=a^x\,(a>0,\ a\neq1)$의 성질

① 정의역은 실수 전체의 집합이고, 치역은 양의 실수 전체의 집합이다.

② $a>1$일 때, x의 값이 증가하면 y의 값도 증가한다.
$0<a<1$일 때, x의 값이 증가하면 y의 값은 감소한다.

③ 그래프는 점 $(0,\ 1)$을 지나고, 점근선은 x축이다.

● 곡선 위의 점이 한없이 가까워지는 직선을 그 곡선의 점근선이라고 한다.

03

연.산.유.형

정답과 해설 16쪽

유형 03 지수함수의 그래프

[011~014] 다음 지수함수의 그래프를 그리시오.

011 $y=2^x$

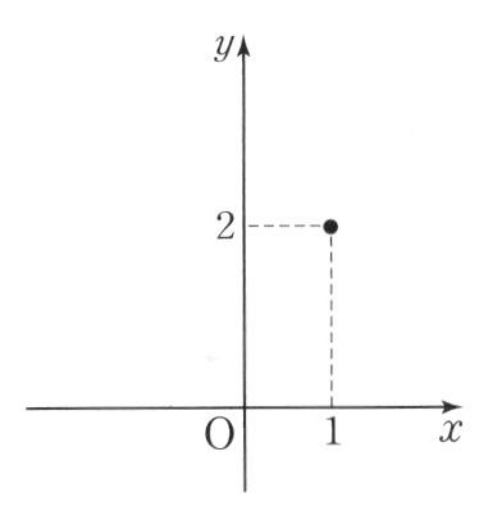

012 $y=\left(\frac{1}{2}\right)^x$

013 $y=3^x$

014 $y=\left(\frac{1}{3}\right)^x$

03-3 지수함수의 그래프의 평행이동과 대칭이동

지수함수 $y=a^x\,(a>0,\ a\neq1)$의 그래프를

(1) x축의 방향으로 m만큼, y축의 방향으로 n만큼 평행이동 ➡ $y=a^{x-m}+n$

(2) x축에 대하여 대칭이동 ➡ $y=-a^x$

(3) y축에 대하여 대칭이동 ➡ $y=a^{-x}=\left(\frac{1}{a}\right)^x$

(4) 원점에 대하여 대칭이동 ➡ $y=-a^{-x}=-\left(\frac{1}{a}\right)^x$

연.산.유.형

정답과 해설 16쪽

유형 04 지수함수의 그래프의 평행이동과 대칭이동

[015~018] 다음 지수함수를 x축의 방향으로 m만큼, y축의 방향으로 n만큼 평행이동한 그래프의 식을 구하시오.

015 $y=2^x\ [m=1,\ n=-2]$

016 $y=3^x\ [m=-2,\ n=1]$

017 $y=\left(\frac{1}{3}\right)^x\ [m=4,\ n=-1]$

018 $y=-2^x\ [m=-3,\ n=5]$

[019~021] 지수함수 $y=2^{x-1}+1$의 그래프를 다음과 같이 대칭이동한 그래프의 식을 구하시오.

019 x축에 대하여 대칭이동

020 y축에 대하여 대칭이동

021 원점에 대하여 대칭이동

[022~027] 다음 지수함수의 그래프를 그리고, 점근선의 방정식을 구하시오.

022 $y=2^{x+1}-3$

023 $y=2^{-x}+1$

024 $y=-2^x-1$

025 $y=3^{x-1}-\frac{1}{2}$

026 $y=-3^{-x}$

027 $y=-3^{x+1}$

유형 05 지수함수의 그래프의 성질

[028~031] 지수함수 $y=2^{x-1}+3$의 그래프에 대한 설명으로 옳은 것은 ○표, 옳지 않은 것은 ×표를 ( ) 안에 써넣으시오.

028 함수 $y=2^x$의 그래프를 x축의 방향으로 1만큼, y축의 방향으로 3만큼 평행이동한 것이다. ( )

029 x의 값이 증가하면 y의 값은 감소한다. ( )

030 치역은 $\{y|y>3\}$이다. ( )

031 점 $(0, 3)$을 지난다. ( )

[032~035] 지수함수 $y=\left(\frac{1}{3}\right)^{x-2}-1$의 그래프에 대한 설명으로 옳은 것은 ○표, 옳지 않은 것은 ×표를 ( ) 안에 써넣으시오.

032 함수 $y=3^x$의 그래프를 평행이동, 대칭이동하여 일치할 수 있다. ( )

033 제1, 2, 4사분면을 지난다. ( )

034 점근선의 방정식은 $y=1$이다. ( )

035 점 $(2, -1)$을 지난다. ( )

03-4 지수함수의 최대, 최소

(1) 지수함수를 이용한 대소 비교

지수함수 $y=a^x$에서

① $a>1$일 때, $x_1<x_2$이면 $a^{x_1}<a^{x_2}$

② $0<a<1$일 때, $x_1<x_2$이면 $a^{x_1}>a^{x_2}$

(2) 지수함수의 최대, 최소

정의역이 $\{x|m\le x\le n\}$인 지수함수 $y=a^x$은

① $a>1$이면 $x=m$일 때 최솟값 a^m, $x=n$일 때 최댓값 a^n을 갖는다.

② $0<a<1$이면 $x=m$일 때 최댓값 a^m, $x=n$일 때 최솟값 a^n을 갖는다.

(3) $y=a^{f(x)}\,(a>0,\ a\ne1)$ 꼴의 최대, 최소

지수함수 $y=a^{f(x)}$은

① $a>1$이면 $f(x)$가 최대일 때 최댓값, $f(x)$가 최소일 때 최솟값을 갖는다.

② $0<a<1$이면 $f(x)$가 최대일 때 최솟값, $f(x)$가 최소일 때 최댓값을 갖는다.

(4) a^x 꼴이 반복되는 함수의 최대, 최소

$a^x=t\,(t>0)$로 치환하여 t의 값의 범위에서 주어진 함수의 최대, 최소를 구한다.

연.산.유.형

정답과 해설 17쪽

유형 06 지수함수를 이용한 대소 비교

[036~039] 지수함수를 이용하여 다음 수의 크기를 비교하시오.

036 4^{10}, 8^6

037 $\frac{1}{81}$, $\left(\sqrt{\frac{1}{3}}\right)^5$

038 $\left(\frac{1}{2}\right)^{-3}$, $16^{1.25}$

039 $\sqrt[3]{25}$, $0.2^{-\frac{3}{4}}$, $\sqrt{125}$

유형 07 지수함수의 최대, 최소

[040~043] 정의역이 $\{x|-1\le x\le 2\}$인 다음 함수의 최댓값과 최솟값을 구하시오.

040 $y=3^x$

041 $y=\left(\frac{1}{2}\right)^x$

042 $y=2^{x-1}+3$

043 $y=3^{2-x}-1$

유형 08 $y=a^{f(x)}$ 꼴의 최대, 최소

[044~046] 주어진 범위에서 다음 함수의 최댓값과 최솟값을 구하시오.

044 $y=2^{x^2-4x+1}$ $(1\le x\le 4)$

$x^2-4x+1=t$로 놓으면
$t=(x-2)^2-\square$
$1\le x\le 4$에서 $\square\le t\le\square$
이때 $y=2^t$의 밑이 1보다 크므로 $t=\square$일 때 최댓값은 $\square$,
$t=\square$일 때 최솟값은 $\square$이다.

045 $y=3^{-x^2+6x-7}$ $(1\le x\le 3)$

046 $y=\left(\frac{1}{2}\right)^{x^2+2x-3}$ $(0\le x\le 2)$

유형 09 a^x 꼴이 반복되는 함수의 최대, 최소

[047~049] 주어진 범위에서 다음 함수의 최댓값과 최솟값을 구하시오.

047 $y=4^x-2^{x+1}+5$ $(-1\le x\le 3)$

$y=4^x-2^{x+1}+5=(\square)^2-2\times 2^x+5$
$\square=t\,(t>0)$로 놓으면 $-1\le x\le 3$에서
$2^{-1}\le 2^x\le 2^3$ $\quad\therefore \square\le t\le\square$
이때 주어진 함수는
$y=t^2-2t+5=(t-\square)^2+\square$
따라서 $t=\square$일 때 최댓값은 $\square$, $t=\square$일 때 최솟값은 $\square$이다.

048 $y=9^x-3^{x+1}$ $(-1\le x\le 1)$

049 $y=2^{-2x}+2^{-x+1}-1$ $(-2\le x\le 1)$

03-5 로그함수의 뜻

지수함수 $y=a^x\,(a>0,\ a\neq1)$의 역함수

$y=\log_a x\,(a>0,\ a\neq1)$

를 a를 밑으로 하는 **로그함수**라고 한다.

예 $y=\log_3 x$, $y=\log_2(x-1)$, $y=\log_5 \frac{1}{x}$ ➡ 로그함수

● 지수함수 $y=a^x$은 실수 전체의 집합에서 양의 실수 전체의 집합으로의 일대일대응이므로 역함수가 존재한다.

연.산.유.형

정답과 해설 18쪽

유형 10 지수함수와 로그함수의 관계

[050~054] 다음 함수의 역함수를 구하시오.

050 $y=2^x$

051 $y=\left(\frac{1}{3}\right)^x$

052 $y=5^{x+1}$

053 $y=\log_3 x$

054 $y=\log_2(x-1)$

유형 11 로그함수의 함숫값

[055~059] 로그함수 $f(x)=\log_3 x$에 대하여 다음을 구하시오.

055 $f(81)$

056 $f\left(\frac{1}{9}\right)$

057 $f(3)+f(27)$

058 $f(6)+f\left(\frac{3}{2}\right)$

059 $f(12)-f(4)$

03-6 로그함수의 그래프

(1) 로그함수의 그래프

로그함수 $y=\log_a x$는 지수함수 $y=a^x$의 역함수이므로 $y=\log_a x$의 그래프는 $y=a^x$의 그래프와 직선 $y=x$에 대하여 대칭이다.

따라서 로그함수 $y=\log_a x\,(a>0,\ a\neq1)$의 그래프는 a의 값의 범위에 따라 다음과 같다.

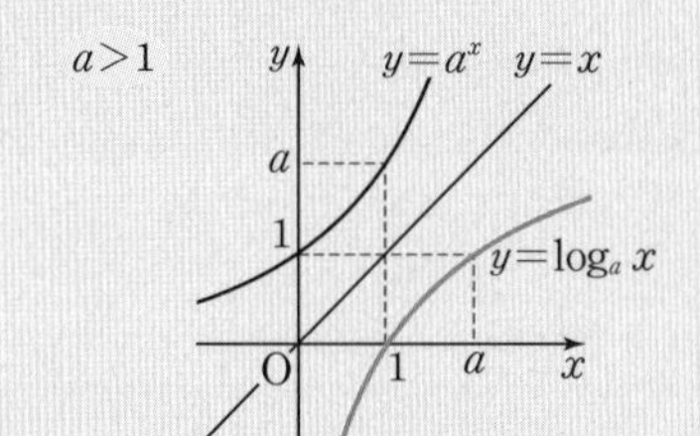

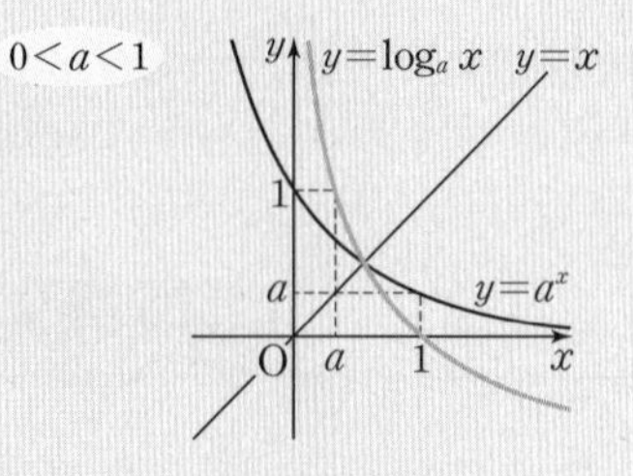

(2) 로그함수 $y=\log_a x\,(a>0,\ a\neq1)$의 성질

① 정의역은 양의 실수 전체의 집합이고, 치역은 실수 전체의 집합이다.

② $a>1$일 때, x의 값이 증가하면 y의 값도 증가한다.

$0<a<1$일 때, x의 값이 증가하면 y의 값은 감소한다.

③ 그래프는 점 $(1,\ 0)$을 지나고, 점근선은 y축이다.

연·산·유·형

정답과 해설 19쪽

유형 12 로그함수의 그래프

[060~063] 다음 로그함수의 그래프를 그리시오.

060 $y=\log_2 x$

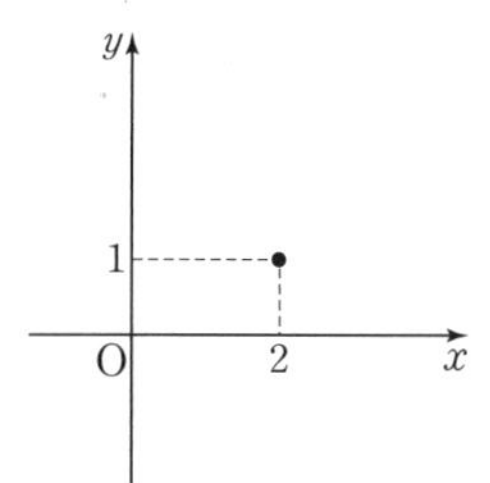

061 $y=\log_{\frac{1}{2}} x$

062 $y=\log_3 x$

063 $y=\log_{\frac{1}{3}} x$

03-7 로그함수의 그래프의 평행이동과 대칭이동

로그함수 $y=\log_a x\,(a>0,\ a\neq1)$의 그래프를

(1) x축의 방향으로 m만큼, y축의 방향으로 n만큼 평행이동 ➡ $y=\log_a(x-m)+n$

(2) x축에 대하여 대칭이동 ➡ $y=-\log_a x$

(3) y축에 대하여 대칭이동 ➡ $y=\log_a(-x)$

(4) 원점에 대하여 대칭이동 ➡ $y=-\log_a(-x)$

(5) 직선 $y=x$에 대하여 대칭이동 ➡ $y=a^x$

연.산.유.형

정답과 해설 19쪽

유형 13 로그함수의 그래프의 평행이동과 대칭이동

[064~067] 다음 로그함수를 x축의 방향으로 m만큼, y축의 방향으로 n만큼 평행이동한 그래프의 식을 구하시오.

064 $y=\log_2 x\ [m=2,\ n=1]$

065 $y=\log_3 x\ [m=-1,\ n=2]$

066 $y=\log_{\frac{1}{3}} x\ [m=3,\ n=-2]$

067 $y=-\log_4 x\ [m=-2,\ n=5]$

[068~070] 로그함수 $y=\log_3(x+1)-1$의 그래프를 다음과 같이 대칭이동한 그래프의 식을 구하시오.

068 x축에 대하여 대칭이동

069 y축에 대하여 대칭이동

070 원점에 대하여 대칭이동

[071~076] 다음 로그함수의 그래프를 그리고, 점근선의 방정식을 구하시오.

071 $y=\log_2(x-2)$

072 $y=\log_2 2x$

073 $y=\log_2(-x)$

074 $y=\log_3(x+1)-1$

075 $y=\log_3\frac{1}{x}$

076 $y=\log_3(2-x)$

유형 14 로그함수의 그래프의 성질

[077~080] 로그함수 $y=\log_2(x-1)-3$의 그래프에 대한 설명으로 옳은 것은 ○표, 옳지 않은 것은 ×표를 ( ) 안에 써넣으시오.

077 함수 $y=\log_2 x$의 그래프를 x축의 방향으로 -1만큼, y축의 방향으로 -3만큼 평행이동한 것이다. ( )

078 x의 값이 증가하면 y의 값도 증가한다. ( )

079 정의역은 $\{x|x>-1\}$이다. ( )

080 점 $(2, -3)$을 지난다. ( )

[081~084] 로그함수 $y=\log_{\frac{1}{3}} x+2$의 그래프에 대한 설명으로 옳은 것은 ○표, 옳지 않은 것은 ×표를 ( ) 안에 써넣으시오.

081 함수 $y=\log_3 x$의 그래프를 y축에 대하여 대칭이동한 후 y축의 방향으로 2만큼 평행이동한 것이다. ( )

082 x의 값이 증가하면 y의 값은 감소한다. ( )

083 제1, 4사분면을 지난다. ( )

084 점근선의 방정식은 $x=2$이다. ( )

03-8 로그함수의 최대, 최소

(1) 로그함수를 이용한 대소 비교

로그함수 $y=\log_a x$에서

① $a>1$일 때, $x_1<x_2$이면 $\log_a x_1<\log_a x_2$

② $0<a<1$일 때, $x_1<x_2$이면 $\log_a x_1>\log_a x_2$

(2) 로그함수의 최대, 최소

정의역이 $\{x|m\le x\le n\}$인 로그함수 $y=\log_a x$는

① $a>1$이면 $x=m$일 때 최솟값 $\log_a m$, $x=n$일 때 최댓값 $\log_a n$을 갖는다.

② $0<a<1$이면 $x=m$일 때 최댓값 $\log_a m$, $x=n$일 때 최솟값 $\log_a n$을 갖는다.

(3) $y=\log_a f(x)$ $(a>0,\ a\ne1)$ 꼴의 최대, 최소

로그함수 $y=\log_a f(x)$는

① $a>1$이면 $f(x)$가 최대일 때 최댓값, $f(x)$가 최소일 때 최솟값을 갖는다.

② $0<a<1$이면 $f(x)$가 최대일 때 최솟값, $f(x)$가 최소일 때 최댓값을 갖는다.

(4) $\log_a x$ 꼴이 반복되는 함수의 최대, 최소

$\log_a x=t$로 치환하여 t의 값의 범위에서 주어진 함수의 최대, 최소를 구한다.

연.산.유.형

정답과 해설 20쪽

유형 15 로그함수를 이용한 대소 비교

[085~088] 로그함수를 이용하여 다음 수의 크기를 비교하시오.

085 $\log_{\frac{1}{3}} 5,\ \log_{\frac{1}{3}} 7$

086 $2\log_2 3,\ \log_4 64$

087 $\log_{\frac{1}{5}} \frac{1}{7},\ -\log_{\frac{1}{5}} 8$

088 $\frac{1}{2}\log_3 5,\ \log_{\frac{1}{3}} \frac{1}{2},\ \log_9 16$

유형 16 로그함수의 최대, 최소

[089~092] 주어진 범위에서 다음 함수의 최댓값과 최솟값을 구하시오.

089 $y=\log_2 x\ (2\le x\le 16)$

090 $y=\log_{\frac{1}{3}} (x+4)-1\ (-1\le x\le 5)$

091 $y=\log_2 (3x-2)+3\ (2\le x\le 6)$

092 $y=\log_3 (2-x)+1\ (-7\le x\le 1)$

유형 17 $y=\log_a f(x)$ 꼴의 최대, 최소

[093~095] 주어진 범위에서 다음 함수의 최댓값과 최솟값을 구하시오.

093 $y=\log_2(x^2-4x+4)$ $(4\le x\le 10)$

> $x^2-4x+4=t$로 놓으면
> $t=(x-\square)^2$
> $4\le x\le 10$에서 $\square\le t\le\square$
> 이때 $y=\log_2 t$의 밑이 1보다 크므로 $t=\square$일 때 최댓값은 $\square$, $t=\square$일 때 최솟값은 $\square$이다.

094 $y=\log_3(-x^2+2x+8)$ $(-1\le x\le 3)$

095 $y=\log_{\frac{1}{5}}(x^2-6x+10)$ $(1\le x\le 4)$

유형 18 $\log_a x$ 꼴이 반복되는 함수의 최대, 최소

[096~098] 주어진 범위에서 다음 함수의 최댓값과 최솟값을 구하시오.

096 $y=(\log_3 x)^2-2\log_3 x+9$ $(1\le x\le 27)$

> $\log_3 x=t$로 놓으면 $1\le x\le 27$에서
> $\log_3 1\le\log_3 x\le\log_3 27$ $\quad\therefore \square\le t\le\square$
> 이때 주어진 함수는
> $y=t^2-2t+9=(t-\square)^2+\square$
> 따라서 $t=\square$일 때 최댓값은 $\square$, $t=\square$일 때 최솟값은 $\square$이다.

097 $y=(\log_2 x)^2-\log_2 x^2+6$ $(1\le x\le 16)$

098 $y=(\log_{\frac{1}{3}} x)^2-6\log_{\frac{1}{3}} x-1$ $\left(\frac{1}{9}\le x\le 3\right)$

연산 유형 최종 점검하기

1 다음 보기 중 지수함수 $f(x)=a^x$에 대한 설명으로 옳은 것을 있는 대로 고른 것은?

보기
ㄱ. 치역은 실수 전체의 집합이다.
ㄴ. 그래프는 항상 점 $(0, 1)$을 지난다.
ㄷ. 그래프의 점근선의 방정식은 $y=0$이다.
ㄹ. 임의의 실수 x_1, x_2에 대하여 $x_1<x_2$이면 $f(x_1)<f(x_2)$이다.

① ㄱ, ㄴ ② ㄱ, ㄹ ③ ㄴ, ㄷ
④ ㄷ, ㄹ ⑤ ㄱ, ㄴ, ㄷ

2 함수 $y=8^x$의 그래프를 x축의 방향으로 m만큼, y축의 방향으로 n만큼 평행이동하면 함수 $y=8\times2^{3x}+4$의 그래프와 일치할 때, m, n의 값을 구하시오.

3 함수 $f(x)=a\times3^x+b$의 그래프가 오른쪽 그림과 같을 때, 상수 a, b의 값을 구하시오.

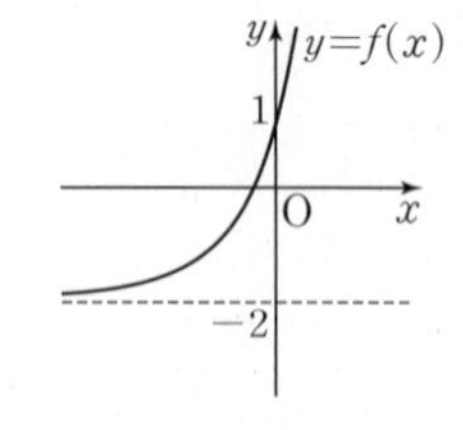

4 다음 중 가장 큰 수와 가장 작은 수의 곱은?

$$\sqrt[3]{4},\ \left(\frac{1}{8}\right)^{-\frac{7}{9}},\ \sqrt{\sqrt{\sqrt{1024}}},\ \left(2^{\frac{1}{3}}\times16^{\frac{5}{6}}\right)^{\frac{1}{2}}$$

① 4 ② $4\sqrt{2}$ ③ 8
④ $8\sqrt{2}$ ⑤ 16

5 정의역이 $\{x\,|\,-1\le x\le5\}$인 함수 $y=2^{3-x}+k$의 최댓값이 3일 때, 상수 k의 값은?

① -13 ② -5 ③ -1
④ $\frac{11}{4}$ ⑤ $\frac{13}{4}$

6 정의역이 $\{x\,|\,0\le x\le3\}$인 함수 $y=2^{2x}-2^{x+1}+3$의 최댓값과 최솟값의 합은?

① 9 ② 16 ③ 29
④ 41 ⑤ 53

7 함수 $y=\log_2(x+1)-3$의 역함수가 $y=a^{x+b}+c$일 때, 상수 a, b, c에 대하여 $a+b+c$의 값은?

① 3 ② 4 ③ 5
④ 6 ⑤ 7

8 함수 $f(x)=\log_a(2x-1)+3$에 대하여 $f(2)=4$일 때, $f(5)$의 값은?

① 5 ② 6 ③ 7
④ 8 ⑤ 9

9 다음 중 로그함수 $y=\log_a x$에 대한 설명으로 옳지 않은 것은?

① 정의역은 양의 실수 전체의 집합이고, 치역은 실수 전체의 집합이다.
② 그래프는 점 (1, 0)을 지난다.
③ 그래프의 점근선은 y축이다.
④ $0<a<1$일 때, x의 값이 증가하면 y의 값은 감소한다.
⑤ 그래프는 함수 $y=\log_a \frac{1}{x}$의 그래프와 y축에 대하여 대칭이다.

10 함수 $y=\log_{\frac{1}{2}} 4x$의 그래프를 x축의 방향으로 1만큼, y축의 방향으로 -2만큼 평행이동하면 함수 $y=-\log_2(x+a)+b$의 그래프와 일치할 때, 상수 a, b의 값을 구하시오.

11 $A=\log_{\frac{1}{5}} 3$, $B=-1$, $C=\frac{1}{2}\log_{\frac{1}{5}} 16$일 때, 세 수 A, B, C의 대소 관계로 옳은 것은?

① $A<B<C$ ② $A<C<B$
③ $B<A<C$ ④ $B<C<A$
⑤ $C<A<B$

12 정의역이 $\{x|-1\le x\le 2\}$인 함수 $y=\log_3(2x+5)+k$의 최솟값이 2일 때, 상수 k의 값은?

① -2 ② -1 ③ 0
④ 1 ⑤ 2

04 지수함수와 로그함수의 활용

04 지수함수와 로그함수의 활용

04-1 지수방정식

(1) 지수방정식

지수에 미지수를 포함하고 있는 방정식을 **지수방정식**이라고 한다.

예 $2^{x-1}=8$, $4^x+2^x=6$ ➡ 지수방정식

(2) 지수방정식의 풀이

① 밑을 같게 할 수 있는 경우

밑을 같게 한 후 다음을 이용한다.

$$a^{f(x)}=a^{g(x)} \iff f(x)=g(x) \text{ (단, } a>0,\ a\neq1)$$

② a^x 꼴이 반복되는 경우

$a^x=t\,(t>0)$로 치환한 후 t에 대한 방정식을 푼다.

③ 밑과 지수에 모두 미지수가 있는 경우

- 밑이 같으면 ➡ $a^{f(x)}=a^{g(x)} \iff a=1$ 또는 $f(x)=g(x)$ (단, $a>0$)
- 지수가 같으면 ➡ $a^{f(x)}=b^{f(x)} \iff a=b$ 또는 $f(x)=0$ (단, $a>0$, $b>0$)

연.산.유.형

정답과 해설 22쪽

유형 01 밑을 같게 할 수 있는 지수방정식

[001~008] 다음 방정식을 푸시오.

001 $9^x=81$

002 $2^{x-1}=\frac{1}{32}$

003 $5^{-x}=\frac{1}{125}$

004 $\left(\frac{1}{3}\right)^{x+2}=3\sqrt{3}$

005 $\left(\frac{1}{2}\right)^x=64\times2^x$

006 $27^x=\left(\frac{1}{9}\right)^{1-x}$

007 $25^{x+1}=0.2^{2x-6}$

008 $\left(\frac{3}{2}\right)^{x^2-2x}=\left(\frac{2}{3}\right)^{x-2}$

유형 02 a^x 꼴이 반복되는 지수방정식

[009~012] 다음 방정식을 푸시오.

009 $2^{2x}+4\times2^x-5=0$

> $2^{2x}+4\times2^x-5=0$에서
> $(\square)^2+4\times2^x-5=0$
> $\square=t\,(t>0)$로 놓으면
> $t^2+\square t-\square=0$, $(t+5)(t-\square)=0$
> $\therefore t=\square\ (\because t>0)$
> 따라서 $2^x=\square$이므로
> $x=\square$

010 $9^x-6\times3^x-27=0$

011 $5^{2x}=20\times5^x+5^{x+1}$

012 $\left(\frac{1}{4}\right)^x-3\times\left(\frac{1}{2}\right)^{x-1}+8=0$

유형 03 밑과 지수에 모두 미지수가 있는 지수방정식

[013~015] 다음 방정식을 푸시오.

013 $(x+1)^{3x-1}=(x+1)^{x+7}$ (단, $x>-1$)

> 밑이 같으므로
> (i) $x+1=\square$에서 $x=\square$
> (ii) $3x-1=x+7$에서 $x=\square$
> (i), (ii)에서 $x=0$ 또는 $x=\square$

014 $(x^x)^4=x^x\times x^{12}$ (단, $x>0$)

015 $(x-2)^{x^2}=(x-2)^{3x+4}$ (단, $x>2$)

[016~018] 다음 방정식을 푸시오.

016 $(x-1)^{x-2}=5^{x-2}$ (단, $x>1$)

> 지수가 같으므로
> (i) $x-1=5$에서 $x=\square$
> (ii) $x-2=\square$에서 $x=\square$
> (i), (ii)에서 $x=2$ 또는 $x=\square$

017 $x^{2x-4}=4^{x-2}$ (단, $x>0$)

018 $(2x+3)^{2x-1}=(x+2)^{2x-1}$ $\left(\text{단, } x>-\frac{3}{2}\right)$

04-2 지수부등식

(1) **지수부등식**

지수에 미지수를 포함하고 있는 부등식을 **지수부등식**이라고 한다.

예 $3^x-1\geq 26$, $9^x-3^x<0$ ➡ 지수부등식

(2) **지수부등식의 풀이**

① 밑을 같게 할 수 있는 경우

밑을 같게 한 후 다음을 이용한다.

• $a>1$일 때, $a^{f(x)}>a^{g(x)} \iff f(x)>g(x)$

• $0<a<1$일 때, $a^{f(x)}>a^{g(x)} \iff f(x)<g(x)$

② a^x 꼴이 반복되는 경우

$a^x=t\,(t>0)$로 치환한 후 t에 대한 부등식을 푼다.

③ 밑과 지수에 모두 미지수가 있는 경우

밑과 지수에 모두 미지수가 있으면

(i) $0<$(밑)<1 (ii) (밑)$=1$ (iii) (밑)>1

인 경우로 나누어 푼다.

연.산.유.형

정답과 해설 23쪽

유형 04 밑을 같게 할 수 있는 지수부등식

[019~026] 다음 부등식을 푸시오.

019 $5^x>125$

020 $27^{2-x}<81$

021 $8\times 2^x\leq 512$

022 $\left(\frac{1}{2}\right)^{x+3}\geq 64$

023 $8^x<4^{x+1}$

024 $9^x\geq\left(\frac{1}{3}\right)^{x+15}$

025 $\left(\frac{1}{5}\right)^{2-x}>\left(\frac{1}{\sqrt{5}}\right)^{2x}$

026 $0.3^{2x}\leq 0.09^{5-3x}$

유형 05 a^x 꼴이 반복되는 지수부등식

[027~029] 다음 부등식을 푸시오.

027 $3^{2x}-8\times3^x-9>0$

$3^{2x}-8\times3^x-9>0$에서
$(\square)^2-8\times3^x-9>0$
$\square=t\,(t>0)$로 놓으면
$t^2-\square t-\square>0$, $(t+1)(t-\square)>0$
$\therefore t<-1$ 또는 $t>\square$
그런데 $t>0$이므로 $t>\square$
따라서 $3^x>\square$이고 밑이 1보다 크므로
$x>\square$

028 $3\times4^x-2^{x+1}-8\geq0$

029 $2^{2x+1}-2^x-2^{x+2}+2<0$

유형 06 밑과 지수에 모두 미지수가 있는 지수부등식

[030~032] 다음 부등식을 푸시오. (단, $x>0$)

030 $x^{x-1}<x^{3x-5}$

(i) $0<x<1$일 때
$x-1\square3x-5$에서 $x<\square$
그런데 $0<x<1$이므로 $0<x<\square$
(ii) $x=\square$일 때
부등식은 성립하지 않는다.
(iii) $x>1$일 때
$x-1<3x-5$에서 $x>\square$
(i), (ii), (iii)에서 $0<x<\square$ 또는 $x>\square$

031 $x^{2x+1}\geq x^{3-x}$

032 $x^{x^2}\leq x^{3x+4}$

유형 07 지수함수의 활용

[033~036] 다음 물음에 답하시오.

033 처음 가치가 100만 원인 어떤 전자 제품의 t년 후의 가치를 $f(t)$만 원이라고 하면

$$f(t)=100(2\sqrt{2})^{-\frac{1}{6}t}$$

이 성립한다고 한다. 이 제품의 가치가 50만 원이 되는 것은 몇 년 후인지 구하시오.

034 어떤 회사에 투자한 a만 원이 t년 후에 $f(t)$만 원이 된다고 하면

$$f(t)=a\times 2^{\frac{t}{4}}$$

이 성립한다고 한다. 이 회사에 투자한 5000만 원이 2억 원 이상이 되는 것은 최소 몇 년 후인지 구하시오.

035 어떤 방사성 물질이 일정한 비율로 붕괴되어 20년 후에 처음 양의 $\frac{1}{2}$이 된다고 할 때, 이 방사성 물질이 처음 양의 6.25 %가 되는 데 몇 년이 걸리는지 구하시오.

20년 후에 방사성 물질의 양이 처음 양의 $\frac{1}{2}$이 되므로 $20n$년 후의 방사성 물질의 양은 처음 양의 $\left(\frac{1}{2}\right)^n$이 된다.

이때 $6.25\ \%=\frac{6.25}{100}=\frac{1}{16}=\left(\frac{1}{2}\right)^{\square}$이므로 $20n$년 후에 방사성 물질의 양이 처음 양의 6.25 %가 된다고 하면

$\left(\frac{1}{2}\right)^n=\left(\frac{1}{2}\right)^{\square}$ $\quad\therefore n=\square$

따라서 방사성 물질이 처음 양의 6.25 %가 되는 데

$20\times\square=\square$(년)이 걸린다.

036 어떤 박테리아 1마리가 x시간 후에 a^x마리로 증식된다고 한다. 처음에 20마리였던 박테리아가 4시간 후에 1620마리가 되었다면 20마리였던 박테리아가 14580마리가 되는 것은 처음으로부터 몇 시간 후인지 구하시오. (단, $a>0$)

04-3 로그방정식

(1) 로그방정식

로그의 진수 또는 밑에 미지수를 포함하고 있는 방정식을 **로그방정식**이라고 한다.

예 $\log_2(x-1)=3$, $\log_x 25=2$ ➡ 로그방정식

(2) 로그방정식의 풀이

① 밑을 같게 할 수 있는 경우

밑을 같게 한 후 다음을 이용한다.

$$\log_a f(x)=\log_a g(x) \Longleftrightarrow f(x)=g(x)$$

이때 진수의 조건 $f(x)>0$, $g(x)>0$임에 주의한다.

② $\log_a x$ 꼴이 반복되는 경우

$\log_a x=t$로 치환한 후 t에 대한 방정식을 푼다.

(3) 양변에 로그를 취하여 푸는 방정식

밑 또는 지수를 같게 할 수 없는 지수방정식이나 지수에 로그가 있는 방정식은 양변에 로그를 취하여 로그방정식으로 고쳐서 푼다.

연.산.유.형

정답과 해설 24쪽

유형 08 밑이 같은 로그방정식

[037~040] 다음 방정식을 푸시오.

037 $\log_2(2x+1)=\log_2 7$

038 $\log_{\frac{1}{2}}(3x-1)=\log_{\frac{1}{2}}(7-x)$

039 $2\log_5(x+2)=\log_5(2x+3)$

040 $\log_7(5x+7)=\log_7 x+\log_7(x-1)$

유형 09 밑을 같게 할 수 있는 로그방정식

[041~044] 다음 방정식을 푸시오.

041 $-\log_{\frac{1}{5}}(2x-5)=\log_5 9$

042 $\log_2(x-1)=\log_4(x+1)$

043 $\log_3 x+\log_3(x-2)=1$

044 $\log_{\sqrt{3}}(x+3)=\log_3(x+1)+2$

유형 10 $\log_a x$ 꼴이 반복되는 로그방정식

[045~047] 다음 방정식을 푸시오.

045 $(\log_2 x)^2-\log_2 x^5+6=0$

$(\log_2 x)^2-\log_2 x^5+6=0$에서
$(\log_2 x)^2-5\log_2 x+6=0$
$\square=t$로 놓으면
$t^2-5t+\square=0$, $(t-\square)(t-3)=0$
$\therefore t=\square$ 또는 $t=3$
따라서 $\log_2 x=\square$ 또는 $\log_2 x=3$이므로
$x=\square$ 또는 $x=8$

046 $(\log_3 x)^2+\log_3 x^2-3=0$

047 $(1+\log_2 x)^2-\log_2 x^8+4=0$

유형 11 양변에 로그를 취하여 푸는 방정식

[048~049] 다음 방정식을 푸시오.

048 $2^{x-1}=3^{2x+1}$

$2^{x-1}=3^{2x+1}$의 양변에 상용로그를 취하면
$\log \square^{x-1}=\log 3^{\square}$
$(x-1)\log \square=(\square)\log 3$
$(\log 2-2\log 3)x=\log 2+\log 3$
$\therefore x=\square$

049 $3^{4x-1}=5^{x+2}$

[050~051] 다음 방정식을 푸시오.

050 $x^{\log_3 x}=27x^2$

$x^{\log_3 x}=27x^2$의 양변에 밑이 $\square$인 로그를 취하면
$\log_{\square} x^{\log_3 x}=\log_{\square} 27x^2$
$(\log_{\square} x)^2=\log_3 27+\log_3 x^2$
$(\log_3 x)^2-\square\log_3 x-3=0$
$\log_3 x=t$로 놓으면
$t^2-\square t-3=0$, $(t+\square)(t-3)=0$
$\therefore t=\square$ 또는 $t=3$
따라서 $\log_3 x=\square$ 또는 $\log_3 x=3$이므로
$x=\square$ 또는 $x=27$

051 $x^{\log_5 x}=\dfrac{x^3}{25}$

04-4 로그부등식

(1) 로그부등식

로그의 진수 또는 밑에 미지수를 포함하고 있는 부등식을 **로그부등식**이라고 한다.

예 $\log_2 x>3$, $\log_x 5\geq -1$ ➡ 로그부등식

(2) 로그부등식의 풀이

① 밑을 같게 할 수 있는 경우

밑을 같게 한 후 다음을 이용한다.

- $a>1$일 때, $\log_a f(x)>\log_a g(x) \Longleftrightarrow f(x)>g(x)$
- $0<a<1$일 때, $\log_a f(x)>\log_a g(x) \Longleftrightarrow f(x)<g(x)$

이때 진수의 조건 $f(x)>0$, $g(x)>0$임에 주의한다.

② $\log_a x$ 꼴이 반복되는 경우

$\log_a x=t$로 치환한 후 t에 대한 부등식을 푼다.

(3) 양변에 로그를 취하여 푸는 부등식

밑 또는 지수를 같게 할 수 없는 지수부등식이나 지수에 로그가 있는 부등식은 양변에 로그를 취하여 로그부등식으로 고쳐서 푼다.

연·산·유·형

정답과 해설 25쪽

유형 12 밑이 같은 로그부등식

[052~054] 다음 부등식을 푸시오.

052 $\log_3 (2x-1)>\log_3 11$

053 $\log_{\frac{1}{5}} (x+1)<\log_{\frac{1}{5}} (2x-3)$

054 $\log_2 x+\log_2 (x-1)\leq\log_2 (9-x)$

유형 13 밑을 같게 할 수 있는 로그부등식

[055~057] 다음 부등식을 푸시오.

055 $\log_7 (x+3)>\log_{49} (x^2+5)$

056 $\log_{\frac{1}{3}} (x+1)\leq\log_{\frac{1}{9}} (1-x)$

057 $\log_2 (x-2)\geq\log_4 (x+1)+1$

유형 14 $\log_a x$ 꼴이 반복되는 로그부등식

[058~060] 다음 부등식을 푸시오.

058 $(\log_3 x)^2+\log_3 x^3-4<0$

> 진수의 조건에서 $x>0$, $x^3>0$
> $\therefore x>0$ ⋯⋯ ㉠
> $(\log_3 x)^2+\log_3 x^3-4<0$에서
> $(\log_3 x)^2+3\log_3 x-4<0$
> $\square=t$로 놓으면
> $t^2+\square t-4<0$, $(t+4)(t-\square)<0$
> $\therefore -4<t<\square$
> 따라서 $-4<\log_3 x<\square$이고 밑이 1보다 크므로
> $\square<x<\square$ ⋯⋯ ㉡
> ㉠, ㉡의 공통 범위를 구하면
> $\square<x<\square$

059 $(\log_2 x)^2+\log_2 x^4-12\geq 0$

060 $(\log_{\frac{1}{2}} x)^2+6\log_{\frac{1}{2}} x+5>0$

유형 15 양변에 로그를 취하여 푸는 부등식

[061~062] 다음 부등식을 푸시오.

061 $2^{x-1}>5^x$

> $2^{x-1}>5^x$의 양변에 상용로그를 취하면
> $\log\square^{x-1}>\log 5^{\square}$
> $(x-1)\log\square>\square\log 5$
> $(\log\square-\log 5)x>\log\square$
> $\therefore x<\square$

062 $3^x<10^{x+3}$

[063~064] 다음 부등식을 푸시오.

063 $x^{\log_2 x}<4x$

> 진수의 조건에서 $x>0$ ⋯⋯ ㉠
> $x^{\log_2 x}<4x$의 양변에 밑이 $\square$인 로그를 취하면
> $\log_{\square} x^{\log_2 x}<\log_{\square} 4x$
> $(\log_2 x)^2<\log_2 4+\log_2\square$
> $(\log_2 x)^2-\log_2\square-2<0$
> $\square=t$로 놓으면
> $t^2-t-2<0$, $(t+\square)(t-2)<0$ $\therefore \square<t<2$
> 따라서 $\square<\log_2 x<2$이고 밑이 1보다 크므로
> $\square<x<4$ ⋯⋯ ㉡
> ㉠, ㉡의 공통 범위를 구하면
> $\square<x<4$

064 $x^{\log x}>1000x^2$

유형 16 로그함수의 활용

[065~068] 다음 물음에 답하시오.

065 수소 이온 농도가 x 몰/L인 용액의 수소 이온 농도 지수 pH를 y라고 하면

$y=-\log x$

가 성립한다고 한다. pH 7인 용액의 수소 이온 농도를 구하시오.

066 평균 해수면의 기압이 1기압일 때, 평균 해수면에서 높이가 H km인 곳의 기압을 P기압이라고 하면

$H=-3.32\log P$

가 성립한다고 한다. 평균 해수면에서 높이가 3320 m 이상 6640 m 이하인 곳의 기압의 범위를 구하시오.

067 어떤 공장에서는 매달 5 %씩 상품 생산량을 증가시키고 있다. 이 공장의 상품 생산량이 처음의 2배가 되는 것은 몇 개월 후인지 구하시오.

(단, $\log 2=0.3$, $\log 1.05=0.02$로 계산한다.)

처음 상품 생산량을 a라고 하면 생산량을 매달 5 %씩 증가시키므로 n개월 후의 상품 생산량은 $a(1+\square)^n$이다.

n개월 후에 상품 생산량이 처음의 2배가 된다고 하면

$a(1+\square)^n=2a$

양변을 a로 나누고 양변에 상용로그를 취하면

$\log(1+\square)^n=\log\square$

$n\log 1.05=\log\square$

$\therefore n=\dfrac{\log\square}{\log 1.05}=\dfrac{\square}{0.02}=\square$

따라서 상품 생산량이 처음의 2배가 되는 것은 $\square$개월 후이다.

068 한 번 통과하면 불순물의 20 %를 걸러내는 여과기가 있다. 남아 있는 불순물의 양이 처음의 20 % 이하가 되려면 이 여과기를 최소 몇 번 통과해야 하는지 구하시오.

(단, $\log 2=0.301$로 계산한다.)

연산 유형 최종 점검하기

1 방정식 $\left(\frac{1}{3}\right)^{x^2+1}\times(\sqrt{3})^x-27^x=0$의 두 근의 차는?

① $\frac{1}{2}$ ② 1 ③ $\frac{3}{2}$
④ 2 ⑤ $\frac{5}{2}$

2 방정식 $2^x-2^{2-x}=3$의 근을 α라고 할 때, $\log_2 \alpha$의 값은?

① -2 ② -1 ③ 0
④ 1 ⑤ 2

3 방정식 $x^x\times x^8-(x^x)^2=0$의 모든 근의 합을 구하시오. (단, $x>0$)

4 방정식 $(x+2)^{3x-1}=8^{3x-1}$의 모든 근의 곱을 구하시오. (단, $x>-2$)

5 부등식 $\left(\frac{1}{7}\right)^{x-1}<\left(\frac{1}{49}\right)^{2-x}$을 만족하는 x의 값의 범위는?

① $x<\frac{3}{2}$ ② $x<\frac{5}{3}$ ③ $x<\frac{5}{2}$
④ $x>\frac{3}{2}$ ⑤ $x>\frac{5}{3}$

6 부등식 $2^{2x+1}-9\times2^x+4<0$을 만족하는 모든 정수 x의 값의 합은?

① 0 ② 1 ③ 2
④ 3 ⑤ 4

7 부등식 $x^{3x-1}>x^{x+5}$을 푸시오. (단, $x>0$)

8 625만 원을 주고 산 어떤 전자 기기의 가치는 구매 후 매년 20 %씩 떨어진다고 한다. 이 전자 기기의 가치가 처음으로 256만 원이 되는 것은 구매한 지 몇 년 후인지 구하시오.

9 방정식 $\log_3 x+\log_9 (x+8)^2=2$를 푸시오.

10 방정식 $(\log_2 4x)^2-2\log_2 8x^2=14$의 모든 근의 곱은?

① $\frac{1}{4}$ ② $\frac{1}{2}$ ③ 1
④ 2 ⑤ 4

11 방정식 $x^{\log_2 x}=16x^3$의 모든 근의 곱은?

① $\frac{1}{2}$ ② 2 ③ 4
④ 6 ⑤ 8

12 부등식 $\log_2 (x+2)+\log_2 (x-1)<2$의 해가 $\alpha<x<\beta$일 때, $\beta-\alpha$의 값은?

① 1 ② $\frac{3}{2}$ ③ 2
④ $\frac{5}{2}$ ⑤ 3

13 부등식 $\log_3 (\log_2 x)\le 1$을 푸시오.

14 부등식 $\log_{\frac{1}{3}} 3x\times\log_3 \frac{x}{9}>0$의 해가 $\alpha<x<\beta$일 때, $\alpha\beta$의 값은?

① $\frac{1}{3}$ ② 1 ③ 3
④ 6 ⑤ 9

15 부등식 $2^x<10^{6-x}$을 만족하는 가장 큰 정수 x의 값을 구하시오. (단, $\log 2=0.3$으로 계산한다.)

05

삼각함수

AM

05 삼각함수

05-1 일반각

(1) 시초선과 동경

평면 위의 두 반직선 OX와 OP가 ∠XOP를 결정할 때, ∠XOP의 크기는 반직선 OP가 고정된 반직선 OX의 위치에서 점 O를 중심으로 반직선 OP의 위치까지 회전한 양이다. 이때 반직선 OX를 **시초선**, 반직선 OP를 **동경**이라고 한다.

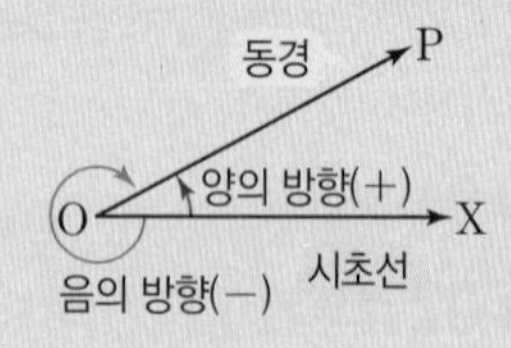

(2) 일반각

시초선 OX와 동경 OP가 나타내는 한 각의 크기를 $\alpha°$라고 하면 ∠XOP의 크기는

$360° \times n + \alpha°$ (단, n은 정수)

와 같이 나타낼 수 있다.

이것을 동경 OP가 나타내는 **일반각**이라고 한다.

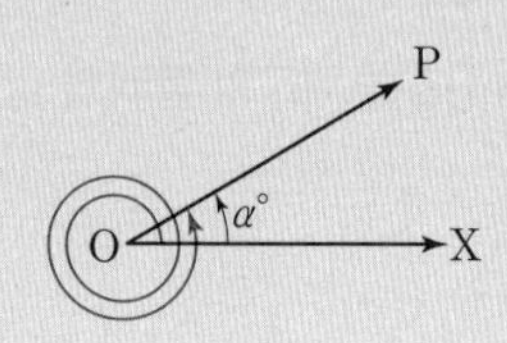

- 동경 OP가 점 O를 중심으로 회전할 때, 시계 반대 방향을 양의 방향, 시계 방향을 음의 방향이라고 한다.
- 좌표평면의 원점 O에서 x축의 양의 방향으로 시초선을 잡을 때, 동경 OP가 제1사분면, 제2사분면, 제3사분면, 제4사분면에 있으면 동경 OP가 나타내는 각을 각각 제1사분면의 각, 제2사분면의 각, 제3사분면의 각, 제4사분면의 각이라고 한다.

연·산·유·형

정답과 해설 29쪽

유형 01 일반각

[001~004] 반직선 OX를 시초선으로 할 때, 다음 각을 나타내는 동경 OP의 위치를 그림으로 나타내시오.

001 $120°$

O ⟶ X

002 $-60°$

O ⟶ X

003 $225°$

004 $-340°$

O ⟶ X

[005~007] 다음 그림에서 $\overrightarrow{\mathrm{OX}}$가 시초선일 때, 동경 OP가 나타내는 일반각 θ를 구하시오.

005

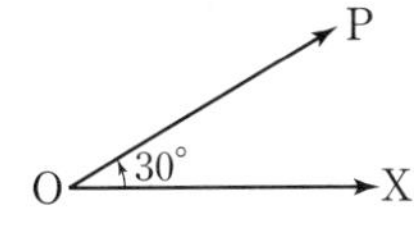

006

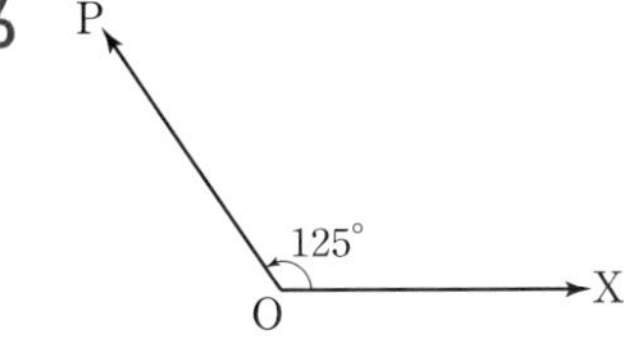

007

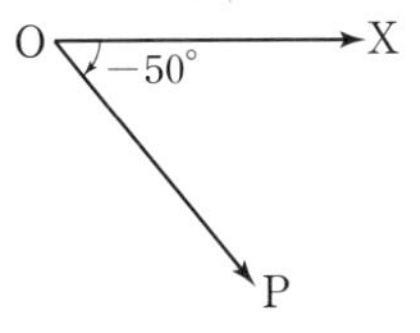

[008~010] 다음 각의 동경이 나타내는 일반각을 $360^\circ \times n + \alpha^\circ$ 꼴로 나타내시오. (단, n은 정수, $0^\circ \le \alpha^\circ < 360^\circ$)

008 480°

009 765°

010 -1050°

[011~014] 다음 각을 나타내는 동경이 있는 사분면을 구하시오.

011 435°

$435^\circ = 360^\circ \times 1 + \square$이므로 435°를 나타내는 동경은 제$\square$사분면에 있다.

012 930°

013 -580°

014 -1145°

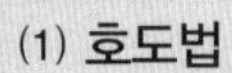

호도법

(1) 호도법

반지름의 길이와 호의 길이가 같은 부채꼴의 중심각의 크기는 반지름의 길이에 관계 없이 항상 일정하다. 이 각의 크기를 1**라디안**이라 하고, 라디안을 단위로 하여 각의 크기를 나타내는 방법을 **호도법**이라고 한다.

● 각의 크기를 호도법으로 나타낼 때, 보통 단위 '라디안'을 생략한다.

(2) 호도법과 육십분법의 관계

1라디안$=\dfrac{180^\circ}{\pi}$, $1^\circ=\dfrac{\pi}{180}$라디안

예 $\dfrac{5}{3}\pi=\dfrac{5}{3}\pi\times\dfrac{180^\circ}{\pi}=300^\circ$, $135^\circ=135\times1^\circ=135\times\dfrac{\pi}{180}=\dfrac{3}{4}\pi$

연.산.유.형

정답과 해설 29쪽

유형 02 호도법

[015~020] 다음 각을 호도법으로 나타내시오.

015 30°

$30^\circ=30\times1^\circ=30\times\square=\square$

016 60°

017 75°

018 90°

019 150°

020 315°

[021~026] 다음 각을 육십분법으로 나타내시오.

021 $\frac{\pi}{4}$

$\frac{\pi}{4}=\frac{\pi}{4}\times\frac{\square}{\pi}=\square$

022 $\frac{2}{3}\pi$

023 $\frac{11}{6}\pi$

024 $\frac{7}{12}\pi$

025 $\frac{13}{5}\pi$

026 $-\frac{3}{10}\pi$

[027~032] 다음 각의 동경이 나타내는 일반각을 $2n\pi+\theta$ 꼴로 나타내시오. (단, n은 정수, $0\leq\theta<2\pi$)

027 5π

028 $\frac{7}{2}\pi$

029 $\frac{14}{3}\pi$

030 $\frac{23}{6}\pi$

031 -7π

032 $-\frac{3}{5}\pi$

05-3 부채꼴의 호의 길이와 넓이

반지름의 길이가 r, 중심각의 크기가 θ(라디안)인 부채꼴의 호의 길이를 l, 넓이를 S라고 하면

$$l=r\theta,\ S=\frac{1}{2}r^2\theta=\frac{1}{2}rl$$

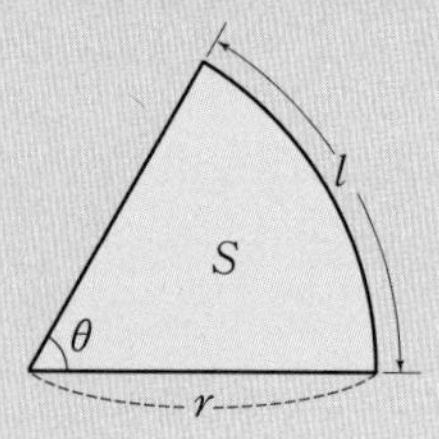

예 반지름의 길이가 3, 중심각의 크기가 $\frac{\pi}{3}$인 부채꼴의 호의 길이를 l, 넓이를 S라고 하면

$l=3\times\frac{\pi}{3}=\pi,\ S=\frac{1}{2}\times3^2\times\frac{\pi}{3}=\frac{3}{2}\pi$

연.산.유.형

정답과 해설 30쪽

유형 03 부채꼴의 호의 길이와 넓이

[033~036] 반지름의 길이와 중심각의 크기가 다음과 같은 부채꼴의 호의 길이 l과 넓이 S를 구하시오.

033 반지름의 길이 8, 중심각의 크기 $\frac{\pi}{6}$

$l=8\times\square=\square$

$S=\frac{1}{2}\times8^2\times\square=\square$

034 반지름의 길이 2, 중심각의 크기 $\frac{3}{4}\pi$

035 반지름의 길이 9, 중심각의 크기 $\frac{2}{3}\pi$

036 반지름의 길이 12, 중심각의 크기 $240°$

[037~040] 다음 물음에 답하시오.

037 중심각의 크기가 $\frac{\pi}{4}$이고 호의 길이가 2π인 부채꼴의 반지름의 길이 r와 넓이 S를 구하시오.

038 반지름의 길이가 3이고 넓이가 $\frac{3}{2}\pi$인 부채꼴의 중심각의 크기 θ와 호의 길이 l을 구하시오.

039 호의 길이가 4이고 넓이가 10인 부채꼴의 반지름의 길이 r와 중심각의 크기 θ를 구하시오.

040 반지름의 길이가 6이고 둘레의 길이가 24인 부채꼴의 넓이를 구하시오.

유형 04 부채꼴의 둘레의 길이와 넓이의 최대, 최소

[041~043] 다음 물음에 답하시오.

041 둘레의 길이가 12인 부채꼴의 넓이의 최댓값과 그때의 반지름의 길이를 구하시오.

부채꼴의 반지름의 길이를 r, 호의 길이를 l, 넓이를 S라고 하면

$2r+l=12$ $\quad \therefore l=12-\square$

$\therefore S=\frac{1}{2}rl=\frac{1}{2}r(12-\square)$

$=-(r-\square)^2+\square$

따라서 부채꼴의 넓이의 최댓값은 $\square$이고 그때의 반지름의 길이는 $\square$이다.

042 둘레의 길이가 20인 부채꼴 중에서 그 넓이가 최대인 것의 반지름의 길이를 구하시오.

043 둘레의 길이가 160 m인 부채꼴 모양의 꽃밭을 만들려고 한다. 이 꽃밭의 넓이의 최댓값을 구하시오.

05

05-4 삼각함수

(1) 삼각함수

중심이 원점 O이고 반지름의 길이가 r인 원 위의 임의의 점 P(x, y)에 대하여 원점 O에서 x축의 양의 방향으로 시초선을 잡을 때, 동경 OP가 나타내는 각의 크기를 θ라고 하면

$$\sin\theta=\frac{y}{r},\ \cos\theta=\frac{x}{r},\ \tan\theta=\frac{y}{x}\ (x\neq0)$$

이 함수를 차례로 **사인함수**, **코사인함수**, **탄젠트함수**라 하고, 이 함수를 통틀어 θ에 대한 **삼각함수**라고 한다.

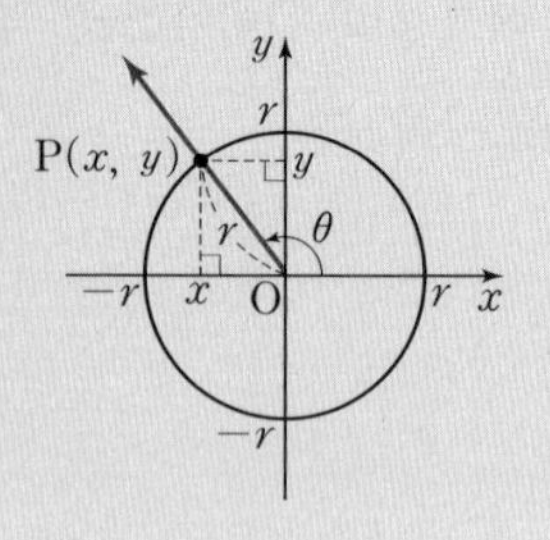

$\frac{y}{r}$, $\frac{x}{r}$, $\frac{y}{x}$ $(x\neq0)$의 값은 r의 값에 관계없이 θ의 값에 따라 각각 하나씩 정해지므로 $\theta \to \frac{y}{r}$, $\theta \to \frac{x}{r}$, $\theta \to \frac{y}{x}$ $(x\neq0)$와 같은 대응은 함수이다.

(2) 삼각함수의 값의 부호

삼각함수의 값의 부호는 각 θ의 동경이 존재하는 사분면에 따라 다음과 같이 정해진다.

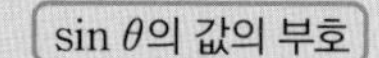

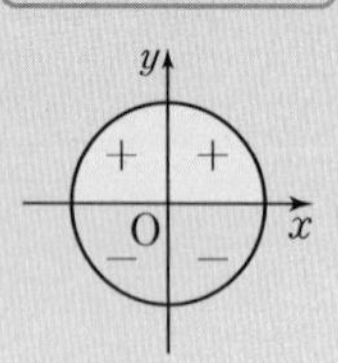

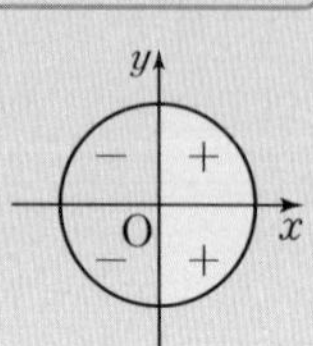

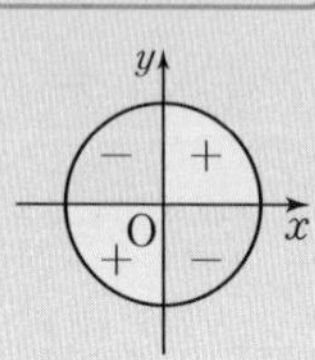

연.산.유.형

정답과 해설 30쪽

유형 05 삼각함수의 뜻

[044~046] 원점 O와 다음 점 P에 대하여 동경 OP가 나타내는 각의 크기를 θ라고 할 때, $\sin\theta$, $\cos\theta$, $\tan\theta$의 값을 구하시오.

044 P$(3, -4)$

$\overline{\text{OP}}=\sqrt{\square^2+(-4)^2}=\square$이므로

$\sin\theta=\square$, $\cos\theta=\square$, $\tan\theta=\square$

045 P$(-5, 12)$

046 P$(-8, -6)$

[047~049] 각 θ의 크기가 다음과 같을 때, $\sin\theta$, $\cos\theta$, $\tan\theta$의 값을 구하시오.

047 $\frac{3}{4}\pi$

오른쪽 그림과 같이 $\frac{3}{4}\pi$를 나타내는 동경과 반지름의 길이가 1인 원의 교점을 P, 점 P에서 x축에 내린 수선의 발을 H라고 하면

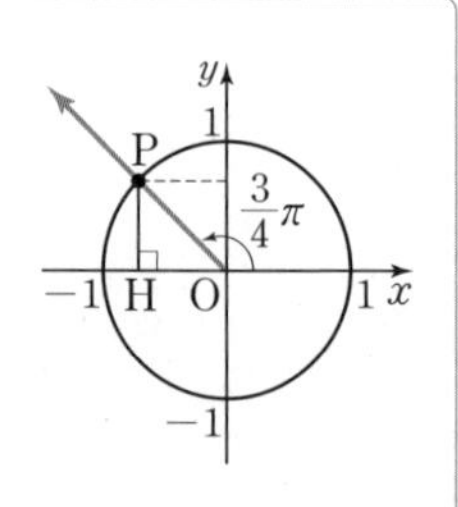

$\overline{\text{PH}}=\overline{\text{OP}}\sin\frac{\pi}{4}=\square$,

$\overline{\text{OH}}=\overline{\text{OP}}\cos\frac{\pi}{4}=\square$

따라서 점 P의 좌표는 $(\square, \square)$이므로

$\sin\theta=\square$, $\cos\theta=\square$, $\tan\theta=\square$

048 $\frac{7}{6}\pi$

049 $-\frac{\pi}{3}$

유형 06 삼각함수의 값의 부호

[050~053] 각 θ의 크기가 다음과 같을 때, $\sin\theta$, $\cos\theta$, $\tan\theta$의 값의 부호를 말하시오.

050 $\frac{13}{6}\pi$

$\frac{13}{6}\pi$는 제☐사분면의 각이므로
$\sin\theta$☐0, $\cos\theta$☐0, $\tan\theta$☐0

051 $\frac{8}{3}\pi$

052 $-\frac{3}{4}\pi$

053 $-\frac{5}{12}\pi$

[054~059] 다음 조건을 만족하는 각 θ는 제몇 사분면의 각인지 말하시오.

054 $\sin\theta>0$, $\cos\theta<0$

055 $\sin\theta<0$, $\tan\theta>0$

056 $\cos\theta>0$, $\tan\theta<0$

057 $\sin\theta\cos\theta>0$

058 $\cos\theta\tan\theta<0$

059 $\sin\theta\cos\theta<0$, $\sin\theta\tan\theta<0$

05-5 삼각함수 사이의 관계

(1) $\tan\theta=\dfrac{\sin\theta}{\cos\theta}$

(2) $\sin^2\theta+\cos^2\theta=1$

참고 $(\sin\theta)^2=\sin^2\theta$, $(\cos\theta)^2=\cos^2\theta$, $(\tan\theta)^2=\tan^2\theta$로 나타낸다.

연.산.유.형

정답과 해설 31쪽

유형 07 삼각함수 사이의 관계

[060~063] 다음 물음에 답하시오.

060 θ가 제2사분면의 각이고 $\sin\theta=\dfrac{3}{5}$일 때, $\cos\theta$, $\tan\theta$의 값을 구하시오.

$\sin^2\theta+\cos^2\theta=\square$이므로

$\cos^2\theta=\square-\sin^2\theta=\square-\left(\dfrac{3}{5}\right)^2=\square$

이때 θ가 제2사분면의 각이므로 $\cos\theta\,\square\,0$

$\therefore \cos\theta=\square$

$\therefore \tan\theta=\dfrac{\sin\theta}{\cos\theta}=\square$

061 θ가 제1사분면의 각이고 $\cos\theta=\dfrac{1}{2}$일 때, $\sin\theta$, $\tan\theta$의 값을 구하시오.

062 $\dfrac{\pi}{2}<\theta<\pi$이고 $\cos\theta=-\dfrac{1}{3}$일 때, $\sin\theta$, $\tan\theta$의 값을 구하시오.

063 $\dfrac{3}{2}\pi<\theta<2\pi$이고 $\sin\theta=-\dfrac{12}{13}$일 때, $\cos\theta$, $\tan\theta$의 값을 구하시오.

[064~066] 다음 식을 간단히 하시오.

064 $(\sin\theta+\cos\theta)^2+(\sin\theta-\cos\theta)^2$

065 $\dfrac{\cos\theta}{1-\sin\theta}-\tan\theta$

066 $\dfrac{\sin\theta}{1-\cos\theta}+\dfrac{\sin\theta}{1+\cos\theta}$

[067~070] $\sin\theta+\cos\theta=\frac{1}{2}$일 때, 다음 식의 값을 구하시오.

067 $\sin\theta\cos\theta$

> $\sin\theta+\cos\theta=\frac{1}{2}$의 양변을 제곱하면
>
> $\sin^2\theta+2\sin\theta\cos\theta+\cos^2\theta=\square$
>
> 이때 $\sin^2\theta+\cos^2\theta=\square$이므로
>
> $\square+2\sin\theta\cos\theta=\square$
>
> $\therefore \sin\theta\cos\theta=\square$

068 $\frac{1}{\sin\theta}+\frac{1}{\cos\theta}$

069 $\frac{\cos\theta}{\sin\theta}+\frac{\sin\theta}{\cos\theta}$

070 $\sin^3\theta+\cos^3\theta$

[071~074] 다음 물음에 답하시오.

071 θ가 제3사분면의 각이고 $\sin\theta\cos\theta=\frac{2}{5}$일 때, $\sin\theta+\cos\theta$의 값을 구하시오.

072 θ가 제2사분면의 각이고 $\sin\theta\cos\theta=-\frac{1}{2}$일 때, $\cos\theta-\sin\theta$의 값을 구하시오.

073 이차방정식 $3x^2-x+k=0$의 두 근이 $\sin\theta$, $\cos\theta$일 때, 상수 k의 값을 구하시오.

074 이차방정식 $2x^2+x+k=0$의 두 근이 $\sin\theta+\cos\theta$, $\sin\theta-\cos\theta$일 때, 상수 k의 값을 구하시오.

연산 유형 최종 점검하기

1 다음 중 각을 나타내는 동경이 제2사분면에 있는 것은?

① 550° ② 735° ③ 1020°
④ -510° ⑤ -920°

2 다음 중 옳지 않은 것은?

① $10^{\circ}=\frac{\pi}{18}$ ② $72^{\circ}=\frac{2}{5}\pi$
③ $220^{\circ}=\frac{10}{9}\pi$ ④ $\frac{10}{3}\pi=600^{\circ}$
⑤ $-\frac{7}{10}\pi=-126^{\circ}$

3 중심각의 크기가 $\frac{2}{3}\pi$이고 넓이가 12π인 부채꼴의 호의 길이를 구하시오.

4 둘레의 길이가 24인 부채꼴 중에서 그 넓이가 최대인 것의 반지름의 길이는?

① 3 ② 4 ③ 5
④ 6 ⑤ 7

5 원점 O와 점 $P(-4, 3)$에 대하여 동경 OP가 나타내는 각의 크기를 θ라고 할 때, $\sin\theta+\cos\theta+\tan\theta$의 값을 구하시오.

6 $\sin\theta\cos\theta>0$, $\sin\theta+\cos\theta<0$을 만족하는 각 θ는 제몇 사분면의 각인가?

① 제1사분면 ② 제2사분면
③ 제3사분면 ④ 제4사분면
⑤ 제1사분면 또는 제3사분면

7 $\frac{3}{2}\pi<\theta<2\pi$일 때, $|\sin\theta-\cos\theta|-\sqrt{\sin^2\theta}$를 간단히 하면?

① $-\sin\theta$ ② $-\cos\theta$ ③ $\sin\theta$
④ $\cos\theta$ ⑤ $2\sin\theta$

8 $\pi<\theta<\frac{3}{2}\pi$이고 $\cos\theta=-\frac{1}{4}$일 때, $\sin\theta+\tan\theta$의 값은?

① $-\frac{5\sqrt{15}}{4}$ ② $-\frac{3\sqrt{3}}{4}$ ③ $\frac{2\sqrt{3}}{3}$
④ $\frac{\sqrt{15}}{2}$ ⑤ $\frac{3\sqrt{15}}{4}$

9 $\frac{\cos\theta}{1-\sin\theta}+\frac{1-\sin\theta}{\cos\theta}$를 간단히 하면?

① $\frac{2}{\sin\theta}$ ② $\frac{2}{\cos\theta}$ ③ $\frac{1}{\sin\theta\cos\theta}$
④ $\sin\theta$ ⑤ $2\cos\theta$

10 $\sin\theta-\cos\theta=\frac{1}{3}$일 때, $\tan\theta+\frac{1}{\tan\theta}$의 값은?

① $\frac{4}{9}$ ② $\frac{2}{3}$ ③ 1
④ $\frac{3}{2}$ ⑤ $\frac{9}{4}$

11 θ가 제2사분면의 각이고 $\sin\theta\cos\theta=-\frac{3}{10}$일 때, $\sin\theta-\cos\theta$의 값을 구하시오.

12 이차방정식 $4x^2-x+k=0$의 두 근이 $\cos\theta+\sin\theta$, $\cos\theta-\sin\theta$일 때, 상수 k의 값은?

① $-\frac{31}{8}$ ② $-\frac{15}{4}$ ③ $-\frac{5}{2}$
④ $\frac{11}{4}$ ⑤ $\frac{29}{8}$

06

삼각함수의 그래프

AM

유형 01 함수 $y=\sin x$의 성질

유형 02 함수 $y=\cos x$의 성질

유형 03 함수 $y=\tan x$의 성질

유형 04 삼각함수의 최대, 최소와 주기

유형 05 삼각함수의 성질

유형 06 일차식 꼴의 삼각방정식

유형 07 이차식 꼴의 삼각방정식

유형 08 일차식 꼴의 삼각부등식

유형 09 이차식 꼴의 삼각부등식

06 삼각함수의 그래프

06-1 삼각함수의 그래프

(1) 함수 $y=\sin x$, 함수 $y=\cos x$의 성질

① 정의역은 실수 전체의 집합이고, 치역은 $\{y|-1\leq y\leq 1\}$이다.

② 함수 $y=\sin x$의 그래프는 원점에 대하여 대칭이고, 함수 $y=\cos x$의 그래프는 y축에 대하여 대칭이다.

③ 주기가 2π인 주기함수이다.

④ 함수 $y=\cos x$의 그래프는 함수 $y=\sin x$의 그래프를 x축의 방향으로 $-\frac{\pi}{2}$만큼 평행이동한 것과 같다.

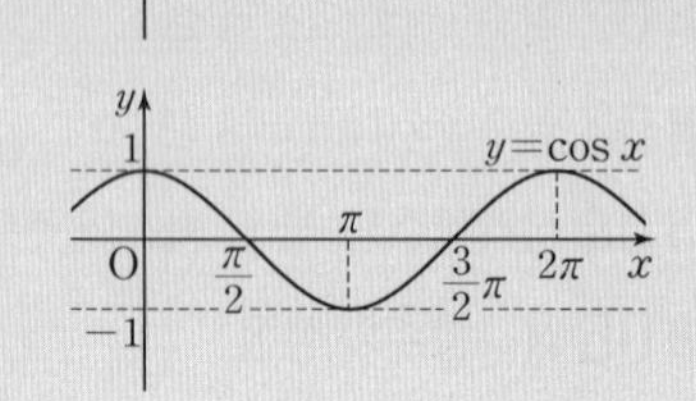

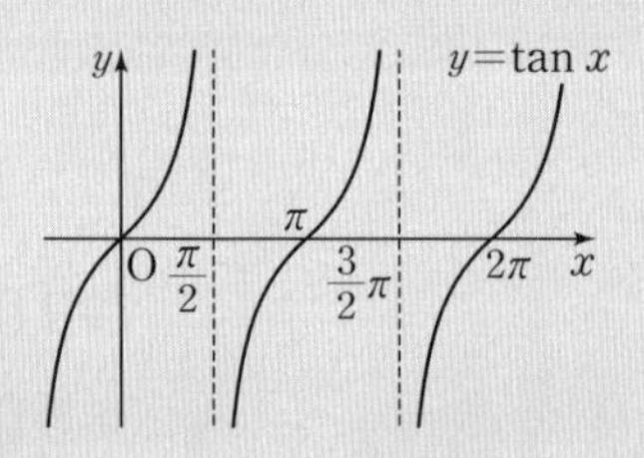

(2) 함수 $y=\tan x$의 성질

① 정의역은 $x=n\pi+\frac{\pi}{2}$(n은 정수)를 제외한 실수 전체의 집합이고, 치역은 실수 전체의 집합이다.

② 그래프는 원점에 대하여 대칭이다.

③ 주기가 π인 주기함수이다.

④ 그래프의 점근선은 직선 $x=n\pi+\frac{\pi}{2}$(n은 정수)이다.

- 상수함수가 아닌 함수 $f(x)$의 정의역에 속하는 모든 x에 대하여 $f(x+p)=f(x)$를 만족하는 0이 아닌 상수 p가 존재할 때, 함수 $f(x)$를 주기함수라 하고, 상수 p의 값 중 최소인 양수를 그 함수의 주기라 한다.
- 두 함수 $y=\sin x$, $y=\cos x$는 주기가 2π인 주기함수이므로 정수 n에 대하여 $\sin x=\sin(x+2n\pi)$, $\cos x=\cos(x+2n\pi)$
- 함수 $y=\tan x$는 주기가 π인 주기함수이므로 정수 n에 대하여 $\tan x=\tan(x+n\pi)$

연.산.유.형

정답과 해설 34쪽

유형 01 함수 $y=\sin x$의 성질

[001~004] 다음은 함수 $y=\sin x$와 그 그래프에 대한 설명이다. □ 안에 알맞은 것을 써넣으시오.

001

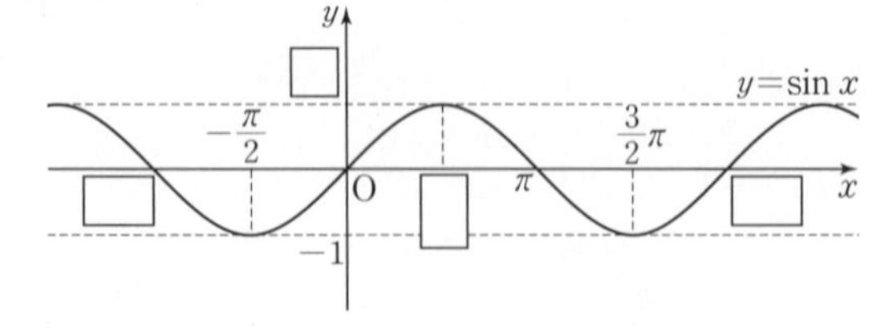

002 치역은 $\{y|$ □ $\leq y\leq$ □ $\}$이다.

003 그래프는 □에 대하여 대칭이다.

004 주기가 □인 주기함수이다.

정답과 해설 34쪽

유형 02 함수 $y=\cos x$의 성질

[005~009] 다음은 함수 $y=\cos x$와 그 그래프에 대한 설명이다. □ 안에 알맞은 것을 써넣으시오.

005

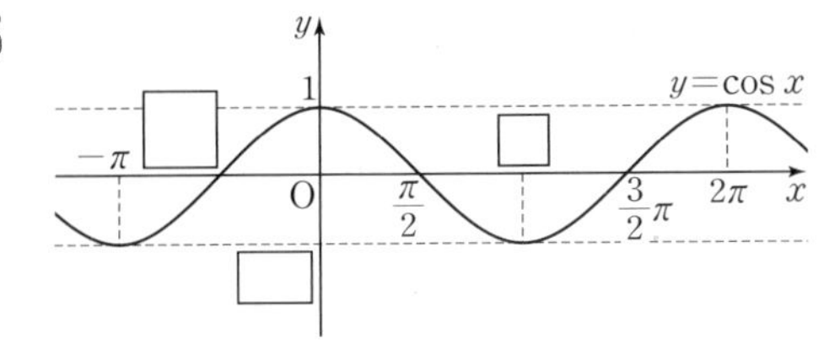

006 치역은 $\{y|$ □ $\le y \le$ □ $\}$이다.

007 그래프는 □ 에 대하여 대칭이다.

008 주기가 □ 인 주기함수이다.

009 함수 $y=\cos x$의 그래프는 함수 $y=\sin x$의 그래프를 x축의 방향으로 □ 만큼 평행이동한 것과 같다.

유형 03 함수 $y=\tan x$의 성질

[010~014] 다음은 함수 $y=\tan x$와 그 그래프에 대한 설명이다. □ 안에 알맞은 것을 써넣으시오.

010

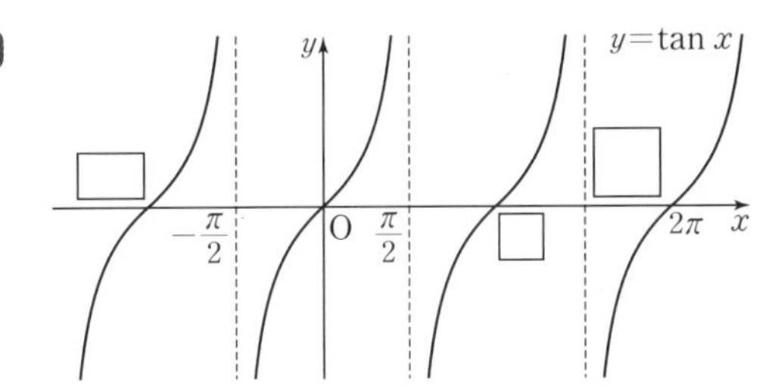

011 정의역은 $x=$ □ (n은 정수)를 제외한 실수 전체의 집합이다.

012 그래프는 □ 에 대하여 대칭이다.

013 주기가 □ 인 주기함수이다.

014 그래프의 점근선은 직선 $x=$ □ (n은 정수)이다.

06

06-2 삼각함수의 최대, 최소와 주기

(1) 삼각함수의 그래프의 평행이동

함수 $y=a\sin(bx+c)+d=a\sin b\left(x+\frac{c}{b}\right)+d$의 그래프는 함수 $y=a\sin bx$의 그래프를 x축의 방향으로 $-\frac{c}{b}$만큼, y축의 방향으로 d만큼 평행이동한 것이다.

(2) 삼각함수의 최댓값, 최솟값, 주기

삼각함수	최댓값	최솟값	주기
$y=a\sin(bx+c)+d$	$\lvert a\rvert+d$	$-\lvert a\rvert+d$	$\frac{2\pi}{\lvert b\rvert}$
$y=a\cos(bx+c)+d$	$\lvert a\rvert+d$	$-\lvert a\rvert+d$	$\frac{2\pi}{\lvert b\rvert}$
$y=a\tan(bx+c)+d$	없다.	없다.	$\frac{\pi}{\lvert b\rvert}$

연.산.유.형

정답과 해설 34쪽

유형 04 삼각함수의 최대, 최소와 주기

[015~020] 다음 함수의 최댓값, 최솟값과 주기를 구하고, 그래프를 그리시오.

015 $y=\frac{1}{2}\sin 2x$

$-1\le\sin 2x\le 1$에서 $\square\le\frac{1}{2}\sin 2x\le\square$이므로 최댓값은 $\square$, 최솟값은 $\square$이다.

또 $\frac{1}{2}\sin 2x=\frac{1}{2}\sin(2x+2\pi)=\frac{1}{2}\sin 2(x+\square)$이므로 주기는 $\square$이다.

따라서 함수 $y=\frac{1}{2}\sin 2x$의 그래프는 다음 그림과 같다.

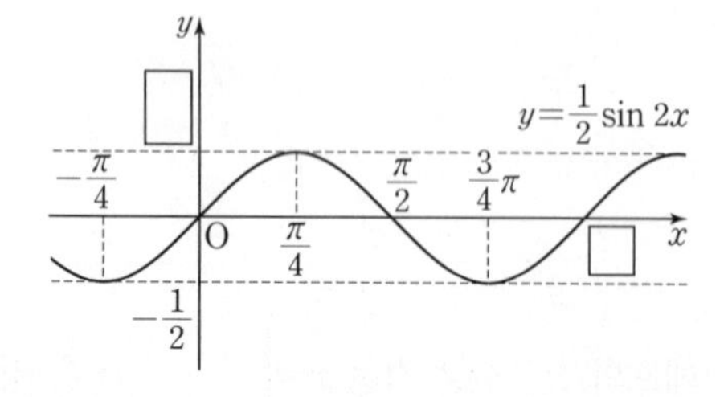

016 $y=\sin\left(\frac{x}{2}+\frac{\pi}{2}\right)$

017 $y=2\sin x+1$

018 $y=\cos 3x-1$

019 $y=3\cos(x+\pi)$

020 $y=-\cos\frac{x}{2}$

[021~023] 다음 함수의 주기를 구하고, 그래프를 그리시오.

021 $y=\tan\frac{x}{2}$

$\tan\frac{x}{2}=\tan\left(\frac{x}{2}+\pi\right)=\tan\frac{1}{2}(x+\square)$이므로 주기는 $\square$이다.

따라서 함수 $y=\tan\frac{x}{2}$의 그래프는 다음 그림과 같다.

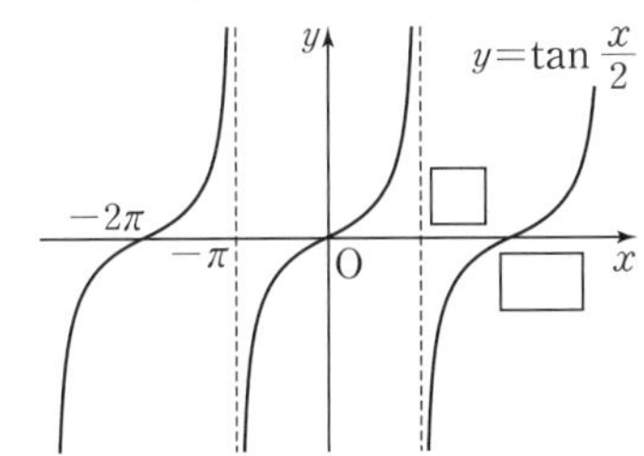

022 $y=2\tan x-1$

023 $y=\tan(2x-\pi)$

06-3 삼각함수의 성질

(1) $\sin(2n\pi+x)=\sin x$, $\cos(2n\pi+x)=\cos x$, $\tan(2n\pi+x)=\tan x$ (단, n은 정수)

(2) $\sin(-x)=-\sin x$, $\cos(-x)=\cos x$, $\tan(-x)=-\tan x$

(3) $\sin(\pi+x)=-\sin x$, $\cos(\pi+x)=-\cos x$, $\tan(\pi+x)=\tan x$

$\sin(\pi-x)=\sin x$, $\cos(\pi-x)=-\cos x$, $\tan(\pi-x)=-\tan x$

(4) $\sin\left(\frac{\pi}{2}+x\right)=\cos x$, $\cos\left(\frac{\pi}{2}+x\right)=-\sin x$, $\tan\left(\frac{\pi}{2}+x\right)=-\frac{1}{\tan x}$

$\sin\left(\frac{\pi}{2}-x\right)=\cos x$, $\cos\left(\frac{\pi}{2}-x\right)=\sin x$, $\tan\left(\frac{\pi}{2}-x\right)=\frac{1}{\tan x}$

연.산.유.형

정답과 해설 35쪽

유형 05 삼각함수의 성질

[024~038] 다음 삼각함수의 값을 구하시오.

024 $\sin\frac{13}{6}\pi$

$\sin\frac{13}{6}\pi=\sin\left(2\pi+\frac{\pi}{6}\right)=\sin\square=\square$

025 $\cos\frac{17}{4}\pi$

026 $\tan\frac{13}{3}\pi$

027 $\sin\left(-\frac{\pi}{3}\right)$

028 $\cos\left(-\frac{\pi}{6}\right)$

029 $\tan(-45°)$

030 $\sin\frac{5}{4}\pi$

031 $\sin\frac{5}{6}\pi$

032 $\cos\frac{7}{6}\pi$

033 $\cos\frac{2}{3}\pi$

034 $\tan\frac{5}{4}\pi$

035 $\tan\frac{5}{6}\pi$

036 $\sin(-390°)$

037 $\cos(-780°)$

038 $\tan\left(-\frac{10}{3}\pi\right)$

[039~044] 다음 중 옳은 것은 ○표, 옳지 않은 것은 ×표를 ( ) 안에 써넣으시오.

039 $\sin\left(\frac{\pi}{2}+\frac{\pi}{3}\right)=\cos\frac{\pi}{3}$ ( )

040 $\cos\left(\frac{\pi}{2}+\frac{\pi}{4}\right)=-\sin\frac{\pi}{4}$ ( )

041 $\tan\left(\frac{\pi}{2}+\frac{\pi}{6}\right)=-\tan\frac{\pi}{6}$ ( )

042 $\sin\left(\frac{\pi}{2}-\frac{\pi}{6}\right)=-\cos\frac{\pi}{6}$ ( )

043 $\cos\left(\frac{\pi}{2}-\frac{\pi}{3}\right)=-\sin\frac{\pi}{3}$ ( )

044 $\tan\left(\frac{\pi}{2}-\frac{\pi}{4}\right)=\frac{1}{\tan\frac{\pi}{4}}$ ( )

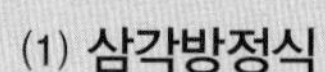

06-4 삼각방정식

(1) **삼각방정식**

삼각함수의 각의 크기를 미지수로 하는 방정식을 **삼각방정식**이라고 한다.

예 $\sin x=1$, $\cos x+\frac{1}{2}=0$ ➡ 삼각방정식

(2) **일차식 꼴의 삼각방정식**

① 주어진 방정식을 $\sin x=k$(또는 $\cos x=k$ 또는 $\tan x=k$) 꼴로 변형한다.

② 주어진 범위에서 함수 $y=\sin x$(또는 $y=\cos x$ 또는 $y=\tan x$)의 그래프와 직선 $y=k$의 교점의 x좌표를 찾아 방정식의 해를 구한다.

(3) **이차식 꼴의 삼각방정식**

$\sin^2 x+\cos^2 x=1$임을 이용하여 한 삼각함수에 대한 방정식으로 고친 후 그래프를 이용하여 해를 구한다.

연.산.유.형

정답과 해설 36쪽

유형 06 일차식 꼴의 삼각방정식

[045~050] 다음 방정식을 푸시오. (단, $0\le x<2\pi$)

045 $\sin x=\frac{\sqrt{3}}{2}$

046 $2\sin x=\sqrt{2}$

047 $2\sin x+1=0$

048 $\cos x=\frac{1}{2}$

049 $2\cos x=-\sqrt{3}$

050 $\sqrt{2}\cos x-1=0$

[051~053] 다음 방정식을 푸시오. (단, $0\le x<\pi$)

051 $\tan x=-1$

052 $\sqrt{3}\tan x=1$

053 $\tan x-\sqrt{3}=0$

유형 07 이차식 꼴의 삼각방정식

[054~056] 다음 방정식을 푸시오. (단, $0\le x<2\pi$)

054 $2\sin^2 x+\cos x-1=0$

$\sin^2 x+\cos^2 x=\square$이므로

$2(\square-\cos^2 x)+\cos x-1=0$

$2\cos^2 x-\cos x-\square=0$

$(2\cos x+1)(\cos x-\square)=0$

$\therefore \cos x=-\frac{1}{2}$ 또는 $\cos x=\square$

$0\le x<2\pi$에서 $y=\cos x$의 그래프와 직선 $y=-\frac{1}{2}$, $y=\square$은 다음 그림과 같다.

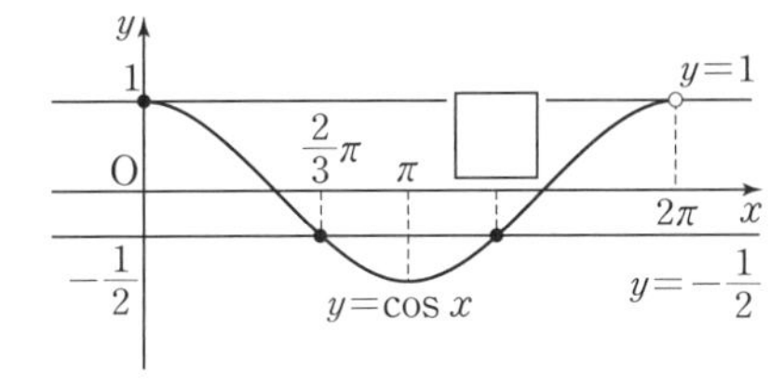

따라서 교점의 x좌표는 $\square$, $\frac{2}{3}\pi$, $\square$이므로 방정식의 해는

$x=\square$ 또는 $x=\frac{2}{3}\pi$ 또는 $x=\square$

055 $\sqrt{2}\sin^2 x-\sin x=0$

056 $2\cos^2 x-5\sin x+1=0$

06-5 삼각부등식

(1) 삼각부등식

삼각함수의 각의 크기를 미지수로 하는 부등식을 **삼각부등식**이라고 한다.

예 $\sin x \le \frac{\sqrt{3}}{2}$, $\tan x - 1 > 0$ ➡ 삼각부등식

(2) 일차식 꼴의 삼각부등식

① $\sin x > k$ (또는 $\cos x > k$ 또는 $\tan x > k$)

➡ 함수 $y=\sin x$ (또는 $y=\cos x$ 또는 $y=\tan x$)의 그래프가 직선 $y=k$보다 위쪽에 있는 x의 값의 범위

② $\sin x < k$ (또는 $\cos x < k$ 또는 $\tan x < k$)

➡ 함수 $y=\sin x$ (또는 $y=\cos x$ 또는 $y=\tan x$)의 그래프가 직선 $y=k$보다 아래쪽에 있는 x의 값의 범위

(3) 이차식 꼴의 삼각부등식

$\sin^2 x + \cos^2 x = 1$임을 이용하여 한 삼각함수에 대한 부등식으로 고친 후 그래프를 이용하여 해를 구한다.

연·산·유·형

정답과 해설 38쪽

유형 08 일차식 꼴의 삼각부등식

[057~062] 다음 부등식을 푸시오. (단, $0 \le x < 2\pi$)

057 $\sin x > \frac{1}{2}$

058 $\sqrt{2} \sin x < 1$

059 $2 \sin x + \sqrt{3} \ge 0$

060 $\cos x < \frac{\sqrt{3}}{2}$

061 $2 \cos x > \sqrt{2}$

062 $2 \cos x + 1 \le 0$

[063~065] 다음 부등식을 푸시오. (단, $0 \le x < \pi$)

063 $\tan x \ge 1$

064 $3\tan x \le \sqrt{3}$

065 $\tan x + \sqrt{3} < 0$

유형 09 이차식 꼴의 삼각부등식

[066~068] 다음 부등식을 푸시오. (단, $0 \le x < 2\pi$)

066 $\cos^2 x + \sin x - 1 > 0$

$\sin^2 x + \cos^2 x = \square$이므로

$(\square - \sin^2 x) + \sin x - 1 > 0$

$\sin^2 x - \sin x < 0$, $\sin x(\sin x - \square) < 0$

$\therefore \square < \sin x < \square$

$0 \le x < 2\pi$에서 $y = \sin x$의 그래프와 직선 $y = \square$, $y = \square$은 다음 그림과 같다.

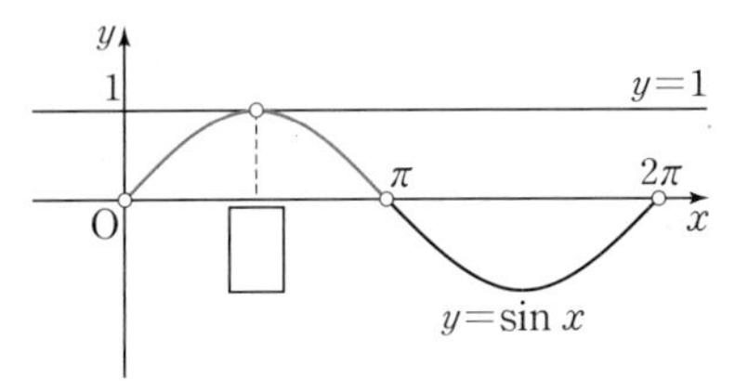

따라서 $y = \sin x$의 그래프가 두 직선 $y = \square$, $y = \square$ 사이에 있는 x의 값의 범위를 구하면 부등식의 해는

$0 < x < \square$ 또는 $\square < x < \square$

067 $2\sin^2 x - \sqrt{3}\sin x > 0$

068 $2\sin^2 x - \cos x - 1 \le 0$

06

연산 유형 최종 점검하기

1 다음 중 함수 $y=2\sin(2x+\pi)-1$에 대한 설명으로 옳지 않은 것은?

① 그래프는 점 $(0,\ -1)$을 지난다.
② 주기는 π이다.
③ 최댓값은 2이다.
④ 최솟값은 -3이다.
⑤ 그래프는 $y=2\sin 2x$의 그래프를 x축의 방향으로 $-\frac{\pi}{2}$만큼, y축의 방향으로 -1만큼 평행이동한 것이다.

2 다음 중 함수 $y=-\tan 3x$에 대한 설명으로 옳은 것은?

① 그래프는 점 $\left(\frac{\pi}{3},\ -1\right)$을 지난다.
② 주기는 π이다.
③ 최댓값은 3이다.
④ 그래프는 $y=\tan 3x$의 그래프를 y축에 대하여 대칭이동한 것이다.
⑤ 그래프의 점근선은 직선 $x=\frac{n}{3}\pi+\frac{\pi}{6}$($n$은 정수)이다.

3 다음 함수 중 주기가 나머지 넷과 다른 하나는?

① $y=\sin 4x+1$ ② $y=-3\sin\left(4x-\frac{\pi}{2}\right)$
③ $y=\cos(4x+\pi)$ ④ $y=2\cos 2x-1$
⑤ $y=\frac{1}{3}\tan(2x-1)$

4 함수 $y=a\cos(bx-c)$의 그래프가 다음 그림과 같을 때, 상수 a, b, c에 대하여 abc의 값을 구하시오.
(단, $a>0$, $b>0$, $0<c\le\pi$)

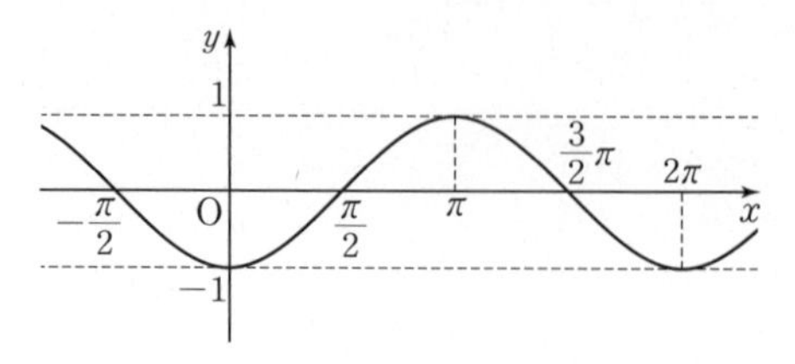

5 다음 중 옳지 않은 것은?

① $\sin\frac{4}{3}\pi=-\frac{\sqrt{3}}{2}$ ② $\cos\frac{7}{3}\pi=\frac{1}{2}$
③ $\tan\frac{17}{6}\pi=-\frac{\sqrt{3}}{3}$ ④ $\sin\left(-\frac{\pi}{4}\right)=\frac{\sqrt{2}}{2}$
⑤ $\cos\left(-\frac{9}{4}\pi\right)=\frac{\sqrt{2}}{2}$

6 $\sin\frac{2}{3}\pi\times\tan\frac{25}{4}\pi-\cos\frac{11}{6}\pi$의 값은?

① $-\sqrt{3}$ ② $-\frac{\sqrt{3}}{2}$ ③ 0
④ $\frac{\sqrt{3}}{2}$ ⑤ $\sqrt{3}$

7 다음 보기 중 $\sin x$와 같은 것만을 있는 대로 고르시오.

보기

ㄱ. $\sin(6\pi+x)$　　ㄴ. $\cos(-x)$

ㄷ. $\cos\left(\frac{\pi}{2}-x\right)$　　ㄹ. $\sin(\pi+x)$

8 다음을 간단히 하면?

$$\sin\left(\frac{\pi}{2}-x\right)-\sin(\pi-x)+\cos\left(\frac{3}{2}\pi+x\right)-\cos(4\pi-x)$$

① $-2\sin x$　② 0　③ $2\sin x$
④ $2\cos x$　⑤ $\sin x+3\cos x$

9 방정식 $\cos x=\frac{\sqrt{3}}{2}$의 모든 근의 합은? (단, $0\leq x<2\pi$)

① $\frac{5}{6}\pi$　② π　③ $\frac{3}{2}\pi$
④ $\frac{5}{3}\pi$　⑤ 2π

10 방정식 $2\cos^2 x+\sin x-1=0$의 해가 $x=\alpha$일 때, $\tan\frac{\alpha}{2}$의 값은? (단, $0\leq x<\pi$)

① $\frac{1}{2}$　② $\frac{\sqrt{3}}{3}$　③ $\frac{\sqrt{3}}{2}$
④ 1　⑤ $\sqrt{3}$

11 부등식 $\tan x+1\leq 0$의 해가 $a<x\leq b$일 때, $b-a$의 값은? (단, $0\leq x<\pi$)

① $\frac{\pi}{4}$　② $\frac{\pi}{3}$　③ $\frac{\pi}{2}$
④ $\frac{2}{3}\pi$　⑤ $\frac{3}{4}\pi$

12 부등식 $2\sin^2 x-3\cos x<0$을 푸시오.
(단, $0\leq x<2\pi$)

Ⅱ. 삼각함수

07

사인법칙과 코사인법칙

AM

유형 01 사인법칙

유형 02 사인법칙을 이용한 삼각형의 결정

유형 03 코사인법칙

유형 04 삼각형의 넓이

유형 05 평행사변형의 넓이

유형 06 사각형의 넓이

07 사인법칙과 코사인법칙

07-1 사인법칙

삼각형 ABC의 외접원의 반지름의 길이를 R라고 하면 삼각형 ABC의 세 변의 길이와 세 각의 크기 사이에는

$$\frac{a}{\sin A}=\frac{b}{\sin B}=\frac{c}{\sin C}=2R$$

인 관계가 성립한다. 이를 **사인법칙**이라고 한다.

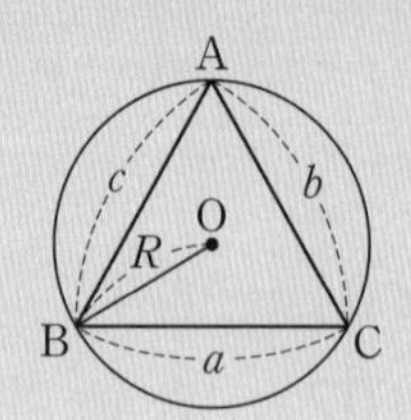

● 삼각형 ABC의 세 각 ∠A, ∠B, ∠C의 크기를 A, B, C로 나타내고, 이들의 대변 BC, CA, AB의 길이를 각각 a, b, c로 나타낸다.

연.산.유.형

정답과 해설 41쪽

유형 01 사인법칙

[001~003] 삼각형 ABC에 대하여 다음을 구하시오.

001 $c=6$, $A=30^\circ$, $C=45^\circ$일 때, a의 값

$\frac{\square}{\sin A}=\frac{c}{\sin C}$이므로 $\frac{\square}{\sin 30^\circ}=\frac{6}{\sin 45^\circ}$

$\square \sin 45^\circ=6\sin 30^\circ$

$\frac{\sqrt{2}}{2}\square=6\times\square$ $\quad\therefore a=\square$

002 $c=12$, $B=30^\circ$, $C=60^\circ$일 때, b의 값

003 $a=3$, $A=60^\circ$, $B=75^\circ$일 때, c의 값

[004~006] 삼각형 ABC에 대하여 다음을 구하시오.

004 $a=2$, $b=\sqrt{2}$, $B=45^\circ$일 때, A의 값

$\frac{a}{\sin\square}=\frac{b}{\sin B}$이므로 $\frac{2}{\sin\square}=\frac{\sqrt{2}}{\sin 45^\circ}$

$2\sin 45^\circ=\sqrt{2}\sin\square$

$\therefore \sin A=2\times\frac{\square}{2}\times\frac{1}{\sqrt{2}}=\square$

이때 $0^\circ<A<135^\circ$이므로 $A=\square$

005 $a=3\sqrt{2}$, $b=3$, $A=135^\circ$일 때, B의 값

006 $b=\sqrt{2}$, $c=\sqrt{6}$, $B=30^\circ$일 때, C의 값

[007~010] 삼각형 ABC의 외접원의 반지름의 길이를 R라고 할 때, 다음을 구하시오.

007 $a=3$, $A=60°$일 때, R의 값

$\frac{a}{\sin A}=2R$이므로 $\frac{3}{\sin 60°}=2R$

$\therefore R=\frac{3}{2\sin 60°}=\frac{3}{2\times\frac{\square}{2}}=\square$

008 $b=2$, $A=105°$, $C=45°$일 때, R의 값

009 $A=45°$, $R=1$일 때, a의 값

010 $c=2\sqrt{3}$, $R=2$일 때, C의 값

유형 02 사인법칙을 이용한 삼각형의 결정

[011~013] 다음을 만족하는 삼각형 ABC는 어떤 삼각형인지 말하시오.

011 $a\sin A+b\sin B=c\sin C$

삼각형 ABC의 외접원의 반지름의 길이를 R라고 하면 사인법칙에 의하여

$\sin A=\frac{a}{2R}$, $\sin B=\frac{\square}{2R}$, $\sin C=\frac{c}{\square}$

이를 주어진 식에 대입하면

$a\times\frac{a}{2R}+b\times\frac{\square}{2R}=c\times\frac{c}{\square}$

$\therefore a^2+b^2=\square$

따라서 삼각형 ABC는 $C=\square$인 $\square$삼각형이다.

012 $a\sin A=b\sin B$

013 $\sin^2 A+\sin^2 C=\sin^2 B$

07-2 코사인법칙

삼각형 ABC의 세 변의 길이와 세 각의 크기 사이에는

$a^2=b^2+c^2-2bc\cos A,$

$b^2=c^2+a^2-2ca\cos B,$

$c^2=a^2+b^2-2ab\cos C$

인 관계가 성립한다. 이를 **코사인법칙**이라고 한다.

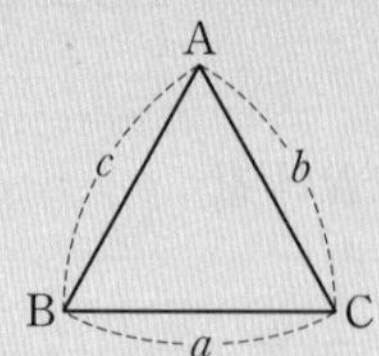

참고 $\cos A=\dfrac{b^2+c^2-a^2}{2bc}$, $\cos B=\dfrac{c^2+a^2-b^2}{2ca}$, $\cos C=\dfrac{a^2+b^2-c^2}{2ab}$

연.산.유.형

정답과 해설 41쪽

유형 03 코사인법칙

[014~016] 삼각형 ABC에 대하여 다음을 구하시오.

014 $b=2$, $c=4$, $A=60°$일 때, a의 값

> $a^2=b^2+c^2-2bc\cos A$이므로
> $a^2=2^2+4^2-2\times2\times4\times\cos60°$
> $\quad=4+16-16\times\square=\square$
> $\therefore a=\square$ ($\because a>0$)

015 $a=3$, $c=2\sqrt{2}$, $B=45°$일 때, b의 값

016 $a=2$, $b=\sqrt{3}$, $C=30°$일 때, c의 값

[017~020] 삼각형 ABC에 대하여 다음을 구하시오.

017 $a=3$, $b=4$, $c=5$일 때, $\cos A$의 값

> $\cos A=\dfrac{b^2+\square^2-\square^2}{2bc}$
> $\quad=\dfrac{4^2+\square^2-\square^2}{2\times4\times5}=\square$

018 $a=1$, $b=3$, $c=\sqrt{6}$일 때, $\cos C$의 값

019 $a=2\sqrt{3}$, $b=2$, $c=4$일 때, A의 값

020 $a=5$, $b=7$, $c=3$일 때, B의 값

07-3 삼각형의 넓이

삼각형 ABC의 넓이를 S라고 할 때

(1) 두 변의 길이와 그 끼인각의 크기가 주어지면

$$S=\frac{1}{2}ab\sin C=\frac{1}{2}bc\sin A=\frac{1}{2}ca\sin B$$

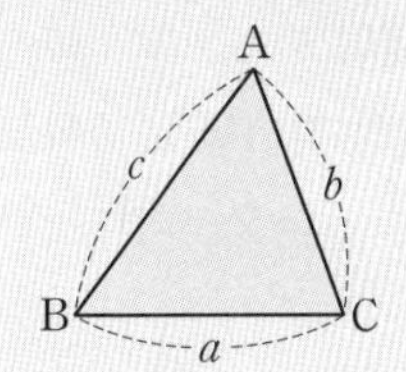

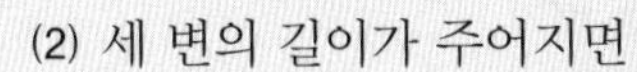

(2) 세 변의 길이가 주어지면

① 코사인법칙을 이용하여 $\cos C$의 값을 구한다.

② $\sin^2 C+\cos^2 C=1$임을 이용하여 $\sin C$의 값을 구한다.

③ $S=\frac{1}{2}ab\sin C$임을 이용하여 삼각형의 넓이를 구한다.

연.산.유.형

정답과 해설 42쪽

유형 04 삼각형의 넓이

[021~023] 다음 삼각형 ABC의 넓이를 구하시오.

021 $a=4,\ b=2\sqrt{3},\ C=60^\circ$

022 $b=6,\ c=3\sqrt{2},\ A=45^\circ$

023 $a=7,\ c=8,\ B=150^\circ$

[024~026] 다음 삼각형 ABC의 넓이를 구하시오.

024 $a=7,\ b=8,\ c=9$

$\cos C=\frac{a^2+b^2-c^2}{2ab}=\frac{7^2+\square^2-\square^2}{2\times7\times8}=\square$

$\therefore \sin C=\sqrt{1-\cos^2 C}=\sqrt{1-\left(\square\right)^2}=\square$

따라서 삼각형 ABC의 넓이는

$\frac{1}{2}ab\sin C=\frac{1}{2}\times7\times8\times\square=\square$

025 $a=4,\ b=5,\ c=6$

026 $a=2,\ b=3,\ c=4$

07-4 사각형의 넓이

(1) 평행사변형의 넓이

이웃하는 두 변의 길이가 a, b이고 그 끼인각의 크기가 θ인 평행사변형의 넓이를 S라고 하면

$S=ab\sin\theta$

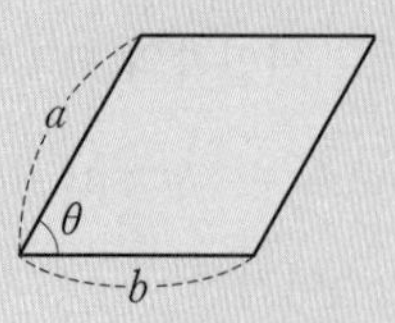

(2) 사각형의 넓이

두 대각선의 길이가 a, b이고 두 대각선이 이루는 각의 크기가 θ인 사각형의 넓이를 S라고 하면

$S=\frac{1}{2}ab\sin\theta$

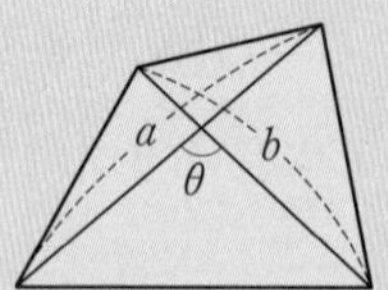

연.산.유.형

정답과 해설 42쪽

유형 05 평행사변형의 넓이

[027~030] 다음 그림과 같은 평행사변형 ABCD의 넓이를 구하시오.

027

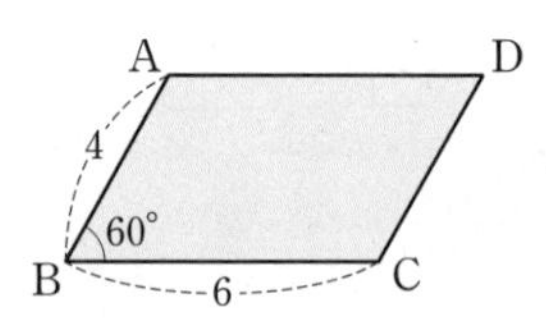

028

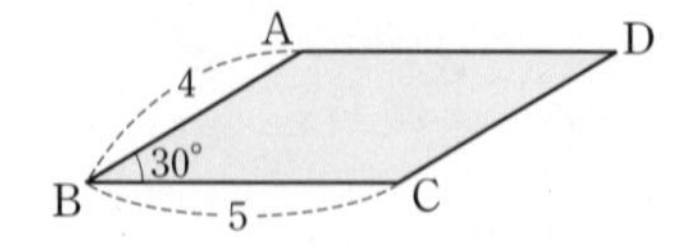

029

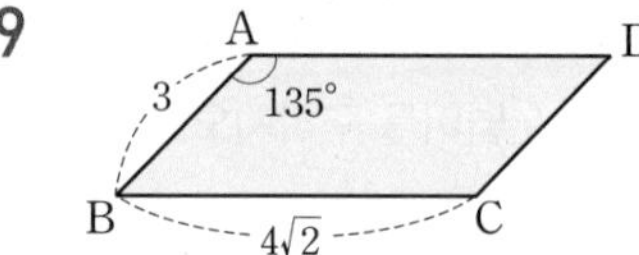

030

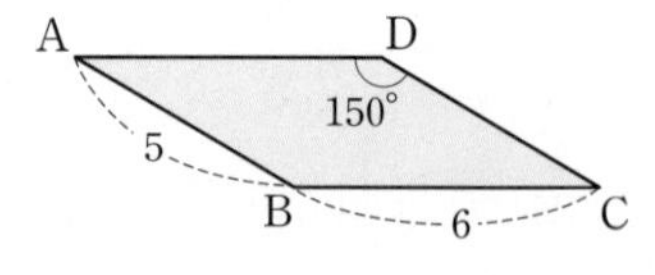

유형 06 사각형의 넓이

[031~033] 다음 그림과 같은 사각형 ABCD의 넓이를 구하시오.

031

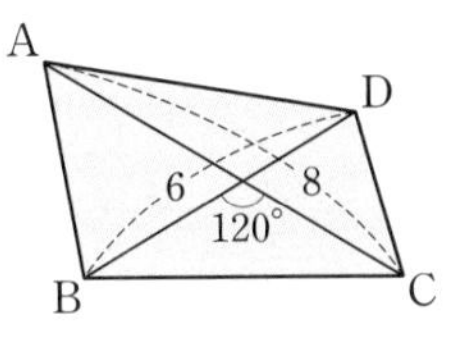

032

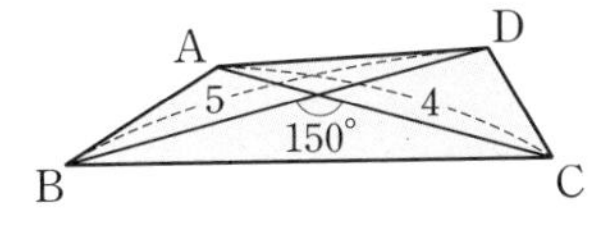

033

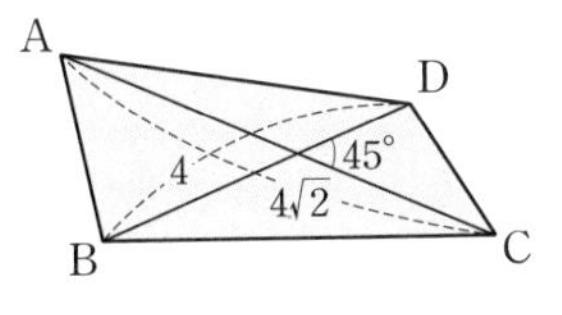

[034~036] 다음 그림과 같은 사각형 ABCD의 넓이를 구하시오.

034

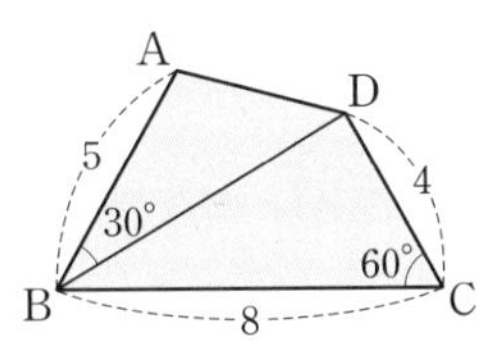

삼각형 BCD에서 코사인법칙에 의하여

$\overline{BD}^2=8^2+4^2-2\times8\times4\times\cos 60^\circ=\square$

$\therefore\ \overline{BD}=\square$ $(\because\ \overline{BD}>0)$

따라서 사각형 ABCD의 넓이는

$\triangle ABD+\triangle BCD=\frac{1}{2}\times5\times\square\times\sin 30^\circ$

$+\frac{1}{2}\times8\times4\times\sin 60^\circ$

$=\square+8\sqrt{3}$

$=\square$

035

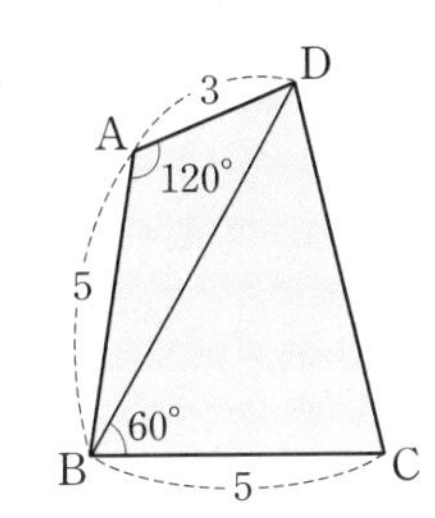

036

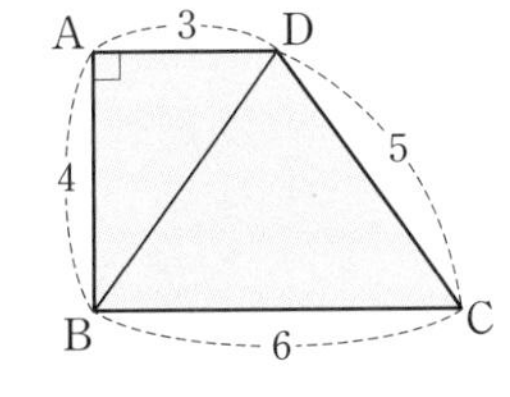

연산 유형 최종 점검하기

1 삼각형 ABC에서 $b=4\sqrt{3}$, $A=45°$, $B=60°$일 때, a의 값을 구하시오.

2 오른쪽 그림과 같이 삼각형 ABC에서 $\overline{AB}=6$, $\overline{AC}=4\sqrt{2}$, $C=30°$일 때, $\cos B$의 값은?

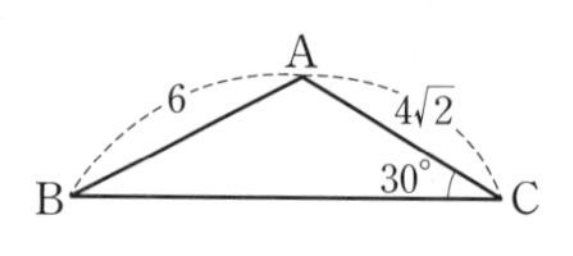

① $\frac{1}{3}$　② $\frac{\sqrt{2}}{3}$　③ $\frac{2}{3}$
④ $\frac{\sqrt{5}}{3}$　⑤ $\frac{\sqrt{7}}{3}$

3 삼각형 ABC에서 $c=6$, $A=45°$, $B=105°$일 때, 삼각형 ABC의 외접원의 넓이는?

① 6π　② 12π　③ 18π
④ 24π　⑤ 36π

4 삼각형 ABC에서 $\sin B=2\cos A\sin C$일 때, 이 삼각형은 어떤 삼각형인지 말하시오.

5 삼각형 ABC에서 $a=3$, $b=2\sqrt{3}$, $C=30°$일 때, c의 값은?

① $\sqrt{3}$　② 2　③ $\sqrt{5}$
④ $\sqrt{6}$　⑤ $\sqrt{7}$

6 삼각형 ABC에서 $b=4$, $c=2\sqrt{2}$, $A=45°$일 때, 삼각형 ABC의 외접원의 반지름의 길이를 구하시오.

7 삼각형 ABC에서 $a=6$, $b=7$, $c=8$일 때, $\cos A$의 값은?

① $\frac{5}{8}$　② $\frac{11}{16}$　③ $\frac{3}{4}$
④ $\frac{13}{16}$　⑤ $\frac{7}{8}$

8 삼각형 ABC에서 $a=2\sqrt{6}$, $c=2$, $B=45°$일 때, 삼각형 ABC의 넓이는?

① $\sqrt{3}$ ② 2 ③ $2\sqrt{3}$
④ 4 ⑤ $4\sqrt{3}$

9 다음 그림과 같이 $\overline{AB}=6$, $\overline{AC}=10$인 삼각형 ABC의 넓이가 $15\sqrt{2}$일 때, A의 값을 구하시오. (단, $A>90°$)

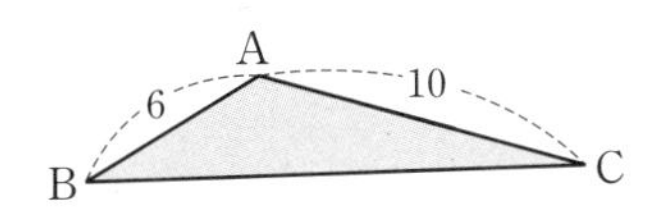

10 오른쪽 그림과 같이 세 변의 길이가 5, 7, 8인 삼각형 ABC의 넓이는?

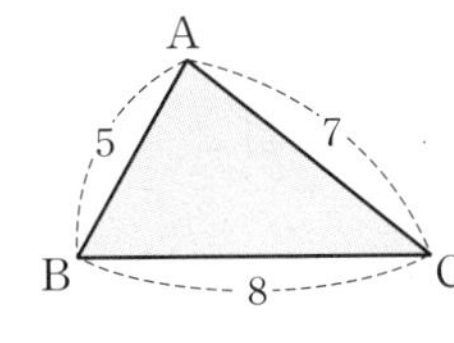

① $10\sqrt{2}$ ② $10\sqrt{3}$
③ 20 ④ $20\sqrt{2}$
⑤ $20\sqrt{3}$

11 다음 그림과 같이 $\overline{AB}=4$, $B=45°$인 평행사변형 ABCD의 넓이가 $10\sqrt{2}$일 때, 변 BC의 길이는?

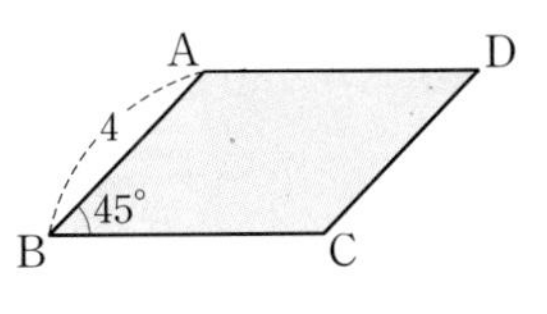

① 4 ② 5 ③ 6
④ 7 ⑤ 8

12 다음 그림과 같은 사각형 ABCD의 넓이가 $\frac{27}{2}$일 때, θ의 값을 구하시오. (단, $0°<\theta<90°$)

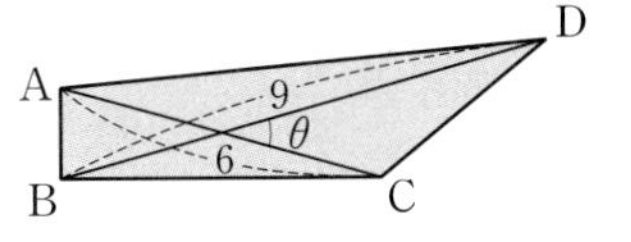

13 오른쪽 그림과 같이 사각형 ABCD에서 $\overline{BC}=6$, $\overline{CD}=8$, $\angle BCA=30°$, $\angle ACD=90°$, $\angle D=45°$일 때, 사각형 ABCD의 넓이를 구하시오.

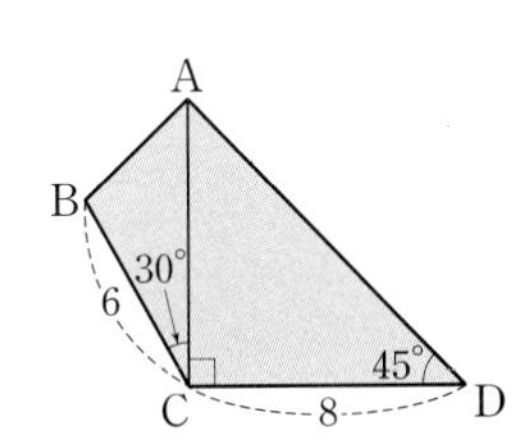

III. 수열

08
등차수열과 등비수열

유형 01 수열
유형 02 등차수열
유형 03 등차수열의 항 구하기
유형 04 등차중항

유형 05 등차수열을 이루는 수
유형 06 등차수열의 합
유형 07 부분의 합이 주어진 등차수열의 합
유형 08 등차수열의 합의 최대, 최소

AM

유형 09 등비수열

유형 10 등비수열의 항 구하기

유형 11 등비중항

유형 12 등비수열의 활용

유형 13 등비수열의 합

유형 14 부분의 합이 주어진 등비수열의 합

유형 15 등비수열의 합의 활용

유형 16 수열의 합과 일반항 사이의 관계

08 등차수열과 등비수열

08-1 수열

(1) **수열**

차례로 나열한 수의 열을 **수열**이라 하고, 수열을 이루고 있는 각 수를 그 수열의 **항**이라고 한다.

일반적으로 수열을

$a_1, a_2, a_3, \cdots, a_n, \cdots$

과 같이 나타내고, 앞에서부터 차례로 첫째항, 둘째항, 셋째항, $\cdots$, n째항, $\cdots$ 또는 제1항, 제2항, 제3항, $\cdots$, 제n항, $\cdots$이라고 한다.

(2) **일반항**

수열의 제n항 $\boldsymbol{a_n}$을 그 수열의 **일반항**이라 하고, 일반항이 a_n인 수열을 간단히

$\{\boldsymbol{a_n}\}$

과 같이 나타낸다.

● 일반항 a_n이 n에 대한 식이면 n에 1, 2, 3, $\cdots$을 차례로 대입하여 수열 $\{a_n\}$의 모든 항을 구할 수 있다.

연.산.유.형

정답과 해설 44쪽

유형 01 수열

[001~004] 수열 $\{a_n\}$의 일반항이 다음과 같을 때, 첫째항부터 제5항까지 차례로 나열하시오.

001 $a_n=2n+1$

002 $a_n=n^2-3n$

003 $a_n=2^n-1$

004 $a_n=\dfrac{1}{3n-2}$

[005~008] 다음 수열의 일반항 a_n을 구하시오.

005 3, 6, 9, 12, 15, $\cdots$

006 1, 4, 9, 16, 25, $\cdots$

007 $-1, 1, -1, 1, -1, \cdots$

008 $\dfrac{1}{2}, \dfrac{2}{3}, \dfrac{3}{4}, \dfrac{4}{5}, \dfrac{5}{6}, \cdots$

08-2 등차수열

(1) **등차수열**

첫째항에 차례로 일정한 수를 더하여 만든 수열을 **등차수열**이라 하고, 그 일정한 수를 **공차**라고 한다.

예 1, 4, 7, 10, 13, … ➡ 첫째항이 1, 공차가 3인 등차수열

(2) **등차수열의 일반항**

첫째항이 a, 공차가 d인 등차수열의 일반항 a_n은

$$a_n=a+(n-1)d$$

예 첫째항이 1, 공차가 3인 등차수열의 일반항 a_n은

$a_n=1+(n-1)\times3=3n-2$

● 공차가 d인 등차수열 $\{a_n\}$에서 제n항에 d를 더하면 제$(n+1)$항이 되므로
$a_{n+1}=a_n+d$
(단, $n=1, 2, 3, \cdots$)

연.산.유.형

정답과 해설 44쪽

유형 02 등차수열

[009~012] 다음 수열이 등차수열을 이루도록 □ 안에 알맞은 수를 써넣으시오.

009 1, 3, □, □, 9, …

010 □, 2, □, 12, 17, …

011 □, □, −8, −11, −14, …

012 $\frac{1}{2}$, □, □, 2, $\frac{5}{2}$, …

[013~016] 다음 등차수열의 일반항 a_n을 구하시오.

013 첫째항이 −3, 공차가 7

014 첫째항이 10, 공차가 −2

015 −20, −16, −12, −8, −4, …

016 7, $\frac{11}{2}$, 4, $\frac{5}{2}$, 1, …

[017~018] 다음 등차수열 $\{a_n\}$의 공차를 구하시오.

017 $a_1=3$, $a_6=33$

018 $a_1=16$, $a_9=-8$

[019~022] 다음 등차수열 $\{a_n\}$의 일반항 a_n을 구하시오.

019 $a_2=4$, $a_5=13$

첫째항을 a, 공차를 d라고 하면 $a_2=4$, $a_5=13$에서
$a+d=4$, $a+\square d=13$
두 식을 연립하여 풀면 $a=\square$, $d=\square$
따라서 일반항 a_n은
$a_n=\square+(n-1)\times\square=\square$

020 $a_3=-3$, $a_{10}=11$

021 $a_5=9$, $a_9=-7$

022 $a_3=-1$, $a_8=-\frac{8}{3}$

유형 03 등차수열의 항 구하기

[023~028] 다음 등차수열 $\{a_n\}$에서 a_{10}의 값을 구하시오.

023 첫째항이 11, 공차가 -3

024 첫째항이 -1, 공차가 $\frac{1}{2}$

025 -20, -13, -6, 1, 8, $\cdots$

026 12, 7, 2, -3, -8, $\cdots$

027 $a_2=-1$, $a_5=-7$

028 $a_3=\frac{33}{4}$, $a_6=9$

08-3 등차중항

세 수 a, b, c가 이 순서대로 등차수열을 이룰 때, b를 a와 c의 **등차중항**이라고 한다.

이때 $b-a=c-b$이므로 $b=\frac{a+c}{2}$

예 세 수 1, x, 7이 이 순서대로 등차수열을 이루면 x는 1과 7의 등차중항이므로

$x=\frac{1+7}{2}=4$

연.산.유.형

정답과 해설 45쪽

유형 04 등차중항

[029~036] 다음 수가 주어진 순서대로 등차수열을 이룰 때, x, y, z의 값을 구하시오.

029 3, x, 11

030 2, x, -14

031 x, 4, $3x$

032 $x-1$, $3x+2$, $2x-3$

033 2, x, 8, y, 14

034 -1, x, -9, y, -17

035 x, -1, y, 5, z

036 x, 10, y, -2, z

08-4 등차수열을 이루는 수

(1) 세 수가 등차수열을 이룰 때

➡ 세 수를 $a-d$, a, $a+d$로 놓고 주어진 조건을 이용하여 식을 세운다.

(2) 네 수가 등차수열을 이룰 때

➡ 네 수를 $a-3d$, $a-d$, $a+d$, $a+3d$로 놓고 주어진 조건을 이용하여 식을 세운다.

연.산.유.형

정답과 해설 46쪽

유형 05 등차수열을 이루는 수

[037~039] 다음을 만족하는 세 수가 등차수열을 이룰 때, 세 수를 구하시오.

037 세 수의 합은 12이고, 곱은 28이다.

> 세 수를 $a-d$, $\square$, $a+d$로 놓으면
>
> $(a-d)+\square+(a+d)=12$ …… ㉠
>
> $(a-d)\times\square\times(a+d)=\square$ …… ㉡
>
> ㉠에서 $a=\square$
>
> $a=\square$를 ㉡에 대입하면
>
> $(\square-d)\times\square\times(\square+d)=28$
>
> $d^2=\square$ $\quad\therefore d=\square$
>
> 따라서 구하는 세 수는 1, $\square$, $\square$이다.

038 세 수의 합은 -9이고, 곱은 -15이다.

039 세 수의 합은 6이고, 곱은 -24이다.

[040~042] 다음을 만족하는 네 수가 등차수열을 이룰 때, 네 수를 구하시오.

040 네 수의 합은 28이고, 가장 큰 수와 가장 작은 수의 곱은 40이다.

> 네 수를 $a-3d$, $a-d$, $\square$, $a+3d$로 놓으면
>
> $(a-3d)+(a-d)+(\square)+(a+3d)=28$ …… ㉠
>
> $(a-3d)(a+3d)=\square$ …… ㉡
>
> ㉠에서 $a=\square$
>
> $a=\square$을 ㉡에 대입하면
>
> $(\square-3d)(\square+3d)=40$
>
> $d^2=\square$ $\quad\therefore d=\square$
>
> 따라서 구하는 네 수는 $\square$, $\square$, 8, $\square$이다.

041 네 수의 합은 4이고, 가운데 두 수의 곱은 가장 큰 수와 가장 작은 수의 곱보다 32만큼 크다.

042 네 수의 합은 8이고, 제곱의 합은 36이다.

08-5 등차수열의 합

(1) 등차수열의 합

등차수열의 첫째항부터 제n항까지의 합을 S_n이라고 하면

① 첫째항이 a, 제n항이 l일 때 ➡ $S_n=\dfrac{n(a+l)}{2}$

② 첫째항이 a, 공차가 d일 때 ➡ $S_n=\dfrac{n\{2a+(n-1)d\}}{2}$

(2) 등차수열의 합의 최대, 최소

① (첫째항)>0, (공차)<0인 등차수열의 첫째항부터 제n항까지의 합의 최댓값은 양수인 모든 항을 더한 값이다.

② (첫째항)<0, (공차)>0인 등차수열의 첫째항부터 제n항까지의 합의 최솟값은 음수인 모든 항을 더한 값이다.

08

연.산.유.형

정답과 해설 46쪽

유형 06 등차수열의 합

[043~050] 다음을 구하시오.

043 첫째항이 3, 제10항이 30인 등차수열의 첫째항부터 제10항까지의 합

044 첫째항이 12, 제8항이 -4인 등차수열의 첫째항부터 제8항까지의 합

045 첫째항이 1, 공차가 4인 등차수열의 첫째항부터 제12항까지의 합

046 첫째항이 10, 공차가 -3인 등차수열의 첫째항부터 제9항까지의 합

047 등차수열 1, 6, 11, 16, …의 첫째항부터 제16항까지의 합

048 등차수열 12, 10, 8, 6, …의 첫째항부터 제20항까지의 합

049 $1+7+13+19+\cdots+67$

050 $\frac{1}{2}+0+\left(-\frac{1}{2}\right)+(-1)+\cdots+(-9)$

유형 07 부분의 합이 주어진 등차수열의 합

[051~052] 등차수열 $\{a_n\}$의 첫째항부터 제n항까지의 합을 S_n이라고 할 때, 다음 등차수열 $\{a_n\}$의 공차를 구하시오.

051 $a_1=3$, $S_8=220$

052 $a_1=-1$, $S_{10}=125$

[053~055] 등차수열 $\{a_n\}$의 첫째항부터 제n항까지의 합을 S_n이라고 할 때, 다음을 구하시오.

053 $S_3=6$, $S_6=3$일 때, S_{12}의 값

첫째항을 a, 공차를 d라고 하면 $S_3=6$, $S_6=3$에서

$\frac{3\{2a+(3-1)d\}}{2}=6$, $\frac{6\{2a+(6-1)d\}}{2}=3$

$\therefore a+d=\square$, $2a+5d=\square$

두 식을 연립하여 풀면 $a=\square$, $d=\square$

$\therefore S_{12}=\frac{12\times\{2\times\square+(12-1)\times(\square)\}}{2}=\square$

054 $S_{10}=70$, $S_{20}=240$일 때, S_{30}의 값

055 $S_6=30$, $S_{18}=-126$일 때, S_{26}의 값

유형 08 등차수열의 합의 최대, 최소

[056~057] 다음 등차수열 $\{a_n\}$의 첫째항부터 제n항까지의 합을 S_n이라고 할 때, S_n의 최댓값을 구하시오.

056 첫째항이 17, 공차가 -2

057 제2항이 21, 제6항이 5

[058~059] 다음 등차수열 $\{a_n\}$의 첫째항부터 제n항까지의 합을 S_n이라고 할 때, S_n의 최솟값을 구하시오.

058 첫째항이 -19, 공차가 3

059 제3항이 -15, 제8항이 5

08-6 등비수열

(1) 등비수열

첫째항에 차례로 일정한 수를 곱하여 만든 수열을 **등비수열**이라 하고, 그 일정한 수를 **공비**라고 한다.

(2) 등비수열의 일반항

첫째항이 a, 공비가 $r(r\neq0)$인 등비수열의 일반항 a_n은

$a_n=ar^{n-1}$

예 첫째항이 1, 공비가 4인 등비수열의 일반항 a_n은

$a_n=1\times4^{n-1}=4^{n-1}$

● 공비가 r인 등비수열 $\{a_n\}$에서 제n항에 r를 곱하면 제$(n+1)$항이 되므로
$a_{n+1}=ra_n$
(단, $n=1, 2, 3, \cdots$)

08

연·산·유·형

정답과 해설 48쪽

유형 09 등비수열

[060~063] 다음 수열이 등비수열을 이루도록 □ 안에 알맞은 수를 써넣으시오.

060 1, 2, □, □, 16, ⋯

061 3, □, $\frac{1}{3}$, $\frac{1}{9}$, □, ⋯

062 5, □, □, -40, 80, ⋯

063 □, □, $2\sqrt{2}$, 4, $4\sqrt{2}$, ⋯

[064~067] 다음 등비수열의 일반항 a_n을 구하시오.

064 첫째항이 1, 공비가 3

065 첫째항이 5, 공비가 $\frac{1}{2}$

066 2, -6, 18, -54, ⋯

067 7, $7\sqrt{7}$, 49, $49\sqrt{7}$, ⋯

[068~069] 다음 등비수열 $\{a_n\}$의 공비를 구하시오.

068 $a_1=2$, $a_6=64$

069 $a_1=16$, $a_8=\frac{1}{8}$

[070~073] 다음 등비수열 $\{a_n\}$의 일반항 a_n을 구하시오.

070 $a_2=6$, $a_5=162$

> 첫째항을 a, 공비를 r라고 하면 $a_2=6$, $a_5=162$에서
> $ar=6$ …… ㉠, $ar^{\square}=162$ …… ㉡
> ㉡÷㉠을 하면 $r^3=27$ $\therefore r=\square$
> $r=\square$을 ㉠에 대입하여 풀면 $a=\square$
> 따라서 일반항 a_n은
> $a_n=\square\times 3^{n-1}$

071 $a_3=2$, $a_6=-4\sqrt{2}$

072 $a_3=1$, $a_8=-1$

073 $a_4=8$, $a_9=\frac{1}{4}$

유형 10 등비수열의 항 구하기

[074~079] 다음 등비수열 $\{a_n\}$에서 a_9의 값을 구하시오.

074 첫째항이 1, 공비가 $\frac{1}{2}$

075 첫째항이 $\frac{1}{27}$, 공비가 3

076 $\frac{1}{4}$, $-\frac{1}{2}$, 1, -2, …

077 $\sqrt{5}$, -1, $\frac{1}{\sqrt{5}}$, $-\frac{1}{5}$, …

078 $a_3=9$, $a_4=3$

079 $a_2=1$, $a_5=3\sqrt{3}$

08-7 등비중항

0이 아닌 세 수 a, b, c가 이 순서대로 등비수열을 이룰 때, b를 a와 c의 **등비중항**이라고 한다.

이때 $\frac{b}{a}=\frac{c}{b}$이므로 $b^2=ac$

예 세 수 1, x, 9가 이 순서대로 등비수열을 이루면 x는 1과 9의 등비중항이므로
$x^2=1\times9=9$ $\therefore x=-3$ 또는 $x=3$

연·산·유·형

정답과 해설 49쪽

유형 11 등비중항

[080~083] 다음 수가 주어진 순서대로 등비수열을 이룰 때, x, y의 값을 구하시오.

080 3, x, 12

081 2, x, 50

082 -4, x, -80

083 1, x, 16, y

[084~087] 다음 수가 주어진 순서대로 등비수열을 이룰 때, 양수 a의 값을 구하시오.

084 a, 4, $4a$

085 a, $3\sqrt{2}$, $a+3$

086 $2a$, $a+3$, $8a$

087 $a-1$, $a+1$, $a-3$

08-8 등비수열의 활용

도형의 길이, 넓이, 부피 등이 일정한 비율로 변할 때, 처음 몇 개의 항을 나열하여 규칙을 찾은 후 일반항을 구한다.

연.산.유.형

정답과 해설 49쪽

유형 12 등비수열의 활용

[088~091] 다음 물음에 답하시오.

088 넓이가 1인 정사각형이 있다. 첫 번째 시행에서 오른쪽 그림과 같이 정사각형을 9등분하여 중앙의 정사각형을 버린다. 두 번째 시행에서는 첫 번째 시행 후 남은 8개의 정사각형을 각각 9등분하여 중앙의 정사각형을 버린다. 이와 같은 시행을 반복할 때, 10회 시행 후 남아 있는 도형의 넓이를 구하시오.

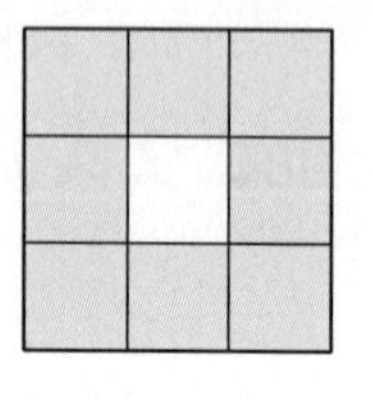

1회 시행 후 남아 있는 도형의 넓이는

$1\times\square=\frac{8}{9}$

2회 시행 후 남아 있는 도형의 넓이는

$\frac{8}{9}\times\square=\left(\frac{8}{9}\right)^2$

3회 시행 후 남아 있는 도형의 넓이는

$\left(\frac{8}{9}\right)^2\times\square=\left(\frac{8}{9}\right)^3$

⋮

n회 시행 후 남아 있는 도형의 넓이는

$\left(\frac{8}{9}\right)^{n-1}\times\frac{8}{9}=\square$

따라서 10회 시행 후 남아 있는 도형의 넓이는 $\square$

089 길이가 1인 선분이 있다. 첫 번째 시행에서 다음 그림과 같이 선분을 삼등분하고 가운데 부분을 버린다. 두 번째 시행에서는 첫 번째 시행 후 남은 2개의 선분을 각각 삼등분하여 가운데 선분을 버린다. 이와 같은 시행을 반복할 때, 20회 시행 후 남아 있는 선분의 길이를 구하시오.

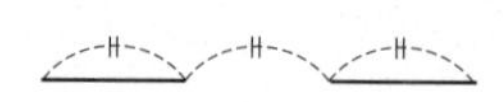

090 한 변의 길이가 2인 정사각형이 있다. 첫 번째 시행에서 오른쪽 그림과 같이 정사각형을 4등분하여 한 조각만 남긴다. 두 번째 시행에서는 첫 번째 시행 후 남은 정사각형을 다시 4등분하여 한 조각만 남긴다. 이와 같은 시행을 반복할 때, 10회 시행 후 남아 있는 도형의 둘레의 길이를 구하시오.

091 한 변의 길이가 4인 정삼각형 모양의 종이가 있다. 첫 번째 시행에서 오른쪽 그림과 같이 정삼각형의 각 변의 중점을 이어서 만든 정삼각형을 오려 낸다. 두 번째 시행에서는 첫 번째 시행 후 남은 3개의 정삼각형에서 같은 방법으로 만든 정삼각형을 오려 낸다. 이와 같은 시행을 반복할 때, 10회 시행 후 남아 있는 종이의 넓이를 구하시오.

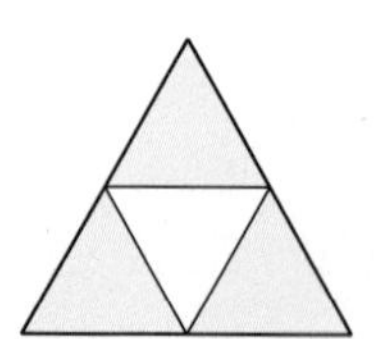

08-9 등비수열의 합

첫째항이 a, 공비가 r인 등비수열의 첫째항부터 제n항까지의 합을 S_n이라고 하면

(1) $r\neq1$일 때 ➡ $S_n=\frac{a(1-r^n)}{1-r}=\frac{a(r^n-1)}{r-1}$

(2) $r=1$일 때 ➡ $S_n=na$

● $r<1$일 때 $S_n=\frac{a(1-r^n)}{1-r}$, $r>1$일 때 $S_n=\frac{a(r^n-1)}{r-1}$을 이용하면 편리하다.

연.산.유.형

정답과 해설 50쪽

유형 13 등비수열의 합

[092~095] 다음 등비수열의 첫째항부터 제n항까지의 합 S_n을 구하시오.

092 7, 7, 7, 7, ⋯

093 4, 12, 36, 108, ⋯

094 3, -6, 12, -24, ⋯

095 0.1, 0.01, 0.001, 0.0001, ⋯

[096~099] 다음을 구하시오.

096 첫째항이 1, 공비가 3인 등비수열의 첫째항부터 제6항까지의 합

097 첫째항이 2, 공비가 -2인 등비수열의 첫째항부터 제10항까지의 합

098 $6+12+24+48+\cdots+384$

099 $32+16+8+4+\cdots+\frac{1}{4}$

08

유형 14 부분의 합이 주어진 등비수열의 합

[100~102] 등비수열 $\{a_n\}$의 첫째항부터 제n항까지의 합을 S_n이라고 할 때, 다음을 구하시오.

100 $S_3=8$, $S_6=32$일 때, S_9의 값

첫째항을 a, 공비를 r라고 하면 $S_3=8$, $S_6=32$에서

$\frac{a(r^3-1)}{r-1}=8$ …… ㉠

$\frac{a(r^6-1)}{r-1}=32$ …… ㉡

㉡에서 $\frac{a(r^3-1)(r^3+1)}{r-1}=32$에 ㉠을 대입하면

$8(r^3+1)=32$ $\therefore r^3=\square$

$\therefore S_9=\frac{a(r^9-1)}{r-1}$

$=\frac{a(\square)(r^6+r^3+1)}{r-1}$

$=8(r^6+r^3+1)$

$=\square$

101 $S_4=3$, $S_8=9$일 때, S_{12}의 값

102 $S_{10}=7$, $S_{20}=28$일 때, S_{30}의 값

[103~105] 등비수열 $\{a_n\}$의 첫째항부터 제n항까지의 합을 S_n이라고 할 때, 다음을 구하시오.

103 $a_1+a_4=3$, $a_4+a_7=24$일 때, S_8의 값

첫째항을 a, 공비를 r라고 하면

$a_1+a_4=3$에서 $a+ar^3=3$

$\therefore a(1+r^3)=3$ …… ㉠

$a_4+a_7=24$에서 $ar^3+ar^6=24$

$\therefore ar^3(1+r^3)=24$ …… ㉡

㉡÷㉠을 하면

$r^3=\square$ $\therefore r=\square$

$r=\square$를 ㉠에 대입하여 풀면 $a=\square$

$\therefore S_8=\frac{\square\times(\square^8-1)}{2-1}=\square$

104 $a_1+a_2=2$, $a_4+a_5=54$일 때, S_5의 값

105 $a_2+a_5=6$, $a_5+a_8=48$일 때, S_{10}의 값

08-10 등비수열의 합의 활용

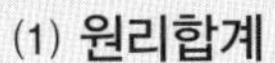

(1) 원리합계

① 단리법: 원금에 대해서만 이자를 계산하는 방법

➡ 원금 a원을 연이율 r로 n년 동안 단리로 예금할 때의 원리합계 S는

$$S=a(1+rn)(\text{원})$$

② 복리법: 원금에 이자를 더한 금액을 다시 원금으로 보고 이자를 계산하는 방법

➡ 원금 a원을 연이율 r로 n년 동안 1년마다 복리로 예금할 때의 원리합계 S는

$$S=a(1+r)^n(\text{원})$$

• 원금에 이자를 합한 금액을 원리합계라고 한다.

(2) 적금

연이율 r, 1년마다 복리로 매년 a원씩 n년 동안 적립할 때, n년 말의 적립금의 원리합계 S는

① 매년 초에 적립하는 경우 ➡ $S=\dfrac{a(1+r)\{(1+r)^n-1\}}{r}(\text{원})$

② 매년 말에 적립하는 경우 ➡ $S=\dfrac{a\{(1+r)^n-1\}}{r}(\text{원})$

• 일정한 금액을 일정한 기간마다 적립하는 것을 적금이라고 한다.

08

연.산.유.형

정답과 해설 51쪽

유형 15 등비수열의 합의 활용

[106~107] 연이율 5%, 1년마다 복리로 매년 10만 원씩 10년 동안 적립할 때, 다음 경우 10년 말의 적립금의 원리합계를 구하시오.
(단, $1.05^{10}=1.6$으로 계산한다.)

106 매년 초에 적립하는 경우

$10\times(1+0.05)+10\times(1+0.05)^2+\cdots+10\times(1+0.05)^{10}$

$=\dfrac{10\times(1+\square)\times\{(1+0.05)^{\square}-1\}}{(1+0.05)-1}$

$=\dfrac{10\times1.05\times(1.05^{\square}-1)}{0.05}$

$=\dfrac{10\times1.05\times(1.6-1)}{0.05}$

$=\square$(만 원)

107 매년 말에 적립하는 경우

$10+10\times(1+0.05)+\cdots+10\times(1+0.05)^9$

$=\dfrac{10\times\{(1+0.05)^{\square}-1\}}{(1+0.05)-1}=\dfrac{10\times(1.05^{\square}-1)}{0.05}$

$=\dfrac{10\times(1.6-1)}{0.05}=\square$(만 원)

[108~109] 연이율 4%, 1년마다 복리로 매년 20만 원씩 10년 동안 적립할 때, 다음 경우 10년 말의 적립금의 원리합계를 구하시오.
(단, $1.04^{10}=1.5$로 계산한다.)

108 매년 초에 적립하는 경우

109 매년 말에 적립하는 경우

[110~111] 연이율 3%, 1년마다 복리로 매년 10만 원씩 9년 동안 적립할 때, 다음 경우 9년 말의 적립금의 원리합계를 구하시오.
(단, $1.03^9=1.3$으로 계산한다.)

110 매년 초에 적립하는 경우

111 매년 말에 적립하는 경우

08-11 수열의 합과 일반항 사이의 관계

수열 $\{a_n\}$의 첫째항부터 제n항까지의 합을 S_n이라고 하면

$a_1=S_1$, $a_n=S_n-S_{n-1}$ $(n\geq 2)$

참고 수열의 합 S_n과 일반항 a_n 사이의 관계는 모든 수열에서 성립한다.

연.산.유.형

정답과 해설 51쪽

유형 16 수열의 합과 일반항 사이의 관계

[112~117] 수열 $\{a_n\}$의 첫째항부터 제n항까지의 합 S_n이 다음과 같을 때, 일반항 a_n을 구하시오.

112 $S_n=n^2-3n$

(i) $n\geq 2$일 때

$a_n=S_n-S_{n-1}$

$=n^2-3n-\{(n-1)^2-3(n-1)\}$

$=$ ☐ …… ㉠

(ii) $n=1$일 때

$a_1=S_1=1^2-3\times 1=$ ☐ …… ㉡

이때 ㉡은 ㉠에 $n=1$을 대입한 것과 같으므로 일반항 a_n은

$a_n=$ ☐

113 $S_n=2n^2+n$

114 $S_n=n^2+2n+1$

115 $S_n=3^n-1$

116 $S_n=4^{n+1}-4$

117 $S_n=2^{n+1}+1$

연산 유형

최종 점검하기

1 수열 $\frac{1}{3}, \frac{1}{5}, \frac{1}{7}, \frac{1}{9}, \cdots$의 일반항을 a_n이라고 할 때, $a_n=\frac{1}{101}$을 만족하는 자연수 n의 값은?

① 48 ② 49 ③ 50
④ 51 ⑤ 52

2 등차수열 $\{a_n\}$에서 첫째항이 -6, 공차가 4일 때, a_{10}의 값은?

① 26 ② 30 ③ 34
④ 36 ⑤ 40

3 등차수열 $\{a_n\}$에서 $a_1=-2$, $a_{13}=-10$일 때, 공차는?

① $-\frac{3}{4}$ ② $-\frac{2}{3}$ ③ $-\frac{3}{5}$
④ $-\frac{2}{5}$ ⑤ $-\frac{1}{3}$

4 등차수열 $\{a_n\}$에서 $a_6=32$, $a_{10}=20$일 때, 처음으로 음수가 되는 항은?

① 제15항 ② 제16항 ③ 제17항
④ 제18항 ⑤ 제19항

5 등차수열 $\{a_n\}$에서 $a_2+a_5=6$, $a_7+a_{10}=-14$일 때, a_{16}의 값은?

① -30 ② -28 ③ -26
④ -24 ⑤ -22

6 세 수 $6a$, a^2+2a, 4가 이 순서대로 등차수열을 이룰 때, 모든 a의 값의 합은?

① -2 ② -1 ③ 0
④ 1 ⑤ 2

7 등차수열을 이루는 세 수의 합이 9이고 제곱의 합이 59일 때, 가장 큰 수를 구하시오.

8 $a_2=-2$, $a_5=10$인 등차수열 $\{a_n\}$의 첫째항부터 제20항까지의 합은?

① 640 ② 650 ③ 660
④ 670 ⑤ 680

9 등차수열 $\{a_n\}$에서 첫째항부터 제10항까지의 합이 -10, 첫째항부터 제20항까지의 합이 80일 때, 첫째항부터 제30항까지의 합을 구하시오.

10 첫째항이 -23, 공차가 2인 등차수열 $\{a_n\}$의 첫째항부터 제n항까지의 합을 S_n이라고 할 때, S_n의 최솟값은?

① -144 ② -143 ③ -142
④ -141 ⑤ -140

11 $a_3=9$, $a_6=243$인 등비수열 $\{a_n\}$의 첫째항이 a, 공비가 r일 때, $a+r$의 값은?

① 3 ② 4 ③ 5
④ 7 ⑤ 9

12 $a_1=\frac{1}{4}$, $a_5=4$이고 공비가 양수인 등비수열 $\{a_n\}$에서 처음으로 100보다 커지는 항은?

① 제7항 ② 제8항 ③ 제9항
④ 제10항 ⑤ 제11항

13 세 양수 x, $x+8$, $9x$가 이 순서대로 등비수열을 이룰 때, x의 값을 구하시오.

14 한 변의 길이가 2인 정삼각형이 있다. 첫 번째 시행에서 오른쪽 그림과 같이 각 변의 중점을 이어 정삼각형을 그린다. 두 번째 시행에서는 첫 번째 시행에서 그린 작은 정삼각형에 같은 방법으로 정삼각형을 그린다. 이와 같은 시행을 반복할 때, 11회 시행에서 그린 정삼각형의 둘레의 길이를 구하시오.

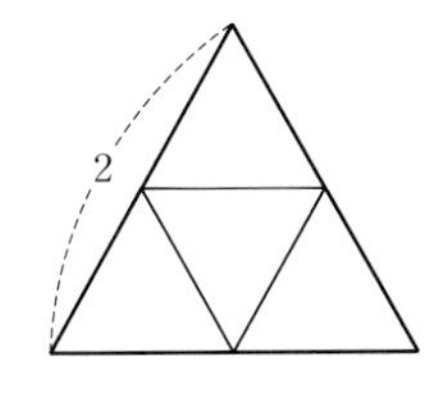

15 수열 2, 1, $\frac{1}{2}$, $\frac{1}{4}$, …의 첫째항부터 제10항까지의 합은?

① $\frac{511}{256}$　② $\frac{1023}{512}$　③ $\frac{511}{128}$
④ $\frac{1023}{256}$　⑤ $\frac{1023}{128}$

16 첫째항이 3, 공비가 -3, 끝항이 -729인 등비수열의 첫째항부터 끝항까지의 합은?

① -546　② -541　③ -536
④ -531　⑤ -526

17 등비수열 $\{a_n\}$에서 첫째항부터 제3항까지의 합이 21, 첫째항부터 제6항까지의 합이 189일 때, a_4의 값은?

① 16　② 20　③ 24
④ 28　⑤ 48

18 연이율 6%, 1년마다 복리로 매년 초에 30만 원씩 10년 동안 적립할 때, 10년 말의 적립금의 원리합계를 구하시오. (단, $1.06^{10}=1.8$로 계산한다.)

19 수열 $\{a_n\}$의 첫째항부터 제n항까지의 합 S_n이 $S_n=2^n-1$일 때, $a_1+a_3+a_5+a_7$의 값은?

① 65　② 73　③ 85
④ 101　⑤ 169

09

수열의 합

AM

유형 01 합의 기호 $\sum$

유형 02 $\sum$의 성질

유형 03 $\sum_{k=1}^{n} r^k$ 꼴의 계산

유형 04 자연수의 거듭제곱의 합

유형 05 여러 가지 수열의 합

유형 06 분모가 두 일차식의 곱인 수열의 합

유형 07 분모에 근호가 있는 수열의 합

유형 08 (등차수열)×(등비수열) 꼴의 수열의 합

09 수열의 합

09-1 합의 기호 $\sum$

수열 $\{a_n\}$의 첫째항부터 제n항까지의 합 $a_1+a_2+a_3+\cdots+a_n$을 합의 기호 $\sum$를 사용하여 $\sum_{k=1}^{n} a_k$로 나타낼 수 있다. 즉,

$$a_1+a_2+a_3+\cdots+a_n=\sum_{k=1}^{n} a_k$$

예 $2+4+6+\cdots+20=\sum_{k=1}^{10} 2k$

참고 $\sum_{k=1}^{n} a_k$에서 k 대신 다른 문자를 사용하여 $\sum_{i=1}^{n} a_i$, $\sum_{j=1}^{n} a_j$, $\sum_{m=1}^{n} a_m$ 등과 같이 나타낼 수도 있다.

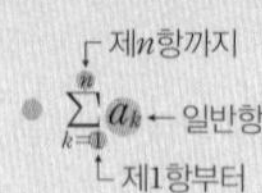

- $\sum$는 '시그마(sigma)'라고 읽는다.

연.산.유.형

정답과 해설 54쪽

유형 01 합의 기호 $\sum$

[001~004] 다음을 합의 기호 $\sum$를 사용하여 나타내시오.

001 $2+2^2+2^3+\cdots+2^n$

002 $3+3+3+3+3$

003 $5+10+15+\cdots+50$

004 $1\times3+2\times4+3\times5+\cdots+12\times14$

[005~008] 다음을 합의 기호 $\sum$를 사용하지 않은 합의 꼴로 나타내시오.

005 $\sum_{k=1}^{5} 3k$

006 $\sum_{k=1}^{10} (2k-1)$

007 $\sum_{i=3}^{7} 5^i$

008 $\sum_{m=4}^{15} (m+1)^2$

09-2 $\sum$의 성질

두 수열 $\{a_n\}$, $\{b_n\}$과 상수 c에 대하여

(1) $\sum_{k=1}^{n}(a_k+b_k)=\sum_{k=1}^{n}a_k+\sum_{k=1}^{n}b_k$

(2) $\sum_{k=1}^{n}(a_k-b_k)=\sum_{k=1}^{n}a_k-\sum_{k=1}^{n}b_k$

(3) $\sum_{k=1}^{n}ca_k=c\sum_{k=1}^{n}a_k$

(4) $\sum_{k=1}^{n}c=cn$

주의 $\sum_{k=1}^{n}a_kb_k\neq\sum_{k=1}^{n}a_k\sum_{k=1}^{n}b_k$

연.산.유.형

정답과 해설 54쪽

유형 02 $\sum$의 성질

[009~012] $\sum_{k=1}^{10}a_k=2$, $\sum_{k=1}^{10}b_k=3$일 때, 다음 식의 값을 구하시오.

009 $\sum_{k=1}^{10}(a_k+b_k)$

010 $\sum_{k=1}^{10}(a_k-b_k)$

011 $\sum_{k=1}^{10}(2a_k+3b_k)$

012 $\sum_{k=1}^{10}(-a_k+2b_k+3)$

[013~014] $\sum_{k=1}^{5}a_k=3$, $\sum_{k=1}^{5}a_k^2=5$일 때, 다음 식의 값을 구하시오.

013 $\sum_{k=1}^{5}(a_k+2)^2$

014 $\sum_{k=1}^{5}(a_k+1)(a_k-1)$

[015~016] 다음을 계산하시오.

015 $\sum_{k=1}^{10}(k+7)-\sum_{k=1}^{10}(k-5)$

016 $\sum_{k=1}^{n}(k+3)^2-\sum_{k=1}^{n}(k^2+6k)$

09-3 $\sum_{k=1}^{n} r^k$ 꼴의 계산

수열 $\{r^n\}$은 첫째항이 r, 공비가 r인 등비수열이므로

$$\sum_{k=1}^{n} r^k = r + r^2 + r^3 + \cdots + r^n$$
$$= \frac{r(r^n - 1)}{r - 1} \text{ (단, } r \neq 1)$$

예 $\sum_{k=1}^{n} 4^k = 4 + 4^2 + 4^3 + \cdots + 4^n$

$$= \frac{4 \times (4^n - 1)}{4 - 1} = \frac{4}{3} \times (4^n - 1)$$

연.산.유.형

정답과 해설 54쪽

유형 03 $\sum_{k=1}^{n} r^k$ 꼴의 계산

[017~019] 다음을 계산하시오.

017 $\sum_{k=1}^{n} 3^k$

첫째항이 3, 공비가 3인 등비수열의 합이므로

$$\sum_{k=1}^{n} 3^k = \frac{\square \times (3^n - 1)}{\square - 1} = \square$$

018 $\sum_{k=1}^{n} \left(\frac{2}{3}\right)^k$

019 $\sum_{k=1}^{7} (2^k - 1)$

[020~021] 다음 수열 $\{a_n\}$의 첫째항부터 제20항까지의 합을 구하시오.

020 $1,\ 1+2,\ 1+2+2^2,\ 1+2+2^2+2^3,\ \cdots$

주어진 수열의 일반항을 a_n이라고 하면

$$a_n = 1 + 2 + 2^2 + \cdots + 2^{n-1}$$
$$= \frac{\square \times (2^n - 1)}{2 - 1}$$
$$= \square$$

따라서 첫째항부터 제20항까지의 합은

$$\sum_{k=1}^{20} a_k = \sum_{k=1}^{20} (\square)$$
$$= \sum_{k=1}^{20} \square - \sum_{k=1}^{20} 1$$
$$= \frac{2 \times (2^{\square} - 1)}{2 - 1} - \square$$
$$= 2^{\square} - 22$$

021 $1,\ 1+3,\ 1+3+9,\ 1+3+9+27,\ \cdots$

09-4 자연수의 거듭제곱의 합

(1) $1+2+3+\cdots+n=\sum_{k=1}^{n}k=\frac{n(n+1)}{2}$

(2) $1^2+2^2+3^2+\cdots+n^2=\sum_{k=1}^{n}k^2=\frac{n(n+1)(2n+1)}{6}$

(3) $1^3+2^3+3^3+\cdots+n^3=\sum_{k=1}^{n}k^3=\left\{\frac{n(n+1)}{2}\right\}^2$

예 (1) $1+2+3+4+5=\sum_{k=1}^{5}k=\frac{5\times6}{2}=15$

(2) $1^2+2^2+3^2+4^2+5^2=\sum_{k=1}^{5}k^2=\frac{5\times6\times11}{6}=55$

(3) $1^3+2^3+3^3+4^3+5^3=\sum_{k=1}^{5}k^3=\left(\frac{5\times6}{2}\right)^2=225$

연.산.유.형

정답과 해설 55쪽

유형 04 자연수의 거듭제곱의 합

[022~025] 다음을 계산하시오.

022 $\sum_{k=1}^{11}(k+2)$

023 $\sum_{k=1}^{8}(k^2-3k)$

024 $\sum_{k=1}^{6}(k^3+k)$

025 $\sum_{k=1}^{10}(k+3)(2k-1)$

[026~028] 다음을 계산하시오.

026 $\sum_{k=3}^{10}(2k-1)$

$$\sum_{k=3}^{10}(2k-1)=\sum_{k=1}^{10}(2k-1)-\sum_{k=1}^{2}(2k-1)$$
$$=2\sum_{k=1}^{10}k-\sum_{k=1}^{10}1-\left(2\sum_{k=1}^{2}\square-\sum_{k=1}^{2}1\right)$$
$$=2\times\frac{10\times\square}{2}-10-\left(2\times\frac{\square\times3}{2}-2\right)$$
$$=\square$$

027 $\sum_{k=4}^{10}(k^2-k)$

028 $\sum_{k=5}^{9}(k^3+2)$

유형 05 여러 가지 수열의 합

[029~031] 다음 수열의 첫째항부터 제n항까지의 합을 구하시오.

029 $1\times2,\ 2\times3,\ 3\times4,\ 4\times5,\ \cdots$

주어진 수열의 일반항을 a_n이라고 하면

$a_n=n(n+1)=n^2+\square$

따라서 첫째항부터 제n항까지의 합은

$$\sum_{k=1}^{n}a_k=\sum_{k=1}^{n}(k^2+\square)$$
$$=\sum_{k=1}^{n}k^2+\sum_{k=1}^{n}\square$$
$$=\frac{n(n+1)(\square)}{6}+\frac{n(\square)}{2}$$
$$=\frac{n(n+1)(\square)}{3}$$

030 $1^2-5,\ 2^2-10,\ 3^2-15,\ 4^2-20,\ \cdots$

031 $1,\ 1+2,\ 1+2+3,\ 1+2+3+4,\ \cdots$

[032~034] 다음 합을 구하시오.

032 $1\times1+2\times3+3\times5+4\times7+\cdots+10\times19$

033 $1^2+3^2+5^2+7^2+\cdots+13^2$

034 $1\times2^2+2\times3^2+3\times4^2+4\times5^2+\cdots+8\times9^2$

09-5 분수 꼴로 주어진 수열의 합

(1) 분모가 두 일차식의 곱인 수열의 합은 $\frac{1}{AB}=\frac{1}{B-A}\left(\frac{1}{A}-\frac{1}{B}\right)$임을 이용하여 구한다.

➡ $\sum_{k=1}^{n}\frac{1}{(k+a)(k+b)}=\frac{1}{b-a}\sum_{k=1}^{n}\left(\frac{1}{k+a}-\frac{1}{k+b}\right)$ (단, $a\neq b$)

(2) 분모에 근호가 있는 수열의 합은 분모를 유리화하여 구한다.

➡ $\sum_{k=1}^{n}\frac{1}{\sqrt{k+a}+\sqrt{k+b}}=\frac{1}{a-b}\sum_{k=1}^{n}(\sqrt{k+a}-\sqrt{k+b})$ (단, $a\neq b$)

연.산.유.형

정답과 해설 56쪽

유형 06 분모가 두 일차식의 곱인 수열의 합

[035~038] 다음 합을 구하시오.

035 $\frac{1}{1\times2}+\frac{1}{2\times3}+\frac{1}{3\times4}+\cdots+\frac{1}{n(n+1)}$

$\frac{1}{1\times2}+\frac{1}{2\times3}+\frac{1}{3\times4}+\cdots+\frac{1}{n(n+1)}$

$=\sum_{k=1}^{n}\frac{1}{k(k+1)}$

$=\sum_{k=1}^{n}\left(\frac{1}{k}-\frac{1}{\square}\right)$

$=\left(1-\frac{1}{2}\right)+\left(\frac{1}{2}-\frac{1}{3}\right)+\left(\frac{1}{3}-\frac{1}{4}\right)+\cdots+\left(\frac{1}{n}-\frac{1}{\square}\right)$

$=1-\square$

$=\frac{\square}{n+1}$

036 $\frac{1}{2\times3}+\frac{1}{3\times4}+\frac{1}{4\times5}+\cdots+\frac{1}{(n+1)(n+2)}$

037 $\frac{1}{1\times3}+\frac{1}{3\times5}+\frac{1}{5\times7}+\cdots+\frac{1}{(2n-1)(2n+1)}$

038 $\frac{1}{2\times4}+\frac{1}{3\times5}+\frac{1}{4\times6}+\cdots+\frac{1}{(n+1)(n+3)}$

[039~041] 다음 합을 구하시오.

039 $\frac{2}{1\times3}+\frac{2}{2\times4}+\frac{2}{3\times5}+\cdots+\frac{2}{8\times10}$

$\frac{2}{1\times3}+\frac{2}{2\times4}+\frac{2}{3\times5}+\cdots+\frac{2}{8\times10}$

$=\sum_{k=1}^{8}\frac{2}{k(k+2)}$

$=\sum_{k=1}^{8}\left(\frac{1}{k}-\frac{1}{\square}\right)$

$=\left(1-\frac{1}{3}\right)+\left(\frac{1}{2}-\frac{1}{4}\right)+\left(\frac{1}{3}-\frac{1}{5}\right)+\left(\frac{1}{4}-\frac{1}{6}\right)+\cdots+\left(\frac{1}{7}-\frac{1}{9}\right)+\left(\frac{1}{8}-\square\right)$

$=1+\frac{1}{2}-\frac{1}{9}-\square$

$=\square$

040 $\frac{1}{2^2-2}+\frac{1}{3^2-3}+\frac{1}{4^2-4}+\cdots+\frac{1}{10^2-10}$

041 $\frac{1}{2^2-1}+\frac{1}{4^2-1}+\frac{1}{6^2-1}+\cdots+\frac{1}{20^2-1}$

유형 07 분모에 근호가 있는 수열의 합

[042~044] 다음 합을 구하시오.

042 $\frac{1}{1+\sqrt{2}}+\frac{1}{\sqrt{2}+\sqrt{3}}+\frac{1}{\sqrt{3}+2}+\cdots+\frac{1}{\sqrt{n}+\sqrt{n+1}}$

$\frac{1}{1+\sqrt{2}}+\frac{1}{\sqrt{2}+\sqrt{3}}+\frac{1}{\sqrt{3}+2}+\cdots+\frac{1}{\sqrt{n}+\sqrt{n+1}}$

$=\sum_{k=1}^{n}\frac{1}{\sqrt{k}+\sqrt{k+1}}$

$=\sum_{k=1}^{n}\frac{\sqrt{k}-\sqrt{k+1}}{(\sqrt{k}+\sqrt{k+1})(\sqrt{k}-\sqrt{k+1})}$

$=\sum_{k=1}^{n}(\sqrt{k+1}-\square)$

$=(\sqrt{2}-1)+(\sqrt{3}-\sqrt{2})+(2-\sqrt{3})+\cdots+(\sqrt{n+1}-\square)$

$=\square$

043 $\frac{1}{1+\sqrt{3}}+\frac{1}{\sqrt{3}+\sqrt{5}}+\frac{1}{\sqrt{5}+\sqrt{7}}+\cdots+\frac{1}{\sqrt{2n-1}+\sqrt{2n+1}}$

044 $\frac{1}{\sqrt{2}+\sqrt{5}}+\frac{1}{\sqrt{5}+\sqrt{8}}+\frac{1}{\sqrt{8}+\sqrt{11}}+\cdots+\frac{1}{\sqrt{3n-1}+\sqrt{3n+2}}$

09-6 (등차수열)×(등비수열) 꼴의 수열의 합

등차수열과 등비수열의 각 항의 곱으로 이루어진 수열의 합은 다음과 같은 순서로 구한다.

(1) 주어진 수열의 합을 S로 놓는다.

(2) 등비수열의 공비가 $r\,(r\neq1)$일 때, $S-rS$를 계산한다.

(3) (2)의 식에서 S의 값을 구한다.

연.산.유.형

정답과 해설 57쪽

유형 08 (등차수열)×(등비수열) 꼴의 수열의 합

[045~048] 다음 합을 구하시오.

045 $1+2\times3+3\times3^2+\cdots+n\times3^{n-1}$

구하는 합을 S로 놓으면

$S=1+2\times3+3\times3^2+\cdots+n\times3^{n-1}$ ...... ㉠

㉠의 양변에 □을 곱하면

$3S=3+2\times3^2+3\times3^3+\cdots+n\times3^n$ ...... ㉡

㉠−㉡을 하면 ◀

$$\begin{array}{rl} S= & 1+2\times3+3\times3^2+\cdots+\quad n\times3^{n-1} \\ -)\ 3S= & \quad\ \ 3+2\times3^2+\cdots+(n-1)\times3^{n-1}+n\times3^n \\ \hline -2S= & 1+\ 3+\ 3^2+\cdots+\quad 3^{n-1}-n\times3^n \end{array}$$

$-2S=1+3+3^2+3^3+\cdots+3^{n-1}-n\times3^n$

$=\dfrac{\square\times(3^{\square}-1)}{3-1}-n\times3^n$

$=-\dfrac{(2n-1)3^n+\square}{2}$

$\therefore S=$ □

046 $1+2\times\dfrac{1}{2}+3\times\left(\dfrac{1}{2}\right)^2+\cdots+n\times\left(\dfrac{1}{2}\right)^{n-1}$

047 $1+2\times2+3\times2^2+4\times2^3+\cdots+14\times2^{13}$

048 $1+2\times\dfrac{1}{3}+3\times\left(\dfrac{1}{3}\right)^2+4\times\left(\dfrac{1}{3}\right)^3+\cdots+10\times\left(\dfrac{1}{3}\right)^9$

연산 유형 최종 점검하기

1 $\sum_{k=1}^{5} a_k=4$, $\sum_{k=1}^{5} a_k^2=10$일 때, $\sum_{k=1}^{5}(a_k-1)(a_k+3)$의 값은?

① 3　② 4　③ 5
④ 6　⑤ 7

2 $\sum_{k=1}^{10}(2k+2^{k-1})$의 값은?

① 2^9+109　② 2^9+110　③ 2^9+111
④ $2^{10}+109$　⑤ $2^{10}+111$

3 수열 9, 99, 999, 9999, …의 첫째항부터 제10항까지의 합은?

① $\frac{10^{10}-100}{9}$　② $\frac{10^{10}-10}{9}$　③ $\frac{10^{10}-1}{9}$
④ $\frac{10^{11}-100}{9}$　⑤ $\frac{10^{11}-10}{9}$

4 $\sum_{k=1}^{9} k^2(k-1)+\sum_{k=1}^{9} k(k+1)$의 값은?

① 1330　② 1890　③ 2070
④ 2560　⑤ 8190

5 $\sum_{k=1}^{20}\frac{1+2+3+\cdots+k}{k}$의 값은?

① 110　② 115　③ 120
④ 125　⑤ 130

6 수열 2^2, 4^2, 6^2, 8^2, …의 첫째항부터 제n항까지의 합은?

① $\frac{n(n+1)(2n+1)}{3}$　② $\frac{n(n+1)(2n+1)}{2}$
③ $\frac{2n(n+1)(2n+1)}{3}$　④ $n(n+1)(2n+1)$
⑤ $2n(n+1)(2n+1)$

7 수열 $\{a_n\}$이

$1\times3,\ 2\times5,\ 3\times7,\ 4\times9,\ \cdots$

일 때, $\sum_{k=1}^{11} a_k$의 값은?

① 572 ② 825 ③ 1078
④ 3102 ⑤ 8778

8 $\sum_{k=2}^{10} \frac{2}{k^2-1}$의 값은?

① $\frac{4}{5}$ ② $\frac{12}{11}$ ③ $\frac{68}{55}$
④ $\frac{14}{11}$ ⑤ $\frac{72}{55}$

9 수열 $1,\ \frac{1}{1+2},\ \frac{1}{1+2+3},\ \frac{1}{1+2+3+4},\ \cdots$의 첫째항부터 제19항까지의 합은?

① $\frac{9}{10}$ ② $\frac{18}{19}$ ③ $\frac{19}{20}$
④ $\frac{36}{19}$ ⑤ $\frac{19}{10}$

10 $\sum_{k=1}^{n} \frac{1}{\sqrt{k+2}+\sqrt{k+3}}$을 계산하면?

① $2-\sqrt{n+2}$ ② $\sqrt{3}-\sqrt{n+3}$
③ $\sqrt{n+2}-2$ ④ $\sqrt{n+3}-2$
⑤ $\sqrt{n+3}-\sqrt{3}$

11 다음 합을 구하시오.

$$\frac{1}{\sqrt{2}+\sqrt{3}}+\frac{1}{\sqrt{3}+2}+\frac{1}{2+\sqrt{5}}+\cdots+\frac{1}{\sqrt{24}+5}$$

12 $S=1-2\times3+3\times3^2-4\times3^3+\cdots-10\times3^9$일 때, $16S$의 값은?

① $1-41\times3^{10}$ ② $1-40\times3^{10}$
③ $1-31\times3^9$ ④ $1-30\times3^9$
⑤ $1+41\times3^{10}$

Ⅲ. 수열

10

수학적 귀납법

AM

10 수학적 귀납법

10-1 수열의 귀납적 정의

(1) 수열의 귀납적 정의

수열을 처음 몇 개의 항과 이웃하는 여러 항 사이의 관계식으로 정의하는 것을 수열의 **귀납적 정의**라고 한다.

일반적으로 수열 $\{a_n\}$은

① 첫째항 a_1의 값

② 두 항 a_n, a_{n+1} ($n=1, 2, 3, \cdots$) 사이의 관계식

을 이용하여 귀납적으로 정의할 수 있다.

• 두 항 a_n, a_{n+1} 사이의 관계식에 $n=1, 2, 3, \cdots$을 차례로 대입하면 수열 $\{a_n\}$의 모든 항을 구할 수 있다.

(2) 등차수열과 등비수열의 두 항 사이의 관계

① 공차가 d인 등차수열 $\{a_n\}$에서

➡ $\boldsymbol{a_{n+1}=a_n+d}$ 또는 $a_{n+1}-a_n=d$

➡ $2a_{n+1}=a_n+a_{n+2}$ 또는 $a_{n+1}-a_n=a_{n+2}-a_{n+1}$

② 공비가 r인 등비수열 $\{a_n\}$에서

➡ $\boldsymbol{a_{n+1}=ra_n}$ 또는 $a_{n+1}\div a_n=r$

➡ $a_{n+1}^2=a_na_{n+2}$ 또는 $a_{n+1}\div a_n=a_{n+2}\div a_{n+1}$

• $2a_{n+1}=a_n+a_{n+2}$에서 a_{n+1}은 a_n과 a_{n+2}의 등차중항이므로 $\{a_n\}$은 등차수열이다.

• $a_{n+1}^2=a_na_{n+2}$에서 a_{n+1}은 a_n과 a_{n+2}의 등비중항이므로 $\{a_n\}$은 등비수열이다.

예 ① 첫째항이 -1, 공차가 4인 등차수열 $\{a_n\}$의 귀납적 정의는

$a_1=-1$, $a_{n+1}=a_n+4$ ($n=1, 2, 3, \cdots$)

② 첫째항이 2, 공비가 3인 등비수열 $\{a_n\}$의 귀납적 정의는

$a_1=2$, $a_{n+1}=3a_n$ ($n=1, 2, 3, \cdots$)

연.산.유.형

정답과 해설 59쪽

유형 01 수열의 귀납적 정의

[001~004] 다음과 같이 정의된 수열 $\{a_n\}$의 제4항을 구하시오. (단, $n=1, 2, 3, \cdots$)

001 $a_1=3$, $a_{n+1}=a_n+n$

002 $a_1=2$, $a_{n+1}=na_n$

003 $a_1=1$, $a_{n+1}=2a_n+3n$

004 $a_1=-1$, $a_2=2$, $a_{n+2}=a_{n+1}+a_n$

유형 02 등차수열의 귀납적 정의

[005~008] 다음 수열을 $\{a_n\}$이라고 할 때, 수열 $\{a_n\}$을 귀납적으로 정의하시오.

005 1, 4, 7, 10, 13, ⋯

첫째항은 $a_1=1$이고, 이웃하는 항들 사이의 관계를 살펴보면
$a_2-a_1=4-1=3$
$a_3-a_2=7-4=\square$
$a_{\square}-a_3=10-7=3$
⋮
$a_{n+1}-a_n=\square$ $(n=1, 2, 3, \cdots)$
따라서 수열 $\{a_n\}$의 귀납적 정의는
$a_1=\square$, $a_{n+1}=a_n+\square$ $(n=1, 2, 3, \cdots)$

006 -2, 5, 12, 19, 26, ⋯

007 11, 7, 3, -1, -5, ⋯

008 $\frac{3}{2}$, 1, $\frac{1}{2}$, 0, $-\frac{1}{2}$, ⋯

[009~012] 다음과 같이 정의된 수열 $\{a_n\}$의 일반항을 구하시오. (단, $n=1, 2, 3, \cdots$)

009 $a_1=5$, $a_{n+1}=a_n-1$

$a_{n+1}=a_n-1$에서 주어진 수열은 공차가 $\square$인 등차수열이다.
이때 첫째항이 $a_1=\square$이므로
$a_n=5+(n-1)\times(\square)$
$=\square$

010 $a_1=3$, $a_{n+1}-a_n=2$

011 $a_1=1$, $a_2=2$, $2a_{n+1}=a_n+a_{n+2}$

012 $a_1=3$, $a_2=1$, $a_{n+1}-a_n=a_{n+2}-a_{n+1}$

유형 03 등비수열의 귀납적 정의

[013~016] 다음 수열을 $\{a_n\}$이라고 할 때, 수열 $\{a_n\}$을 귀납적으로 정의하시오.

013 2, 4, 8, 16, 32, ⋯

첫째항은 $a_1=2$이고, 이웃하는 항들 사이의 관계를 살펴보면

$a_2 \div a_1 = 4 \div 2 = 2$

$a_3 \div a_2 = 8 \div 4 = \square$

$a_4 \div a_{\square} = 16 \div 8 = 2$

⋮

$a_{n+1} \div a_n = \square$ $(n=1, 2, 3, \cdots)$

따라서 수열 $\{a_n\}$의 귀납적 정의는

$a_1=\square$, $a_{n+1}=\square a_n$ $(n=1, 2, 3, \cdots)$

014 $3, 1, \frac{1}{3}, \frac{1}{9}, \frac{1}{27}, \cdots$

015 $1, -3, 9, -27, 81, \cdots$

016 $25, -5, 1, -\frac{1}{5}, \frac{1}{25}, \cdots$

[017~020] 다음과 같이 정의된 수열 $\{a_n\}$의 일반항을 구하시오. (단, $n=1, 2, 3, \cdots$)

017 $a_1=1$, $a_{n+1}=-2a_n$

$a_{n+1}=-2a_n$에서 주어진 수열은 공비가 $\square$인 등비수열이다.

이때 첫째항이 $a_1=\square$이므로

$a_n=1\times(\square)^{n-1}=\square$

018 $a_1=3$, $a_{n+1} \div a_n = \frac{1}{2}$

019 $a_1=1$, $a_2=5$, ${a_{n+1}}^2=a_n a_{n+2}$

020 $a_1=2$, $a_2=6$, $a_{n+1} \div a_n = a_{n+2} \div a_{n+1}$

10-2 여러 가지 수열의 귀납적 정의

(1) $a_{n+1}=a_n+f(n)$ 꼴인 수열의 일반항

주어진 식의 n에 1, 2, 3, $\cdots$, $n-1$을 차례로 대입한 후 변끼리 각각 더하여 수열 $\{a_n\}$의 일반항을 구한다.

(2) $a_{n+1}=a_nf(n)$ 꼴인 수열의 일반항

주어진 식의 n에 1, 2, 3, $\cdots$, $n-1$을 차례로 대입한 후 변끼리 각각 곱하여 수열 $\{a_n\}$의 일반항을 구한다.

(3) $a_{n+1}=pa_n+q\,(p\neq1,\ pq\neq0)$ 꼴인 수열의 일반항

주어진 식을 $a_{n+1}-\alpha=p(a_n-\alpha)$로 변형하여 수열 $\{a_n-\alpha\}$는 첫째항이 $a_1-\alpha$, 공비가 p인 등비수열임을 이용한다.

연.산.유.형

정답과 해설 60쪽

유형 04 $a_{n+1}=a_n+f(n)$ 꼴의 일반항 구하기

[021~024] 다음과 같이 정의된 수열 $\{a_n\}$의 일반항을 구하시오. (단, $n=1$, 2, 3, $\cdots$)

021 $a_1=1$, $a_{n+1}=a_n+n$

$a_{n+1}=a_n+n$의 n에 1, 2, 3, $\cdots$, $n-1$을 차례로 대입하여 변끼리 더하면

$$\begin{aligned} a_2&=a_1+1\\ a_3&=a_2+2\\ a_4&=a_3+3\\ &\vdots\\ +\,)\ a_n&=a_{n-1}+n-1 \end{aligned}$$

$$a_n=a_1+\sum_{k=1}^{n-1}k=1+\frac{\square}{2}=\frac{\square}{2}$$

022 $a_1=1$, $a_{n+1}=a_n+3n$

023 $a_1=-1$, $a_{n+1}-a_n=2n-1$

024 $a_1=3$, $a_{n+1}-a_n=2^n$

유형 05 $a_{n+1}=a_nf(n)$ 꼴의 일반항 구하기

[025~027] 다음과 같이 정의된 수열 $\{a_n\}$의 일반항을 구하시오. (단, $n=1, 2, 3, \cdots$)

025 $a_1=5$, $a_{n+1}=\frac{n}{n+1}a_n$

$a_{n+1}=\frac{n}{n+1}a_n$의 n에 $1, 2, 3, \cdots, n-1$을 차례로 대입하여 변끼리 곱하면

$$a_2=\frac{1}{2}a_1$$
$$a_3=\frac{2}{3}a_2$$
$$a_4=\frac{3}{4}a_3$$
$$\vdots$$
$$\times)\ a_n=\frac{n-1}{n}a_{n-1}$$

$$a_n=\frac{n-1}{n}\times\cdots\times\frac{3}{4}\times\frac{2}{3}\times\frac{1}{2}\times a_1$$
$$=\frac{1}{\square}\times5=\square$$

026 $a_1=2$, $a_{n+1}=\frac{n+1}{n+2}a_n$

027 $a_1=1$, $a_{n+1}=\frac{n+2}{n}a_n$

유형 06 $a_{n+1}=pa_n+q$ 꼴의 일반항 구하기

[028~030] 다음과 같이 정의된 수열 $\{a_n\}$의 일반항을 구하시오. (단, $n=1, 2, 3, \cdots$)

028 $a_1=2$, $a_{n+1}=2a_n-1$

$a_{n+1}=2a_n-1$에서 $a_{n+1}-1=2(a_n-1)$
이때 수열 $\{a_n-1\}$은 첫째항이 $a_1-1=\square$, 공비가 $\square$인 등비수열이므로
$a_n-1=\square^{n-1}$
$\therefore a_n=\square$

029 $a_1=3$, $a_{n+1}=2a_n+1$

030 $a_1=2$, $a_{n+1}=3a_n-2$

10-3 수학적 귀납법

자연수 n에 대한 명제 $p(n)$이 모든 자연수 n에 대하여 성립함을 증명하려면 다음 두 가지를 보이면 된다.

(1) $n=1$일 때 명제 $p(n)$이 성립한다.

(2) $n=k$일 때 명제 $p(n)$이 성립한다고 가정하면 $n=k+1$일 때도 명제 $p(n)$이 성립한다.

이와 같은 방법으로 어떤 명제가 참임을 증명하는 방법을 **수학적 귀납법**이라고 한다.

연.산.유.형

정답과 해설 61쪽

유형 07 수학적 귀납법

[031~034] 임의의 자연수 n에 대하여 명제 $p(n)$이 참이면 명제 $p(3n)$이 참일 때, 다음 중 옳은 것은 ○표, 옳지 않은 것은 ×표를 ( ) 안에 써넣으시오.

031 $p(1)$이 참이면 $p(27)$이 참이다. ( )

032 $p(2)$가 참이면 $p(36)$이 참이다. ( )

033 $p(3)$이 참이면 $p(1)$이 참이다. ( )

034 $p(3)$이 참이면 모든 3의 배수 k에 대하여 $p(k)$가 참이다. ( )

[035~038] 임의의 자연수 n에 대하여 명제 $p(n)$이 참이면 명제 $p(n+2)$가 참일 때, 다음 중 옳은 것은 ○표, 옳지 않은 것은 ×표를 ( ) 안에 써넣으시오.

035 $p(5)$가 참이면 $p(10)$이 참이다. ( )

036 $p(1)$이 참이면 모든 홀수 k에 대하여 $p(k)$가 참이다. ( )

037 $p(2)$가 참이면 모든 짝수 k에 대하여 $p(k)$가 참이다. ( )

038 $p(1)$, $p(2)$가 참이면 모든 자연수 k에 대하여 $p(k)$가 참이다. ( )

유형 08 수학적 귀납법을 이용한 등식의 증명

[039~042] 모든 자연수 n에 대하여 다음 등식이 성립함을 수학적 귀납법으로 증명하시오.

039 $1+2+3+\cdots+n=\frac{n(n+1)}{2}$

(i) $n=1$일 때
(좌변)$=1$, (우변)$=\square$
따라서 $n=1$일 때, 주어진 등식이 성립한다.
(ii) $n=k$일 때, 주어진 등식이 성립한다고 가정하면
$1+2+3+\cdots+k=\frac{k(k+1)}{2}$
위의 식의 양변에 $\square$을 더하면
$1+2+3+\cdots+k+\square=\frac{k(k+1)}{2}+\square$
$=\square$
따라서 $n=k+1$일 때도 주어진 등식이 성립한다.
(i), (ii)에 의하여 주어진 등식은 모든 자연수 n에 대하여 성립한다.

040 $1+3+5+\cdots+(2n-1)=n^2$

041 $1^3+2^3+3^3+\cdots+n^3=\frac{n^2(n+1)^2}{4}$

042 $1+2+2^2+\cdots+2^{n-1}=2^n-1$

유형 09 수학적 귀납법을 이용한 부등식의 증명

[043~046] 모든 자연수 n에 대하여 다음 부등식이 성립함을 수학적 귀납법으로 증명하시오.

043 $2^n > n^2$ (단, $n \ge 5$)

(i) $n=5$일 때
(좌변)$=32$, (우변)$=\square$
$32 > \square$이므로 $n=5$일 때, 주어진 부등식이 성립한다.
(ii) $n=k\,(k \ge 5)$일 때, 주어진 부등식이 성립한다고 가정하면
$2^k > k^2$
위의 식의 양변에 $\square$를 곱하면
$2^{k+1} > 2k^2$ …… ㉠
이때 $2k^2-(k+1)^2=k^2-2k-1=(k-1)^2-2>0$이므로
$2k^2 > \square$ …… ㉡
㉠, ㉡에서 $2^{k+1} > \square$
따라서 $n=k+1$일 때도 주어진 부등식이 성립한다.
(i), (ii)에 의하여 주어진 부등식은 $n \ge 5$인 모든 자연수 n에 대하여 성립한다.

044 $2^n > 2n+1$ (단, $n \ge 3$)

045 $1 \times 2 \times 3 \times \cdots \times n > 2^n$ (단, $n \ge 4$)

046 $1+\frac{1}{2^2}+\frac{1}{3^2}+\cdots+\frac{1}{n^2} < 2-\frac{1}{n}$ (단, $n \ge 2$)

연산 유형 최종 점검하기

1 수열 $\{a_n\}$이

$a_1=-2$, $a_2=1$,

$a_{n+2}=a_{n+1}+a_n$ ($n=1, 2, 3, \cdots$)

으로 정의될 때, 제5항은?

① -2 ② -1 ③ 0
④ 1 ⑤ 2

2 수열 23, 17, 11, 5, -1, $\cdots$을 $\{a_n\}$이라고 할 때, 수열 $\{a_n\}$을 귀납적으로 정의하시오.

3 수열 $\{a_n\}$이

$a_1=2$, $a_2=5$,

$2a_{n+1}=a_n+a_{n+2}$ ($n=1, 2, 3, \cdots$)

로 정의될 때, a_{20}의 값을 구하시오.

4 수열 6, 12, 24, 48, 96, $\cdots$을 $\{a_n\}$이라고 할 때, 수열 $\{a_n\}$을 귀납적으로 정의하시오.

5 수열 $\{a_n\}$이

$a_1=3$, $\frac{a_n}{a_{n+1}}=3$ ($n=1, 2, 3, \cdots$)

으로 정의될 때, $a_{50}=\frac{1}{3^k}$을 만족하는 상수 k의 값은?

① 48 ② 49 ③ 50
④ 51 ⑤ 52

6 수열 $\{a_n\}$이

$a_1=3$, $a_{n+1}=a_n+2n$ ($n=1, 2, 3, \cdots$)

으로 정의될 때, a_{100}의 값은?

① 9803 ② 9900 ③ 9903
④ 10103 ⑤ 10300

7 수열 $\{a_n\}$이

$a_1=1$, $a_{n+1}=\frac{2n+1}{2n-1}a_n$ ($n=1, 2, 3, \cdots$)

으로 정의될 때, $a_k>50$을 만족하는 자연수 k의 최솟값을 구하시오.

8 수열 $\{a_n\}$이

$$a_1=2,\ a_{n+1}=-3a_n+4\ (n=1,\ 2,\ 3,\ \cdots)$$

로 정의될 때, a_{11}의 값은?

① $-3^{11}-1$　② $-3^{11}+1$　③ $-3^{11}+2$
④ $3^{10}-1$　⑤ $3^{10}+1$

9 임의의 자연수 n에 대하여 명제 $p(n)$이 참이면 명제 $p(n+3)$이 참일 때, 다음 보기 중 옳은 것만을 있는 대로 고른 것은?

보기

ㄱ. $p(1)$이 참이면 모든 자연수 k에 대하여 $p(3k)$가 참이다.
ㄴ. $p(3)$이 참이면 모든 3의 배수 k에 대하여 $p(k)$가 참이다.
ㄷ. $p(1)$, $p(2)$, $p(3)$이 참이면 모든 자연수 k에 대하여 $p(k)$가 참이다.

① ㄱ　② ㄴ　③ ㄷ
④ ㄱ, ㄷ　⑤ ㄴ, ㄷ

10 모든 자연수 n에 대하여 다음 등식이 성립함을 수학적 귀납법으로 증명하시오.

$$\frac{1}{1\times2}+\frac{1}{2\times3}+\frac{1}{3\times4}+\cdots+\frac{1}{n(n+1)}=\frac{n}{n+1}$$

11 다음은 모든 자연수 n에 대하여 $2^{n+1}+3^{2n-1}$은 7의 배수임을 수학적 귀납법으로 증명하는 과정이다. (가), (나), (다)에 알맞은 것을 구하시오.

(i) $n=1$일 때
$2^2+3=7$이므로 $2^{n+1}+3^{2n-1}$은 7의 배수이다.
(ii) $n=k$일 때, $2^{n+1}+3^{2n-1}$이 7의 배수라고 가정하면
$2^{k+1}+3^{2k-1}=7m$ (m은 자연수)
으로 놓을 수 있다.
이때 $n=k+1$이면

$$\begin{aligned}2^{k+2}+3^{2k+1}&=2\times2^{k+1}+\boxed{(가)}\times3^{2k-1}\\&=2(2^{k+1}+3^{2k-1})+\boxed{(나)}\times3^{2k-1}\\&=2\times7m+\boxed{(나)}\times3^{2k-1}\\&=7(2m+\boxed{(다)})\end{aligned}$$

따라서 $n=k+1$일 때도 $2^{n+1}+3^{2n-1}$은 7의 배수이다.
(i), (ii)에 의하여 모든 자연수 n에 대하여 $2^{n+1}+3^{2n-1}$은 7의 배수이다.

12 다음은 $h>0$일 때, $n\geq2$인 모든 자연수 n에 대하여 부등식 $(1+h)^n>1+nh$가 성립함을 수학적 귀납법으로 증명하는 과정이다. (가), (나), (다)에 알맞은 것을 구하시오.

(i) $n=2$일 때
(좌변)$=1+2h+h^2$, (우변)$=1+2h$
$1+2h+h^2>1+2h$이므로 $n=2$일 때, 주어진 부등식이 성립한다.
(ii) $n=k\,(k\geq2)$일 때, 주어진 부등식이 성립한다고 가정하면
$(1+h)^k>\boxed{(가)}$
위의 식의 양변에 $1+h$를 곱하면

$$\begin{aligned}(1+h)^{k+1}&>(\boxed{(가)})(1+h)\\&=1+(k+1)h+\boxed{(나)}\\&>1+(k+1)h\end{aligned}$$

따라서 $n=\boxed{(다)}$일 때도 주어진 부등식이 성립한다.
(i), (ii)에 의하여 주어진 부등식은 $n\geq2$인 모든 자연수 n에 대하여 성립한다.

상용로그표

수	0	1	2	3	4	5	6	7	8	9
1.0	.0000	.0043	.0086	.0128	.0170	.0212	.0253	.0294	.0334	.0374
1.1	.0414	.0453	.0492	.0531	.0569	.0607	.0645	.0682	.0719	.0755
1.2	.0792	.0828	.0864	.0899	.0934	.0969	.1004	.1038	.1072	.1106
1.3	.1139	.1173	.1206	.1239	.1271	.1303	.1335	.1367	.1399	.1430
1.4	.1461	.1492	.1523	.1553	.1584	.1614	.1644	.1673	.1703	.1732
1.5	.1761	.1790	.1818	.1847	.1875	.1903	.1931	.1959	.1987	.2014
1.6	.2041	.2068	.2095	.2122	.2148	.2175	.2201	.2227	.2253	.2279
1.7	.2304	.2330	.2355	.2380	.2405	.2430	.2455	.2480	.2504	.2529
1.8	.2553	.2577	.2601	.2625	.2648	.2672	.2695	.2718	.2742	.2765
1.9	.2788	.2810	.2833	.2856	.2878	.2900	.2923	.2945	.2967	.2989
2.0	.3010	.3032	.3054	.3075	.3096	.3118	.3139	.3160	.3181	.3201
2.1	.3222	.3243	.3263	.3284	.3304	.3324	.3345	.3365	.3385	.3404
2.2	.3424	.3444	.3464	.3483	.3502	.3522	.3541	.3560	.3579	.3598
2.3	.3617	.3636	.3655	.3674	.3692	.3711	.3729	.3747	.3766	.3784
2.4	.3802	.3820	.3838	.3856	.3874	.3892	.3909	.3927	.3945	.3962
2.5	.3979	.3997	.4014	.4031	.4048	.4065	.4082	.4099	.4116	.4133
2.6	.4150	.4166	.4183	.4200	.4216	.4232	.4249	.4265	.4281	.4298
2.7	.4314	.4330	.4346	.4362	.4378	.4393	.4409	.4425	.4440	.4456
2.8	.4472	.4487	.4502	.4518	.4533	.4548	.4564	.4579	.4594	.4609
2.9	.4624	.4639	.4654	.4669	.4683	.4698	.4713	.4728	.4742	.4757
3.0	.4771	.4786	.4800	.4814	.4829	.4843	.4857	.4871	.4886	.4900
3.1	.4914	.4928	.4942	.4955	.4969	.4983	.4997	.5011	.5024	.5038
3.2	.5051	.5065	.5079	.5092	.5105	.5119	.5132	.5145	.5159	.5172
3.3	.5185	.5198	.5211	.5224	.5237	.5250	.5263	.5276	.5289	.5302
3.4	.5315	.5328	.5340	.5353	.5366	.5378	.5391	.5403	.5416	.5428
3.5	.5441	.5453	.5465	.5478	.5490	.5502	.5514	.5527	.5539	.5551
3.6	.5563	.5575	.5587	.5599	.5611	.5623	.5635	.5647	.5658	.5670
3.7	.5682	.5694	.5705	.5717	.5729	.5740	.5752	.5763	.5775	.5786
3.8	.5798	.5809	.5821	.5832	.5843	.5855	.5866	.5877	.5888	.5899
3.9	.5911	.5922	.5933	.5944	.5955	.5966	.5977	.5988	.5999	.6010
4.0	.6021	.6031	.6042	.6053	.6064	.6075	.6085	.6096	.6107	.6117
4.1	.6128	.6138	.6149	.6160	.6170	.6180	.6191	.6201	.6212	.6222
4.2	.6232	.6243	.6253	.6263	.6274	.6284	.6294	.6304	.6314	.6325
4.3	.6335	.6345	.6355	.6365	.6375	.6385	.6395	.6405	.6415	.6425
4.4	.6435	.6444	.6454	.6464	.6474	.6484	.6493	.6503	.6513	.6522
4.5	.6532	.6542	.6551	.6561	.6571	.6580	.6590	.6599	.6609	.6618
4.6	.6628	.6637	.6646	.6656	.6665	.6675	.6684	.6693	.6702	.6712
4.7	.6721	.6730	.6739	.6749	.6758	.6767	.6776	.6785	.6794	.6803
4.8	.6812	.6821	.6830	.6839	.6848	.6857	.6866	.6875	.6884	.6893
4.9	.6902	.6911	.6920	.6928	.6937	.6946	.6955	.6964	.6972	.6981
5.0	.6990	.6998	.7007	.7016	.7024	.7033	.7042	.7050	.7059	.7067
5.1	.7076	.7084	.7093	.7101	.7110	.7118	.7126	.7135	.7143	.7152
5.2	.7160	.7168	.7177	.7185	.7193	.7202	.7210	.7218	.7226	.7235
5.3	.7243	.7251	.7259	.7267	.7275	.7284	.7292	.7300	.7308	.7316
5.4	.7324	.7332	.7340	.7348	.7356	.7364	.7372	.7380	.7388	.7396

수	0	1	2	3	4	5	6	7	8	9
5.5	.7404	.7412	.7419	.7427	.7435	.7443	.7451	.7459	.7466	.7474
5.6	.7482	.7490	.7497	.7505	.7513	.7520	.7528	.7536	.7543	.7551
5.7	.7559	.7566	.7574	.7582	.7589	.7597	.7604	.7612	.7619	.7627
5.8	.7634	.7642	.7649	.7657	.7664	.7672	.7679	.7686	.7694	.7701
5.9	.7709	.7716	.7723	.7731	.7738	.7745	.7752	.7760	.7767	.7774
6.0	.7782	.7789	.7796	.7803	.7810	.7818	.7825	.7832	.7839	.7846
6.1	.7853	.7860	.7868	.7875	.7882	.7889	.7896	.7903	.7910	.7917
6.2	.7924	.7931	.7938	.7945	.7952	.7959	.7966	.7973	.7980	.7987
6.3	.7993	.8000	.8007	.8014	.8021	.8028	.8035	.8041	.8048	.8055
6.4	.8062	.8069	.8075	.8082	.8089	.8096	.8102	.8109	.8116	.8122
6.5	.8129	.8136	.8142	.8149	.8156	.8162	.8169	.8176	.8182	.8189
6.6	.8195	.8202	.8209	.8215	.8222	.8228	.8235	.8241	.8248	.8254
6.7	.8261	.8267	.8274	.8280	.8287	.8293	.8299	.8306	.8312	.8319
6.8	.8325	.8331	.8338	.8344	.8351	.8357	.8363	.8370	.8376	.8382
6.9	.8388	.8395	.8401	.8407	.8414	.8420	.8426	.8432	.8439	.8445
7.0	.8451	.8457	.8463	.8470	.8476	.8482	.8488	.8494	.8500	.8506
7.1	.8513	.8519	.8525	.8531	.8537	.8543	.8549	.8555	.8561	.8567
7.2	.8573	.8579	.8585	.8591	.8597	.8603	.8609	.8615	.8621	.8627
7.3	.8633	.8639	.8645	.8651	.8657	.8663	.8669	.8675	.8681	.8686
7.4	.8692	.8698	.8704	.8710	.8716	.8722	.8727	.8733	.8739	.8745
7.5	.8751	.8756	.8762	.8768	.8774	.8779	.8785	.8791	.8797	.8802
7.6	.8808	.8814	.8820	.8825	.8831	.8837	.8842	.8848	.8854	.8859
7.7	.8865	.8871	.8876	.8882	.8887	.8893	.8899	.8904	.8910	.8915
7.8	.8921	.8927	.8932	.8938	.8943	.8949	.8954	.8960	.8965	.8971
7.9	.8976	.8982	.8987	.8993	.8998	.9004	.9009	.9015	.9020	.9025
8.0	.9031	.9036	.9042	.9047	.9053	.9058	.9063	.9069	.9074	.9079
8.1	.9085	.9090	.9096	.9101	.9106	.9112	.9117	.9122	.9128	.9133
8.2	.9138	.9143	.9149	.9154	.9159	.9165	.9170	.9175	.9180	.9186
8.3	.9191	.9196	.9201	.9206	.9212	.9217	.9222	.9227	.9232	.9238
8.4	.9243	.9248	.9253	.9258	.9263	.9269	.9274	.9279	.9284	.9289
8.5	.9294	.9299	.9304	.9309	.9315	.9320	.9325	.9330	.9335	.9340
8.6	.9345	.9350	.9355	.9360	.9365	.9370	.9375	.9380	.9385	.9390
8.7	.9395	.9400	.9405	.9410	.9415	.9420	.9425	.9430	.9435	.9440
8.8	.9445	.9450	.9455	.9460	.9465	.9469	.9474	.9479	.9484	.9489
8.9	.9494	.9499	.9504	.9509	.9513	.9518	.9523	.9528	.9533	.9538
9.0	.9542	.9547	.9552	.9557	.9562	.9566	.9571	.9576	.9581	.9586
9.1	.9590	.9595	.9600	.9605	.9609	.9614	.9619	.9624	.9628	.9633
9.2	.9638	.9643	.9647	.9652	.9657	.9661	.9666	.9671	.9675	.9680
9.3	.9685	.9689	.9694	.9699	.9703	.9708	.9713	.9717	.9722	.9727
9.4	.9731	.9736	.9741	.9745	.9750	.9754	.9759	.9763	.9768	.9773
9.5	.9777	.9782	.9786	.9791	.9795	.9800	.9805	.9809	.9814	.9818
9.6	.9823	.9827	.9832	.9836	.9841	.9845	.9850	.9854	.9859	.9863
9.7	.9868	.9872	.9877	.9881	.9886	.9890	.9894	.9899	.9903	.9908
9.8	.9912	.9917	.9921	.9926	.9930	.9934	.9939	.9943	.9948	.9952
9.9	.9956	.9961	.9965	.9969	.9974	.9978	.9983	.9987	.9991	.9996

삼각함수표

θ	$\sin\theta$	$\cos\theta$	$\tan\theta$	θ	$\sin\theta$	$\cos\theta$	$\tan\theta$
0°	0.0000	1.0000	0.0000	45°	0.7071	0.7071	1.0000
1°	0.0175	0.9998	0.0175	46°	0.7193	0.6947	1.0355
2°	0.0349	0.9994	0.0349	47°	0.7314	0.6820	1.0724
3°	0.0523	0.9986	0.0524	48°	0.7431	0.6691	1.1106
4°	0.0698	0.9976	0.0699	49°	0.7547	0.6561	1.1504
5°	0.0872	0.9962	0.0875	50°	0.7660	0.6428	1.1918
6°	0.1045	0.9945	0.1051	51°	0.7771	0.6293	1.2349
7°	0.1219	0.9925	0.1228	52°	0.7880	0.6157	1.2799
8°	0.1392	0.9903	0.1405	53°	0.7986	0.6018	1.3270
9°	0.1564	0.9877	0.1584	54°	0.8090	0.5878	1.3764
10°	0.1736	0.9848	0.1763	55°	0.8192	0.5736	1.4281
11°	0.1908	0.9816	0.1944	56°	0.8290	0.5592	1.4826
12°	0.2079	0.9781	0.2126	57°	0.8387	0.5446	1.5399
13°	0.2250	0.9744	0.2309	58°	0.8480	0.5299	1.6003
14°	0.2419	0.9703	0.2493	59°	0.8572	0.5150	1.6643
15°	0.2588	0.9659	0.2679	60°	0.8660	0.5000	1.7321
16°	0.2756	0.9613	0.2867	61°	0.8746	0.4848	1.8040
17°	0.2924	0.9563	0.3057	62°	0.8829	0.4695	1.8807
18°	0.3090	0.9511	0.3249	63°	0.8910	0.4540	1.9626
19°	0.3256	0.9455	0.3443	64°	0.8988	0.4384	2.0503
20°	0.3420	0.9397	0.3640	65°	0.9063	0.4226	2.1445
21°	0.3584	0.9336	0.3839	66°	0.9135	0.4067	2.2460
22°	0.3746	0.9272	0.4040	67°	0.9205	0.3907	2.3559
23°	0.3907	0.9205	0.4245	68°	0.9272	0.3746	2.4751
24°	0.4067	0.9135	0.4452	69°	0.9336	0.3584	2.6051
25°	0.4226	0.9063	0.4663	70°	0.9397	0.3420	2.7475
26°	0.4384	0.8988	0.4877	71°	0.9455	0.3256	2.9042
27°	0.4540	0.8910	0.5095	72°	0.9511	0.3090	3.0777
28°	0.4695	0.8829	0.5317	73°	0.9563	0.2924	3.2709
29°	0.4848	0.8746	0.5543	74°	0.9613	0.2756	3.4874
30°	0.5000	0.8660	0.5774	75°	0.9659	0.2588	3.7321
31°	0.5150	0.8572	0.6009	76°	0.9703	0.2419	4.0108
32°	0.5299	0.8480	0.6249	77°	0.9744	0.2250	4.3315
33°	0.5446	0.8387	0.6494	78°	0.9781	0.2079	4.7046
34°	0.5592	0.8290	0.6745	79°	0.9816	0.1908	5.1446
35°	0.5736	0.8192	0.7002	80°	0.9848	0.1736	5.6713
36°	0.5878	0.8090	0.7265	81°	0.9877	0.1564	6.3138
37°	0.6018	0.7986	0.7536	82°	0.9903	0.1392	7.1154
38°	0.6157	0.7880	0.7813	83°	0.9925	0.1219	8.1443
39°	0.6293	0.7771	0.8098	84°	0.9945	0.1045	9.5144
40°	0.6428	0.7660	0.8391	85°	0.9962	0.0872	11.4301
41°	0.6561	0.7547	0.8693	86°	0.9976	0.0698	14.3007
42°	0.6691	0.7431	0.9004	87°	0.9986	0.0523	19.0811
43°	0.6820	0.7314	0.9325	88°	0.9994	0.0349	28.6363
44°	0.6947	0.7193	0.9657	89°	0.9998	0.0175	57.2900
45°	0.7071	0.7071	1.0000	90°	1.0000	0.0000	

15개정 교육과정

정답과 해설

수학 I

책 속의 가접 별책 (특허 제 0557442호)
'정답과 해설'은 본책에서 쉽게 분리할 수 있도록 제작되었으므로
유통 과정에서 분리될 수 있으나 파본이 아닌 정상제품입니다.

ABOVE IMAGINATION

우리는 남다른 상상과 혁신으로
교육 문화의 새로운 전형을 만들어
모든 이의 행복한 경험과 성장에 기여한다

정답과 해설

수학 I

01 지수

8~19쪽

001 답 a^8

$a^3a^5=a^{3+5}=a^8$

002 답 a^5

$a^8\div a^3=a^{8-3}=a^5$

003 답 a^{10}

$(a^5)^2=a^{5\times2}=a^{10}$

004 답 a^3b^6

$(ab^2)^3=a^3b^{2\times3}=a^3b^6$

005 답 $\frac{4a^2}{b^2}$

$\left(\frac{2a}{b}\right)^2=\frac{(2a)^2}{b^2}=\frac{2^2a^2}{b^2}=\frac{4a^2}{b^2}$

006 답 $-9a^7b^{12}$

$(3a^2b^3)^2\times(-ab^2)^3=9a^4b^6\times(-a^3b^6)=-9a^7b^{12}$

007 답 $2a^4b$

$(2a^3b)^3\div4a^5b^2=8a^9b^3\div4a^5b^2=2a^4b$

008 답 b^{18}

$(a^2b^5)^2\div\left(\frac{a}{b^2}\right)^4=a^4b^{10}\div\frac{a^4}{b^8}=a^4b^{10}\times\frac{b^8}{a^4}=b^{18}$

009 답 $\frac{1}{2}a^9b^2$

$$(4a^3b^2)^2\times\left(\frac{1}{2}a^2b\right)^5\div(ab)^7=16a^6b^4\times\frac{1}{32}a^{10}b^5\div a^7b^7=\frac{1}{2}a^9b^2$$

010 답 $\frac{a^{16}}{3b}$

$$\left(\frac{a}{3b}\right)^3\div\left(\frac{1}{3}ab^4\right)^2\times(a^3b^2)^5=\frac{a^3}{27b^3}\div\frac{1}{9}a^2b^8\times a^{15}b^{10}=\frac{a^3}{27b^3}\times\frac{9}{a^2b^8}\times a^{15}b^{10}=\frac{a^{16}}{3b}$$

011 답 $1,\ 1,\ i,\ i$

012 답 $-2,\ 1\pm\sqrt{3}i$

-8의 세제곱근을 x라고 하면 $x^3=-8$이므로

$x^3+8=0$

$(x+2)(x^2-2x+4)=0$

$\therefore x=-2$ 또는 $x=1\pm\sqrt{3}i$

013 답 $\pm3,\ \pm3i$

81의 네제곱근을 x라고 하면 $x^4=81$이므로

$x^4-81=0$

$(x^2-9)(x^2+9)=0$

$(x+3)(x-3)(x+3i)(x-3i)=0$

$\therefore x=\pm3$ 또는 $x=\pm3i$

014 답 -1

-1의 세제곱근을 x라고 하면 $x^3=-1$이므로

$x^3+1=0$

$(x+1)(x^2-x+1)=0$

$\therefore x=-1$ 또는 $x=\frac{1\pm\sqrt{3}i}{2}$

따라서 실수인 것은 -1이다.

015 답 4

64의 세제곱근을 x라고 하면 $x^3=64$이므로

$x^3-64=0$

$(x-4)(x^2+4x+16)=0$

$\therefore x=4$ 또는 $x=-2\pm2\sqrt{3}i$

따라서 실수인 것은 4이다.

016 답 $-2,\ 2$

16의 네제곱근을 x라고 하면 $x^4=16$이므로

$x^4-16=0$

$(x^2-4)(x^2+4)=0$

$(x+2)(x-2)(x+2i)(x-2i)=0$

$\therefore x=\pm2$ 또는 $x=\pm2i$

따라서 실수인 것은 -2, 2이다.

017 답 $-\sqrt{7},\ \sqrt{7}$

49의 네제곱근을 x라고 하면 $x^4=49$이므로

$x^4-49=0$

$(x^2-7)(x^2+7)=0$

$(x+\sqrt{7})(x-\sqrt{7})(x+\sqrt{7}i)(x-\sqrt{7}i)=0$

$\therefore x=\pm\sqrt{7}$ 또는 $x=\pm\sqrt{7}i$

따라서 실수인 것은 $-\sqrt{7}$, $\sqrt{7}$이다.

018 답 ×

양수 a의 n제곱근은 n개이다.

019 답 ×

27의 세제곱근 중 실수인 것은 $\sqrt[3]{27}$이다.

020 답 ○

021 답 ×

8의 세제곱근 중 실수인 것은 2의 1개이다.

022 답 ○

023 답 ×

−9의 네제곱근 중 실수인 것은 없다.

024 답 5

$\sqrt[3]{125}=\sqrt[3]{5^3}=5$

025 답 −3

$\sqrt[3]{-27}=\sqrt[3]{(-3)^3}=-3$

026 답 0.2

$\sqrt[3]{0.008}=\sqrt[3]{0.2^3}=0.2$

027 답 5

$\sqrt[4]{625}=\sqrt[4]{5^4}=5$

028 답 −3

$-\sqrt[4]{81}=-\sqrt[4]{3^4}=-3$

029 답 $\frac{\sqrt{3}}{2}$

$\sqrt[4]{\frac{9}{16}}=\sqrt[4]{\left(\frac{\sqrt{3}}{2}\right)^4}=\frac{\sqrt{3}}{2}$

030 답 2

$\sqrt[3]{2}\times\sqrt[3]{4}=\sqrt[3]{2\times4}=\sqrt[3]{2^3}=2$

031 답 3

$\sqrt[4]{3}\times\sqrt[4]{27}=\sqrt[4]{3\times27}=\sqrt[4]{3^4}=3$

032 답 3

$\frac{\sqrt[3]{243}}{\sqrt[3]{9}}=\sqrt[3]{\frac{243}{9}}=\sqrt[3]{3^3}=3$

033 답 2

$\frac{\sqrt[4]{32}}{\sqrt[4]{2}}=\sqrt[4]{\frac{32}{2}}=\sqrt[4]{2^4}=2$

034 답 11

$(\sqrt[7]{11})^7=\sqrt[7]{11^7}=11$

035 답 5

$(\sqrt[6]{25})^3=\sqrt[6]{25^3}=\sqrt[6]{5^6}=5$

036 답 4

$\sqrt{\sqrt{256}}=\sqrt[4]{256}=\sqrt[4]{4^4}=4$

037 답 2

$\sqrt{\sqrt[3]{64}}=\sqrt[6]{64}=\sqrt[6]{2^6}=2$

038 답 49

$\sqrt[5]{7^{10}}=7^2=49$

039 답 125

$\sqrt[3]{5^9}=5^3=125$

040 답 $\sqrt{6}$

$(\sqrt[8]{6})^4=\sqrt[8]{6^4}=\sqrt{6}$

041 답 $\sqrt{2}$

$\sqrt[6]{4\times\sqrt[3]{8}}=\sqrt[6]{4\times\sqrt[3]{2^3}}=\sqrt[6]{4\times2}=\sqrt[6]{2^3}=\sqrt{2}$

042 답 81

$\sqrt[15]{3^{20}}\times\sqrt[3]{3^8}=\sqrt[3]{3^4}\times\sqrt[3]{3^8}=\sqrt[3]{3^{12}}=3^4=81$

043 답 6

$\sqrt[12]{6^4}\times\sqrt[5]{\sqrt[3]{36^5}}=\sqrt[3]{6}\times\sqrt[15]{36^5}=\sqrt[3]{6}\times\sqrt[3]{36}$

$=\sqrt[3]{6^3}=6$

044 답 3

$\sqrt[4]{243}\div\sqrt{\sqrt[4]{9}}=\sqrt[4]{243}\div\sqrt[4]{\sqrt{3^2}}=\sqrt[4]{243}\div\sqrt[4]{3}$

$=\sqrt[4]{3^4}=3$

045 답 5

$\frac{\sqrt[3]{16}}{\sqrt[3]{2}}\times\sqrt{\frac{\sqrt{625}}{\sqrt[3]{64}}}=\sqrt[3]{2^3}\times\sqrt{\frac{\sqrt{25^2}}{\sqrt[3]{4^3}}}=2\times\sqrt{\frac{25}{4}}$

$=2\times\frac{5}{2}=5$

046 답 6

$\sqrt{\sqrt[4]{256}}\div\sqrt[3]{3}\times\sqrt[3]{81}=\sqrt{\sqrt[4]{2^8}}\times\frac{1}{\sqrt[3]{3}}\times\sqrt[3]{3^4}$

$=\sqrt{2^2}\times\sqrt[3]{3^3}=2\times3=6$

047 답 a

$\sqrt[7]{a^3}\times\sqrt[7]{a^4}=\sqrt[7]{a^7}=a$

048 답 a^2

$\frac{\sqrt{a^5}}{\sqrt{a}}=\sqrt{a^4}=a^2$

049 답 a^6

$(\sqrt[3]{a^2})^9=\sqrt[3]{a^{18}}=a^6$

050 답 a^3

$\sqrt[4]{\sqrt[3]{a^{36}}}=\sqrt[4]{a^{12}}=a^3$

051 답 a^2b^3

$\sqrt[6]{a^2b^{12}}\times\sqrt[3]{a^5b^3}=\sqrt[3]{ab^6}\times\sqrt[3]{a^5b^3}$

$=\sqrt[3]{a^6b^9}=a^2b^3$

052 답 $\frac{a^2}{b}$

$\sqrt{a^5b^3}\div\sqrt[4]{a^2b^{10}}=\sqrt{a^5b^3}\div\sqrt{ab^5}$

$=\sqrt{\frac{a^4}{b^2}}=\frac{a^2}{b}$

053 답 **1**

054 답 $\mathbf{\frac{1}{16}}$

$2^{-4}=\frac{1}{2^4}=\frac{1}{16}$

055 답 $\mathbf{\frac{1}{5}}$

$(\sqrt{5})^{-2}=\frac{1}{(\sqrt{5})^2}=\frac{1}{5}$

056 답 **27**

$\left(\frac{1}{3}\right)^{-3}=3^3=27$

057 답 $\mathbf{\frac{16}{81}}$

$\left(-\frac{3}{2}\right)^{-4}=\frac{2^4}{3^4}=\frac{16}{81}$

058 답 $\mathbf{\frac{1}{a^{10}}}$

$a^{-6}\times a^{-4}=a^{-6-4}=a^{-10}=\frac{1}{a^{10}}$

059 답 $\mathbf{\frac{1}{a^8}}$

$a^{-2}\times a^4\div a^{10}=a^{-2+4-10}=a^{-8}=\frac{1}{a^8}$

060 답 $\mathbf{a^2}$

$a^{11}\times(a^{-3})^3=a^{11}\times a^{-9}=a^{11-9}=a^2$

061 답 $\mathbf{\frac{1}{a^2}}$

$$(a^2)^{-2}\times a^{-3}\div a^{-5}=a^{-4}\times a^{-3}\div a^{-5}$$
$$=a^{-4-3-(-5)}$$
$$=a^{-2}=\frac{1}{a^2}$$

062 답 $\mathbf{\frac{1}{a}}$

$$\frac{(a^3)^4\times(a^{-3})^5}{(a^2)^{-7}\times(a^{-6})^{-2}}=\frac{a^{12}\times a^{-15}}{a^{-14}\times a^{12}}$$
$$=\frac{a^{12-15}}{a^{-14+12}}=\frac{a^{-3}}{a^{-2}}$$
$$=\frac{a^2}{a^3}=\frac{1}{a}$$

063 답 $\mathbf{3^{\frac{1}{2}}}$

064 답 $\mathbf{2^{\frac{1}{3}}}$

065 답 $\mathbf{5^{\frac{5}{4}}}$

066 답 $\mathbf{2^{-\frac{3}{5}}}$

067 답 $\mathbf{\sqrt{2}}$

068 답 $\mathbf{\sqrt[5]{9}}$

$3^{\frac{2}{5}}=\sqrt[5]{3^2}=\sqrt[5]{9}$

069 답 $\mathbf{\frac{\sqrt{2}}{4}}$

$$4^{-\frac{3}{4}}=2^{2\times\left(-\frac{3}{4}\right)}=2^{-\frac{3}{2}}=\frac{1}{2^{\frac{3}{2}}}$$
$$=\frac{1}{\sqrt{2^3}}=\frac{1}{2\sqrt{2}}=\frac{\sqrt{2}}{4}$$

070 답 $\mathbf{\sqrt{3}}$

$\left(\frac{1}{81}\right)^{-\frac{1}{8}}=3^{-4\times\left(-\frac{1}{8}\right)}=3^{\frac{1}{2}}=\sqrt{3}$

071 답 **8**

$(2^{\frac{5}{6}})^3\times 2^{\frac{1}{2}}=2^{\frac{5}{2}}\times 2^{\frac{1}{2}}=2^{\frac{5}{2}+\frac{1}{2}}=2^3=8$

072 답 **2**

$4^{\frac{3}{4}}\div 4^{\frac{1}{4}}=4^{\frac{3}{4}-\frac{1}{4}}=4^{\frac{1}{2}}=(2^2)^{\frac{1}{2}}=2$

073 답 **7**

$$(7^{\frac{5}{4}})^2\times\sqrt{7}\div(7^{\frac{1}{3}})^6=7^{\frac{5}{2}}\times 7^{\frac{1}{2}}\div 7^2$$
$$=7^{\frac{5}{2}+\frac{1}{2}-2}=7$$

074 답 **4**

$$16^{-\frac{3}{4}}\times 64^{\frac{5}{6}}=(2^4)^{-\frac{3}{4}}\times(2^6)^{\frac{5}{6}}=2^{-3}\times 2^5$$
$$=2^{-3+5}=2^2=4$$

075 답 **9**

$$9^{\frac{9}{8}}\div 3^{\frac{1}{2}}\times 27^{\frac{1}{12}}=(3^2)^{\frac{9}{8}}\div 3^{\frac{1}{2}}\times(3^3)^{\frac{1}{12}}=3^{\frac{9}{4}}\div 3^{\frac{1}{2}}\times 3^{\frac{1}{4}}$$
$$=3^{\frac{9}{4}-\frac{1}{2}+\frac{1}{4}}=3^2=9$$

076 답 $\mathbf{\frac{5}{2}}$

$$\left\{\left(\frac{8}{125}\right)^{\frac{5}{2}}\right\}^{-\frac{1}{5}}\times\left(\frac{2}{5}\right)^{\frac{1}{2}}=\left(\frac{8}{125}\right)^{-\frac{1}{2}}\times\left(\frac{2}{5}\right)^{\frac{1}{2}}$$
$$=\left\{\left(\frac{2}{5}\right)^3\right\}^{-\frac{1}{2}}\times\left(\frac{2}{5}\right)^{\frac{1}{2}}$$
$$=\left(\frac{2}{5}\right)^{-\frac{3}{2}}\times\left(\frac{2}{5}\right)^{\frac{1}{2}}$$
$$=\left(\frac{2}{5}\right)^{-\frac{3}{2}+\frac{1}{2}}$$
$$=\left(\frac{2}{5}\right)^{-1}=\frac{5}{2}$$

077 답 $\mathbf{a^2}$

$a^{\frac{3}{2}}\div a^{-\frac{1}{2}}=a^{\frac{3}{2}-\left(-\frac{1}{2}\right)}=a^2$

078 답 $\mathbf{a}$

$a^{\frac{8}{3}}\div a^{\frac{1}{6}}\times a^{-\frac{3}{2}}=a^{\frac{8}{3}-\frac{1}{6}-\frac{3}{2}}=a$

079 답 $a^{\frac{13}{12}}$

$$(\sqrt{a^3}\times\sqrt[3]{a^2})^{\frac{1}{2}}=(a^{\frac{3}{2}}\times a^{\frac{2}{3}})^{\frac{1}{2}}=(a^{\frac{3}{2}+\frac{2}{3}})^{\frac{1}{2}}$$
$$=(a^{\frac{13}{6}})^{\frac{1}{2}}=a^{\frac{13}{12}}$$

080 답 a^2

$$\sqrt[3]{a^2}\times\sqrt{a^5}\div\sqrt[6]{a^7}=a^{\frac{2}{3}}\times a^{\frac{5}{2}}\div a^{\frac{7}{6}}$$
$$=a^{\frac{2}{3}+\frac{5}{2}-\frac{7}{6}}=a^2$$

081 답 $a^{\frac{1}{4}}$

$$\sqrt[3]{\sqrt{a}\sqrt[4]{a}}=(\sqrt{a}\sqrt[4]{a})^{\frac{1}{3}}=(a^{\frac{1}{2}}a^{\frac{1}{4}})^{\frac{1}{3}}=(a^{\frac{3}{4}})^{\frac{1}{3}}=a^{\frac{1}{4}}$$

082 답 $a^{\frac{7}{8}}$

$$\sqrt{a\sqrt{a\sqrt{a}}}=(a\sqrt{a\sqrt{a}})^{\frac{1}{2}}=\{a(a\sqrt{a})^{\frac{1}{2}}\}^{\frac{1}{2}}$$
$$=\{a(a\times a^{\frac{1}{2}})^{\frac{1}{2}}\}^{\frac{1}{2}}=\{a(a^{\frac{3}{2}})^{\frac{1}{2}}\}^{\frac{1}{2}}$$
$$=(a\times a^{\frac{3}{4}})^{\frac{1}{2}}=(a^{\frac{7}{4}})^{\frac{1}{2}}=a^{\frac{7}{8}}$$

083 답 $a^{\frac{7}{4}}$

$$\sqrt{a\sqrt{a^3\sqrt{a^4}}}=(a\sqrt{a^3\sqrt{a^4}})^{\frac{1}{2}}=\{a(a^3\sqrt{a^4})^{\frac{1}{2}}\}^{\frac{1}{2}}$$
$$=\{a(a^3\times a^2)^{\frac{1}{2}}\}^{\frac{1}{2}}=\{a(a^5)^{\frac{1}{2}}\}^{\frac{1}{2}}$$
$$=(a\times a^{\frac{5}{2}})^{\frac{1}{2}}=(a^{\frac{7}{2}})^{\frac{1}{2}}=a^{\frac{7}{4}}$$

084 답 $a^{\frac{7}{12}}$

$$\sqrt{\sqrt[3]{a^2\sqrt[4]{a^6}}}=(\sqrt[3]{a^2\sqrt[4]{a^6}})^{\frac{1}{2}}=\{(a^2\sqrt[4]{a^6})^{\frac{1}{3}}\}^{\frac{1}{2}}$$
$$=\{(a^2\times a^{\frac{3}{2}})^{\frac{1}{3}}\}^{\frac{1}{2}}=\{(a^{\frac{7}{2}})^{\frac{1}{3}}\}^{\frac{1}{2}}=a^{\frac{7}{12}}$$

085 답 ab

$$(a^3b^2)^{\frac{1}{6}}\times(a^{\frac{1}{4}}b^{\frac{1}{3}})^2=a^{\frac{1}{2}}b^{\frac{1}{3}}\times a^{\frac{1}{2}}b^{\frac{2}{3}}$$
$$=a^{\frac{1}{2}+\frac{1}{2}}b^{\frac{1}{3}+\frac{2}{3}}=ab$$

086 답 $a^{\frac{5}{12}}b^{\frac{17}{6}}$

$$\sqrt[3]{a^2b}\div\sqrt[4]{a^3b^2}\times\sqrt{ab^6}=a^{\frac{2}{3}}b^{\frac{1}{3}}\div a^{\frac{3}{4}}b^{\frac{1}{2}}\times a^{\frac{1}{2}}b^3$$
$$=a^{\frac{2}{3}-\frac{3}{4}+\frac{1}{2}}b^{\frac{1}{3}-\frac{1}{2}+3}$$
$$=a^{\frac{5}{12}}b^{\frac{17}{6}}$$

087 답 $3^{2\sqrt{2}}$

$$3^{\frac{\sqrt{2}}{2}}\times 3^{\frac{3\sqrt{2}}{2}}=3^{\frac{\sqrt{2}}{2}+\frac{3\sqrt{2}}{2}}=3^{2\sqrt{2}}$$

088 답 125

$$(25^{\sqrt{3}})^{\frac{\sqrt{3}}{2}}=25^{\sqrt{3}\times\frac{\sqrt{3}}{2}}=25^{\frac{3}{2}}=(5^2)^{\frac{3}{2}}=5^3=125$$

089 답 $6^{\sqrt{7}}$

$$2^{\sqrt{7}}\times 3^{\sqrt{7}}=(2\times 3)^{\sqrt{7}}=6^{\sqrt{7}}$$

090 답 4

$$2^{\sqrt{3}+1}\div 2^{\sqrt{3}-1}=2^{\sqrt{3}+1-(\sqrt{3}-1)}=2^2=4$$

091 답 243

$$(3^{\sqrt{20}}\div 3^{\sqrt{5}})^{\sqrt{5}}=(3^{2\sqrt{5}}\div 3^{\sqrt{5}})^{\sqrt{5}}=(3^{2\sqrt{5}-\sqrt{5}})^{\sqrt{5}}$$
$$=(3^{\sqrt{5}})^{\sqrt{5}}=3^{\sqrt{5}\times\sqrt{5}}=3^5=243$$

092 답 144

$$(2^{\sqrt{8}}\times 3^{\sqrt{2}})^{\sqrt{2}}=2^{\sqrt{8}\times\sqrt{2}}\times 3^{\sqrt{2}\times\sqrt{2}}$$
$$=2^4\times 3^2=144$$

093 답 $a^{2\sqrt{2}}$

$$a^{\sqrt{2}}\div a^{\sqrt{8}}\times a^{\sqrt{18}}=a^{\sqrt{2}-2\sqrt{2}+3\sqrt{2}}=a^{2\sqrt{2}}$$

094 답 $a^{4\sqrt{2}}$

$$a^{\frac{\sqrt{2}}{3}}\times a^{\frac{2\sqrt{2}}{3}}\div a^{-3\sqrt{2}}=a^{\frac{\sqrt{2}}{3}+\frac{2\sqrt{2}}{3}-(-3\sqrt{2})}=a^{4\sqrt{2}}$$

095 답 $a^{\sqrt{7}}$

$$(a^{\frac{\sqrt{7}}{2}})^6\div a^{\sqrt{28}}=a^{\frac{\sqrt{7}}{2}\times 6-2\sqrt{7}}=a^{\sqrt{7}}$$

096 답 a^6b^9

$$(a^{\sqrt{12}}\times b^{\sqrt{27}})^{\sqrt{3}}=a^{\sqrt{12}\times\sqrt{3}}\times b^{\sqrt{27}\times\sqrt{3}}=a^6b^9$$

097 답 ab^3

$$(a^{3\sqrt{6}}b^{2\sqrt{6}})^{\frac{1}{\sqrt{6}}}\times(a^{2\sqrt{6}}b^{-\sqrt{6}})^{-\frac{1}{\sqrt{6}}}=a^3b^2\times a^{-2}b=ab^3$$

098 답 a^{10}

$$(a^{\sqrt{2}})^{3\sqrt{2}-\sqrt{10}}\div(a^3)^{2-\sqrt{5}}\times(a^{\sqrt{5}})^{\sqrt{20}-1}=a^{6-2\sqrt{5}}\div a^{6-3\sqrt{5}}\times a^{10-\sqrt{5}}$$
$$=a^{6-2\sqrt{5}-(6-3\sqrt{5})+10-\sqrt{5}}$$
$$=a^{10}$$

099 답 $a-a^{-1}$

$$(a^{\frac{1}{2}}+a^{-\frac{1}{2}})(a^{\frac{1}{2}}-a^{-\frac{1}{2}})=(a^{\frac{1}{2}})^2-(a^{-\frac{1}{2}})^2=a-a^{-1}$$

100 답 4

$$(a^{\frac{1}{2}}+a^{-\frac{1}{2}})^2-(a^{\frac{1}{2}}-a^{-\frac{1}{2}})^2$$
$$=(a^{\frac{1}{2}})^2+2a^{\frac{1}{2}}a^{-\frac{1}{2}}+(a^{-\frac{1}{2}})^2-\{(a^{\frac{1}{2}})^2-2a^{\frac{1}{2}}a^{-\frac{1}{2}}+(a^{-\frac{1}{2}})^2\}$$
$$=2+2=4$$

101 답 $a+b$

$$(a^{\frac{1}{3}}+b^{\frac{1}{3}})(a^{\frac{2}{3}}-a^{\frac{1}{3}}b^{\frac{1}{3}}+b^{\frac{2}{3}})=(a^{\frac{1}{3}})^3+(b^{\frac{1}{3}})^3=a+b$$

102 답 7

$$a+a^{-1}=(a^{\frac{1}{2}})^2+(a^{-\frac{1}{2}})^2$$
$$=(a^{\frac{1}{2}}+a^{-\frac{1}{2}})^2-2$$
$$=3^2-2=7$$

103 답 $3\sqrt{5}$

$$(a-a^{-1})^2=(a+a^{-1})^2-4$$
$$=7^2-4=45$$

$\therefore\ a-a^{-1}=3\sqrt{5}\ (\because\ a>1)$

104 답 **18**

$a^{\frac{3}{2}}+a^{-\frac{3}{2}}=(a^{\frac{1}{2}})^3+(a^{-\frac{1}{2}})^3$

$=(a^{\frac{1}{2}}+a^{-\frac{1}{2}})^3-3(a^{\frac{1}{2}}+a^{-\frac{1}{2}})$

$=3^3-3\times3=18$

105 답 $\mathbf{2x,\ 2,\ \frac{1}{3}}$

106 답 $\mathbf{\frac{9}{2}}$

분모, 분자에 a^{3x}을 곱하면

$\frac{a^{3x}+a^{-3x}}{a^x-a^{-x}}=\frac{a^{6x}+1}{a^{4x}-a^{2x}}=\frac{(a^{2x})^3+1}{(a^{2x})^2-a^{2x}}$

$=\frac{2^3+1}{2^2-2}=\frac{9}{2}$

107 답 **4**

분모, 분자에 a^{5x}을 곱하면

$\frac{a^{5x}+a^{-x}}{a^x+a^{-5x}}=\frac{a^{10x}+a^{4x}}{a^{6x}+1}=\frac{(a^{2x})^5+(a^{2x})^2}{(a^{2x})^3+1}$

$=\frac{2^5+2^2}{2^3+1}=\frac{36}{9}=4$

108 답 $\mathbf{\frac{63}{20}}$

분모, 분자에 a^{7x}을 곱하면

$\frac{a^{5x}-a^{-7x}}{a^x+a^{-3x}}=\frac{a^{12x}-1}{a^{8x}+a^{4x}}=\frac{(a^{2x})^6-1}{(a^{2x})^4+(a^{2x})^2}$

$=\frac{2^6-1}{2^4+2^2}=\frac{63}{20}$

109 답 **2**

$\frac{2^x+2^{-x}}{2^x-2^{-x}}=3$의 좌변의 분모, 분자에 2^x을 곱하면

$\frac{2^{2x}+1}{2^{2x}-1}=3$, $2^{2x}+1=3(2^{2x}-1)$

$2^{2x}+1=3\times2^{2x}-3$, $2\times2^{2x}=4$

$\therefore\ 2^{2x}=2$

110 답 $\mathbf{\frac{5}{2}}$

$2^{2x}=2$이므로

$4^x+4^{-x}=2^{2x}+2^{-2x}=2^{2x}+\frac{1}{2^{2x}}$

$=2+\frac{1}{2}=\frac{5}{2}$

111 답 $\mathbf{\frac{3\sqrt{2}}{2}}$

$2^{2x}=2$에서 $2^x=\sqrt{2}$ ($\because\ 2^x>0$)

$\therefore\ 2^x+2^{-x}=2^x+\frac{1}{2^x}=\sqrt{2}+\frac{1}{\sqrt{2}}$

$=\sqrt{2}+\frac{\sqrt{2}}{2}=\frac{3\sqrt{2}}{2}$

112 답 **2**

$\frac{3^x-3^{-x}}{3^x+3^{-x}}=\frac{1}{3}$의 좌변의 분모, 분자에 3^x을 곱하면

$\frac{3^{2x}-1}{3^{2x}+1}=\frac{1}{3}$, $3(3^{2x}-1)=3^{2x}+1$

$3\times3^{2x}-3=3^{2x}+1$, $2\times3^{2x}=4$

$\therefore\ 3^{2x}=2$

113 답 $\mathbf{\frac{3}{2}}$

$3^{2x}=2$이므로

$9^x-9^{-x}=3^{2x}-3^{-2x}=3^{2x}-\frac{1}{3^{2x}}$

$=2-\frac{1}{2}=\frac{3}{2}$

114 답 $\mathbf{\frac{9\sqrt{2}}{4}}$

$3^{2x}=2$에서 $3^x=\sqrt{2}$ ($\because\ 3^x>0$)

$\therefore\ 27^x+27^{-x}=3^{3x}+3^{-3x}=(3^x)^3+(3^x)^{-3}$

$=(3^x)^3+\frac{1}{(3^x)^3}=(\sqrt{2})^3+\frac{1}{(\sqrt{2})^3}$

$=2\sqrt{2}+\frac{1}{2\sqrt{2}}=2\sqrt{2}+\frac{\sqrt{2}}{4}$

$=\frac{9\sqrt{2}}{4}$

115 답 **6, <, <**

116 답 $\mathbf{\sqrt[4]{3}>\sqrt[6]{5}}$

$\sqrt[4]{3}=3^{\frac{1}{4}}$, $\sqrt[6]{5}=5^{\frac{1}{6}}$이므로 지수의 분모를 4와 6의 최소공배수인 12로 통분하면

$\sqrt[4]{3}=3^{\frac{1}{4}}=3^{\frac{3}{12}}=(3^3)^{\frac{1}{12}}=27^{\frac{1}{12}}$

$\sqrt[6]{5}=5^{\frac{1}{6}}=5^{\frac{2}{12}}=(5^2)^{\frac{1}{12}}=25^{\frac{1}{12}}$

이때 $27>25$이므로 $27^{\frac{1}{12}}>25^{\frac{1}{12}}$

$\therefore\ \sqrt[4]{3}>\sqrt[6]{5}$

117 답 $\mathbf{\sqrt{\sqrt{2}}<\sqrt[4]{\sqrt{6}}}$

$\sqrt{\sqrt{2}}=2^{\frac{1}{4}}$, $\sqrt[4]{\sqrt{6}}=6^{\frac{1}{8}}$이므로 지수의 분모를 4와 8의 최소공배수인 8로 통분하면

$\sqrt{\sqrt{2}}=2^{\frac{1}{4}}=2^{\frac{2}{8}}=(2^2)^{\frac{1}{8}}=4^{\frac{1}{8}}$

이때 $4<6$이므로 $4^{\frac{1}{8}}<6^{\frac{1}{8}}$

$\therefore\ \sqrt{\sqrt{2}}<\sqrt[4]{\sqrt{6}}$

118 답 $\mathbf{\sqrt[6]{6}<\sqrt{2}<\sqrt[3]{3}}$

$\sqrt{2}=2^{\frac{1}{2}}$, $\sqrt[3]{3}=3^{\frac{1}{3}}$, $\sqrt[6]{6}=6^{\frac{1}{6}}$이므로 지수의 분모를 2, 3, 6의 최소공배수인 6으로 통분하면

$\sqrt{2}=2^{\frac{1}{2}}=2^{\frac{3}{6}}=(2^3)^{\frac{1}{6}}=8^{\frac{1}{6}}$

$\sqrt[3]{3}=3^{\frac{1}{3}}=3^{\frac{2}{6}}=(3^2)^{\frac{1}{6}}=9^{\frac{1}{6}}$

이때 $6<8<9$이므로 $6^{\frac{1}{6}}<8^{\frac{1}{6}}<9^{\frac{1}{6}}$

$\therefore\ \sqrt[6]{6}<\sqrt{2}<\sqrt[3]{3}$

119 답 $\sqrt[8]{10}<\sqrt{2}<\sqrt[4]{5}$

$\sqrt{2}=2^{\frac{1}{2}}$, $\sqrt[4]{5}=5^{\frac{1}{4}}$, $\sqrt[8]{10}=10^{\frac{1}{8}}$이므로 지수의 분모를 2, 4, 8의 최소공배수인 8로 통분하면

$\sqrt{2}=2^{\frac{1}{2}}=2^{\frac{4}{8}}=(2^4)^{\frac{1}{8}}=16^{\frac{1}{8}}$

$\sqrt[4]{5}=5^{\frac{1}{4}}=5^{\frac{2}{8}}=(5^2)^{\frac{1}{8}}=25^{\frac{1}{8}}$

이때 $10<16<25$이므로 $10^{\frac{1}{8}}<16^{\frac{1}{8}}<25^{\frac{1}{8}}$

$\therefore \sqrt[8]{10}<\sqrt{2}<\sqrt[4]{5}$

120 답 $\sqrt[4]{6}<\sqrt[3]{4}<\sqrt{3}$

$\sqrt{3}=3^{\frac{1}{2}}$, $\sqrt[3]{4}=4^{\frac{1}{3}}$, $\sqrt[4]{6}=6^{\frac{1}{4}}$이므로 지수의 분모를 2, 3, 4의 최소공배수인 12로 통분하면

$\sqrt{3}=3^{\frac{1}{2}}=3^{\frac{6}{12}}=(3^6)^{\frac{1}{12}}=729^{\frac{1}{12}}$

$\sqrt[3]{4}=4^{\frac{1}{3}}=4^{\frac{4}{12}}=(4^4)^{\frac{1}{12}}=256^{\frac{1}{12}}$

$\sqrt[4]{6}=6^{\frac{1}{4}}=6^{\frac{3}{12}}=(6^3)^{\frac{1}{12}}=216^{\frac{1}{12}}$

이때 $216<256<729$이므로 $216^{\frac{1}{12}}<256^{\frac{1}{12}}<729^{\frac{1}{12}}$

$\therefore \sqrt[4]{6}<\sqrt[3]{4}<\sqrt{3}$

연산 유형 최종 점검하기

20~21쪽

1 ⑤	**2** ③	**3** 11	**4** ①	**5** ③	**6** ③
7 ③	**8** x^2-x^{-2}		**9** ④	**10** ①	**11** ②
12 ⑤					

1 ① 125의 세제곱근 중 실수인 것은 $\sqrt[3]{125}$이다.
② 16의 네제곱근 중 실수인 것은 $\sqrt[4]{16}$, $-\sqrt[4]{16}$이다.
③ -8의 세제곱근 중 실수인 것은 -2이다.
④ n이 짝수일 때, 3의 n제곱근 중 실수인 것은 $\sqrt[n]{3}$, $-\sqrt[n]{3}$이다.
⑤ n이 홀수일 때, 2의 n제곱근 중 실수인 것은 $\sqrt[n]{2}$의 한 개이다.

2 ③ $(\sqrt[6]{3})^3=\sqrt[6]{3^3}=\sqrt{3}$

3 $\sqrt[5]{a^2}\times\sqrt[3]{a^4}=\sqrt[15]{a^6}\times\sqrt[15]{a^{20}}=\sqrt[15]{a^{26}}$
따라서 $m=15$, $n=26$이므로
$n-m=11$

4
$$\left(\frac{a^2}{b^{-3}}\right)^2\div\left(-\frac{a}{b^2}\right)^{-4}\times\left(\frac{a^3}{b^{-2}}\right)^3=\frac{a^4}{b^{-6}}\div\frac{b^8}{a^4}\times\frac{a^9}{b^{-6}}$$
$$=\frac{a^4}{b^{-6}}\times\frac{a^4}{b^8}\times\frac{a^9}{b^{-6}}$$
$$=\frac{a^{4+4+9}}{b^{-6+8-6}}=\frac{a^{17}}{b^{-4}}$$
따라서 $m=17$, $n=-4$이므로
$m+n=13$

5
$$\left\{\left(\frac{64}{27}\right)^{-\frac{3}{4}}\right\}^{\frac{1}{3}}\times\sqrt[4]{\frac{4}{3}}=\left(\frac{64}{27}\right)^{-\frac{1}{4}}\times\left(\frac{4}{3}\right)^{\frac{1}{4}}$$
$$=\left(\frac{4}{3}\right)^{-\frac{3}{4}}\times\left(\frac{4}{3}\right)^{\frac{1}{4}}$$
$$=\left(\frac{4}{3}\right)^{-\frac{3}{4}+\frac{1}{4}}=\left(\frac{4}{3}\right)^{-\frac{1}{2}}$$
$$=\sqrt{\frac{3}{4}}=\frac{\sqrt{3}}{2}$$

6
$$3^{\sqrt{5}+2}\div3^{\sqrt{5}-2}=3^{\sqrt{5}+2-(\sqrt{5}-2)}$$
$$=3^4=81$$

7
$$(2^{\frac{1}{2}}+2^{-\frac{1}{2}})^2-(2^{\frac{1}{2}}+2^{-\frac{1}{2}})(2^{\frac{1}{2}}-2^{-\frac{1}{2}})$$
$$=2+2+2^{-1}-(2-2^{-1})$$
$$=2+2+\frac{1}{2}-\left(2-\frac{1}{2}\right)$$
$$=3$$

8
$$(x^{\frac{1}{8}}-x^{-\frac{1}{8}})(x^{\frac{1}{8}}+x^{-\frac{1}{8}})(x^{\frac{1}{4}}+x^{-\frac{1}{4}})(x^{\frac{1}{2}}+x^{-\frac{1}{2}})(x+x^{-1})$$
$$=(x^{\frac{1}{4}}-x^{-\frac{1}{4}})(x^{\frac{1}{4}}+x^{-\frac{1}{4}})(x^{\frac{1}{2}}+x^{-\frac{1}{2}})(x+x^{-1})$$
$$=(x^{\frac{1}{2}}-x^{-\frac{1}{2}})(x^{\frac{1}{2}}+x^{-\frac{1}{2}})(x+x^{-1})$$
$$=(x-x^{-1})(x+x^{-1})$$
$$=x^2-x^{-2}$$

9
$$a+a^{-1}=(a^{\frac{1}{2}})^2+(a^{-\frac{1}{2}})^2$$
$$=(a^{\frac{1}{2}}-a^{-\frac{1}{2}})^2+2$$
$$=3^2+2=11$$

10 분모, 분자에 a^{3x}을 곱하면
$$\frac{a^x+a^{-x}}{a^{3x}+a^{-3x}}=\frac{a^{4x}+a^{2x}}{a^{6x}+1}=\frac{(a^{2x})^2+a^{2x}}{(a^{2x})^3+1}$$
$$=\frac{3^2+3}{3^3+1}=\frac{12}{28}=\frac{3}{7}$$

11 $\frac{5^x+5^{-x}}{5^x-5^{-x}}=2$의 좌변의 분모, 분자에 5^x을 곱하면
$\frac{5^{2x}+1}{5^{2x}-1}=2$, $5^{2x}+1=2(5^{2x}-1)$
$5^{2x}+1=2\times5^{2x}-2$　　$\therefore 5^{2x}=3$
$$\therefore 25^x+25^{-x}=5^{2x}+5^{-2x}$$
$$=5^{2x}+\frac{1}{5^{2x}}$$
$$=3+\frac{1}{3}=\frac{10}{3}$$

12 $A=\sqrt[3]{3}=3^{\frac{1}{3}}$, $B=\sqrt[6]{5}=5^{\frac{1}{6}}$, $C=\sqrt[12]{10}=10^{\frac{1}{12}}$이므로 지수의 분모를 3, 6, 12의 최소공배수인 12로 통분하면
$A=\sqrt[3]{3}=3^{\frac{1}{3}}=3^{\frac{4}{12}}=(3^4)^{\frac{1}{12}}=81^{\frac{1}{12}}$
$B=\sqrt[6]{5}=5^{\frac{1}{6}}=5^{\frac{2}{12}}=(5^2)^{\frac{1}{12}}=25^{\frac{1}{12}}$
이때 $10<25<81$이므로 $10^{\frac{1}{12}}<25^{\frac{1}{12}}<81^{\frac{1}{12}}$
$\therefore C<B<A$

02 로그

24~35쪽

001 답 $3=\log_2 8$

002 답 $4=\log_3 81$

003 답 $-2=\log_5 \frac{1}{25}$

004 답 $\frac{1}{2}=\log_6 \sqrt{6}$

005 답 $-4=\log_{\frac{1}{2}} 16$

006 답 $2^5=32$

007 답 $7^2=49$

008 답 $3^{-3}=\frac{1}{27}$

009 답 $11^{\frac{1}{2}}=\sqrt{11}$

010 답 $\left(\frac{1}{2}\right)^{-3}=8$

011 답 27

$\log_3 x=3$에서

$x=3^3=27$

012 답 $\frac{1}{32}$

$\log_2 x=-5$에서

$x=2^{-5}=\frac{1}{32}$

013 답 2

$\log_4 16=x$에서

$4^x=16=4^2 \qquad \therefore x=2$

014 답 -3

$\log_5 \frac{1}{125}=x$에서

$5^x=\frac{1}{125}=5^{-3} \qquad \therefore x=-3$

015 답 -3

$\log_{\frac{1}{2}} 8=x$에서

$\left(\frac{1}{2}\right)^x=8,\ 2^{-x}=2^3 \qquad \therefore x=-3$

016 답 8

$\log_x 64=2$에서

$x^2=64=8^2 \qquad \therefore x=8$

017 답 10

$\log_x \frac{1}{10000}=-4$에서

$x^{-4}=\frac{1}{10000}=10^{-4} \qquad \therefore x=10$

018 답 81

$\log_2(\log_3 x)=2$에서

$\log_3 x=2^2=4 \qquad \therefore x=3^4=81$

019 답 $x>-2$

진수의 조건에서 $x+2>0 \qquad \therefore x>-2$

020 답 $x<1$ 또는 $x>2$

진수의 조건에서 $x^2-3x+2>0$

$(x-1)(x-2)>0 \qquad \therefore x<1$ 또는 $x>2$

021 답 $1<x<2$ 또는 $x>2$

밑의 조건에서 $x-1>0,\ x-1\neq1$

$\therefore 1<x<2$ 또는 $x>2$

022 답 $5<x<6$ 또는 $6<x<7$

밑의 조건에서 $7-x>0,\ 7-x\neq1$

$\therefore x<6$ 또는 $6<x<7$ …… ㉠

진수의 조건에서 $x-5>0 \qquad \therefore x>5$ …… ㉡

㉠, ㉡에서 $5<x<6$ 또는 $6<x<7$

023 답 $x>3$

밑의 조건에서 $x>0,\ x\neq1$

$\therefore 0<x<1$ 또는 $x>1$ …… ㉠

진수의 조건에서 $x^2+x-12>0$

$(x+4)(x-3)>0 \qquad \therefore x<-4$ 또는 $x>3$ …… ㉡

㉠, ㉡에서 $x>3$

024 답 $1<x<3$

밑의 조건에서 $x+2>0,\ x+2\neq1$

$\therefore -2<x<-1$ 또는 $x>-1$ …… ㉠

진수의 조건에서 $-x^2+4x-3>0$

$x^2-4x+3<0,\ (x-1)(x-3)<0$

$\therefore 1<x<3$ …… ㉡

㉠, ㉡에서 $1<x<3$

025 답 0

026 답 1

027 답 2

$\log_3 3^2=2\log_3 3=2$

028 답 -4

$\log_2 \frac{1}{16}=\log_2 2^{-4}=-4\log_2 2=-4$

029 답 $\frac{2}{3}$

$\log_7 \sqrt[3]{49}=\log_7 7^{\frac{2}{3}}=\frac{2}{3}\log_7 7=\frac{2}{3}$

030 답 1

$2\log_3 \sqrt{3}=\log_3 (\sqrt{3})^2=\log_3 3=1$

031 답 1

$\log_{20} 4+\log_{20} 5=\log_{20} (4\times5)=\log_{20} 20=1$

032 답 2

$\log_6 4+\log_6 9=\log_6 (4\times9)$
$=\log_6 36=\log_6 6^2=2$

033 답 3

$\log_3 108+\log_3 \frac{1}{4}=\log_3 \left(108\times\frac{1}{4}\right)$
$=\log_3 27=\log_3 3^3=3$

034 답 3

$\log_2 \frac{4}{7}+2\log_2 \sqrt{14}=\log_2 \frac{4}{7}+\log_2 14$
$=\log_2 \left(\frac{4}{7}\times14\right)$
$=\log_2 8=\log_2 2^3=3$

035 답 1

$\log_5 100-\log_5 20=\log_5 \frac{100}{20}=\log_5 5=1$

036 답 2

$\log_3 36-\log_3 4=\log_3 \frac{36}{4}=\log_3 9$
$=\log_3 3^2=2$

037 답 2

$\log_4 \frac{1}{2}-\log_4 \frac{1}{32}=\log_4 \frac{32}{2}=\log_4 16$
$=\log_4 4^2=2$

038 답 $\frac{1}{3}$

$\log_2 \sqrt[3]{12}-\frac{1}{3}\log_2 6=\log_2 12^{\frac{1}{3}}-\frac{1}{3}\log_2 6$
$=\frac{1}{3}\log_2 12-\frac{1}{3}\log_2 6$
$=\frac{1}{3}\log_2 \frac{12}{6}$
$=\frac{1}{3}\log_2 2=\frac{1}{3}$

039 답 1

$\log_3 12+\log_3 2-\log_3 8=\log_3 \frac{12\times2}{8}$
$=\log_3 3=1$

040 답 2

$\log_7 3-\log_7 \frac{6}{7}+\log_7 14=\log_7 \left(3\times\frac{7}{6}\times14\right)$
$=\log_7 7^2=2$

041 답 $3a+2b$

$\log_{10} 72=\log_{10} (2^3\times3^2)$
$=\log_{10} 2^3+\log_{10} 3^2$
$=3\log_{10} 2+2\log_{10} 3$
$=3a+2b$

042 답 $2b-4a$

$\log_{10} \frac{9}{16}=\log_{10} 9-\log_{10} 16$
$=\log_{10} 3^2-\log_{10} 2^4$
$=2\log_{10} 3-4\log_{10} 2$
$=2b-4a$

043 답 $a+b+1$

$\log_{10} 60=\log_{10} (2\times3\times10)$
$=\log_{10} 2+\log_{10} 3+\log_{10} 10$
$=a+b+1$

044 답 $1-a$

$\log_{10} 5=\log_{10} \frac{10}{2}$
$=\log_{10} 10-\log_{10} 2$
$=1-a$

045 답 $3a+b-4$

$\log_{10} 0.0024=\log_{10} \frac{2^3\times3}{10^4}$
$=\log_{10} 2^3+\log_{10} 3-\log_{10} 10^4$
$=3\log_{10} 2+\log_{10} 3-4\log_{10} 10$
$=3a+b-4$

046 답 $\frac{-a+b+1}{5}$

$\log_{10} \sqrt[5]{15}=\log_{10} 15^{\frac{1}{5}}=\frac{1}{5}\log_{10} \frac{30}{2}$
$=\frac{1}{5}\log_{10} \frac{3\times10}{2}$
$=\frac{1}{5}(\log_{10} 3+\log_{10} 10-\log_{10} 2)$
$=\frac{-a+b+1}{5}$

047 답 1

$\log_2 3\times\log_3 2=\log_2 3\times\frac{1}{\log_2 3}=1$

048 답 2

$\log_5 4\times\log_2 5=\log_5 2^2\times\log_2 5$
$=2\log_5 2\times\frac{1}{\log_5 2}=2$

049 답 $\frac{1}{2}$

$$\log_7 3\times\log_3\sqrt{7}=\log_7 3\times\log_3 7^{\frac{1}{2}}$$
$$=\frac{1}{\log_3 7}\times\frac{1}{2}\log_3 7=\frac{1}{2}$$

050 답 $\frac{1}{2}$

$$\log_8 27\times\log_9 2=\frac{\log_{10}27}{\log_{10}8}\times\frac{\log_{10}2}{\log_{10}9}$$
$$=\frac{\log_{10}3^3}{\log_{10}2^3}\times\frac{\log_{10}2}{\log_{10}3^2}$$
$$=\frac{3\log_{10}3}{3\log_{10}2}\times\frac{\log_{10}2}{2\log_{10}3}=\frac{1}{2}$$

051 답 1

$$\log_4 3\times\log_3 6\times\log_6 4=\frac{\log_{10}3}{\log_{10}4}\times\frac{\log_{10}6}{\log_{10}3}\times\frac{\log_{10}4}{\log_{10}6}=1$$

052 답 $\frac{2}{3}$

$$\log_8 5\times\log_{25}7\times\log_7 16=\frac{\log_{10}5}{\log_{10}8}\times\frac{\log_{10}7}{\log_{10}25}\times\frac{\log_{10}16}{\log_{10}7}$$
$$=\frac{\log_{10}5}{\log_{10}2^3}\times\frac{\log_{10}7}{\log_{10}5^2}\times\frac{\log_{10}2^4}{\log_{10}7}$$
$$=\frac{\log_{10}5}{3\log_{10}2}\times\frac{\log_{10}7}{2\log_{10}5}\times\frac{4\log_{10}2}{\log_{10}7}$$
$$=\frac{2}{3}$$

053 답 2

$$\log_9 3+\frac{1}{\log_{27}9}=\log_9 3+\log_9 27$$
$$=\log_9(3\times27)=\log_9 81$$
$$=\log_9 9^2=2$$

054 답 3

$$\log_2 24-\frac{1}{\log_3 2}=\log_2 24-\log_2 3$$
$$=\log_2\frac{24}{3}=\log_2 8$$
$$=\log_2 2^3=3$$

055 답 1

$$\log_5\sqrt{3}+\frac{1}{\log_{25}5}-\frac{1}{\log_{5\sqrt{3}}5}=\log_5\sqrt{3}+\log_5 25-\log_5 5\sqrt{3}$$
$$=\log_5\frac{\sqrt{3}\times25}{5\sqrt{3}}$$
$$=\log_5 5=1$$

056 답 2

$$(\log_2 15-\log_2 5)(\log_3 24-\log_3 6)=\log_2\frac{15}{5}\times\log_3\frac{24}{6}$$
$$=\log_2 3\times\log_3 4$$
$$=\log_2 3\times\log_3 2^2$$
$$=\frac{1}{\log_3 2}\times2\log_3 2=2$$

057 답 1

$$\log_3(\log_3 2)+\log_3(\log_2 27)=\log_3(\log_3 2\times\log_2 27)$$
$$=\log_3(\log_3 2\times\log_2 3^3)$$
$$=\log_3\left(\frac{1}{\log_2 3}\times3\log_2 3\right)$$
$$=\log_3 3=1$$

058 답 $\frac{b}{a}$

$$\log_2 3=\frac{\log_{10}3}{\log_{10}2}=\frac{b}{a}$$

059 답 $\frac{3a}{b}$

$$\log_3 8=\frac{\log_{10}8}{\log_{10}3}=\frac{\log_{10}2^3}{\log_{10}3}$$
$$=\frac{3\log_{10}2}{\log_{10}3}=\frac{3a}{b}$$

060 답 $\frac{a}{2a+b}$

$$\log_{12}2=\frac{\log_{10}2}{\log_{10}12}=\frac{\log_{10}2}{\log_{10}(2^2\times3)}$$
$$=\frac{\log_{10}2}{2\log_{10}2+\log_{10}3}$$
$$=\frac{a}{2a+b}$$

061 답 $\frac{3a+b}{a+b}$

$$\log_6 24=\frac{\log_{10}24}{\log_{10}6}=\frac{\log_{10}(2^3\times3)}{\log_{10}(2\times3)}$$
$$=\frac{3\log_{10}2+\log_{10}3}{\log_{10}2+\log_{10}3}$$
$$=\frac{3a+b}{a+b}$$

062 답 $\frac{a+3b}{2b}$

$$\log_3\sqrt{54}=\frac{1}{2}\log_3 54=\frac{1}{2}\times\frac{\log_{10}54}{\log_{10}3}$$
$$=\frac{\log_{10}(2\times3^3)}{2\log_{10}3}$$
$$=\frac{\log_{10}2+3\log_{10}3}{2\log_{10}3}$$
$$=\frac{a+3b}{2b}$$

063 답 $\frac{a+b}{1-a}$

$$\log_5 6=\frac{\log_{10}6}{\log_{10}5}=\frac{\log_{10}(2\times3)}{\log_{10}\frac{10}{2}}$$
$$=\frac{\log_{10}2+\log_{10}3}{\log_{10}10-\log_{10}2}$$
$$=\frac{a+b}{1-a}$$

064 답 $\frac{a+2b}{a}$

$3^a=x$, $3^b=y$, $3^c=z$에서

$\log_3 x=a$, $\log_3 y=b$, $\log_3 z=c$

$$\therefore \log_x xy^2=\frac{\log_3 xy^2}{\log_3 x}=\frac{\log_3 x+2\log_3 y}{\log_3 x}=\frac{a+2b}{a}$$

065 답 $\frac{2b+c}{a+b}$

$$\log_{xy} y^2z=\frac{\log_3 y^2z}{\log_3 xy}=\frac{2\log_3 y+\log_3 z}{\log_3 x+\log_3 y}=\frac{2b+c}{a+b}$$

066 답 $\frac{3a}{a+b+c}$

$$\log_{xyz} x^3=\frac{\log_3 x^3}{\log_3 xyz}=\frac{3\log_3 x}{\log_3 x+\log_3 y+\log_3 z}=\frac{3a}{a+b+c}$$

067 답 $\frac{a-3b+2c}{c}$

$$\log_z \frac{xz^2}{y^3}=\frac{\log_3 \frac{xz^2}{y^3}}{\log_3 z}=\frac{\log_3 x+2\log_3 z-3\log_3 y}{\log_3 z}=\frac{a-3b+2c}{c}$$

068 답 $\frac{3b+4c}{2b+2c}$

$$\log_{yz} \sqrt{y^3z^4}=\frac{1}{2}\log_{yz} y^3z^4=\frac{1}{2}\times\frac{\log_3 y^3z^4}{\log_3 yz}=\frac{3\log_3 y+4\log_3 z}{2\log_3 y+2\log_3 z}=\frac{3b+4c}{2b+2c}$$

069 답 $\frac{2a-c}{6a+3b}$

$$\log_{x^2y} \frac{x}{\sqrt[3]{xz}}=\frac{\log_3 \frac{x}{\sqrt[3]{xz}}}{\log_3 x^2y}=\frac{\log_3 x-\frac{1}{3}(\log_3 x+\log_3 z)}{2\log_3 x+\log_3 y}=\frac{\frac{2}{3}\log_3 x-\frac{1}{3}\log_3 z}{2\log_3 x+\log_3 y}=\frac{2\log_3 x-\log_3 z}{6\log_3 x+3\log_3 y}=\frac{2a-c}{6a+3b}$$

070 답 6, 6, 6, 6, 6, 6, 6, 1

071 답 2

$4^x=12$에서 $x=\log_4 12$

$36^y=12$에서 $y=\log_{36} 12$

$$\therefore \frac{1}{x}+\frac{1}{y}=\frac{1}{\log_4 12}+\frac{1}{\log_{36} 12}=\log_{12} 4+\log_{12} 36=\log_{12} 144=\log_{12} 12^2=2$$

072 답 3

$40^x=2$에서 $x=\log_{40} 2$

$5^y=2$에서 $y=\log_5 2$

$$\therefore \frac{1}{x}-\frac{1}{y}=\frac{1}{\log_{40} 2}-\frac{1}{\log_5 2}=\log_2 40-\log_2 5=\log_2 8=\log_2 2^3=3$$

073 답 2

$100^x=5$에서 $x=\log_{100} 5$

$4^y=5$에서 $y=\log_4 5$

$$\therefore \frac{1}{x}-\frac{1}{y}=\frac{1}{\log_{100} 5}-\frac{1}{\log_4 5}=\log_5 100-\log_5 4=\log_5 25=\log_5 5^2=2$$

074 답 1

이차방정식의 근과 계수의 관계에 의하여

$\alpha+\beta=4$, $\alpha\beta=2$

$$\therefore \log_2 (\alpha^{-1}+\beta^{-1})=\log_2 \left(\frac{1}{\alpha}+\frac{1}{\beta}\right)=\log_2 \frac{\alpha+\beta}{\alpha\beta}=\log_2 \frac{4}{2}=\log_2 2=1$$

075 답 2

이차방정식의 근과 계수의 관계에 의하여

$\alpha+\beta=16$, $\alpha\beta=4$

$$\therefore \log_2 (\alpha^{-1}+\beta^{-1})=\log_2 \left(\frac{1}{\alpha}+\frac{1}{\beta}\right)=\log_2 \frac{\alpha+\beta}{\alpha\beta}=\log_2 \frac{16}{4}=\log_2 4=\log_2 2^2=2$$

076 답 10

이차방정식의 근과 계수의 관계에 의하여

$\log_2 a+\log_2 b=6$, $\log_2 a\times\log_2 b=3$

$$\begin{aligned}\therefore \log_a b+\log_b a&=\frac{\log_2 b}{\log_2 a}+\frac{\log_2 a}{\log_2 b}\\&=\frac{(\log_2 a)^2+(\log_2 b)^2}{\log_2 a\times\log_2 b}\\&=\frac{(\log_2 a+\log_2 b)^2-2\log_2 a\times\log_2 b}{\log_2 a\times\log_2 b}\\&=\frac{6^2-2\times3}{3}=10\end{aligned}$$

077 답 14

이차방정식의 근과 계수의 관계에 의하여

$\log_2 a+\log_2 b=4$, $\log_2 a\times\log_2 b=1$

$$\begin{aligned}\therefore \log_a b+\log_b a&=\frac{\log_2 b}{\log_2 a}+\frac{\log_2 a}{\log_2 b}\\&=\frac{(\log_2 a)^2+(\log_2 b)^2}{\log_2 a\times\log_2 b}\\&=\frac{(\log_2 a+\log_2 b)^2-2\log_2 a\times\log_2 b}{\log_2 a\times\log_2 b}\\&=\frac{4^2-2\times1}{1}=14\end{aligned}$$

078 답 2

$\log_{5^2}5^4=\frac{4}{2}\log_5 5=2$

079 답 $\frac{8}{3}$

$\log_8 256=\log_{2^3}2^8=\frac{8}{3}\log_2 2=\frac{8}{3}$

080 답 $\frac{3}{2}$

$\log_9 27=\log_{3^2}3^3=\frac{3}{2}\log_3 3=\frac{3}{2}$

081 답 $\frac{3}{4}$

$\log_4 2\sqrt{2}=\log_{2^2}2^{\frac{3}{2}}=\frac{3}{2}\times\frac{1}{2}\log_2 2=\frac{3}{4}$

082 답 6

$7^{\log_7 6}=6^{\log_7 7}=6$

083 답 81

$16^{\log_2 3}=3^{\log_2 16}=3^{\log_2 2^4}=3^4=81$

084 답 5

$3^{\log_9 25}=25^{\log_9 3}=25^{\log_{3^2}3}=25^{\frac{1}{2}}=5$

085 답 4

$9^{\log_{27}8}=8^{\log_{27}9}=8^{\log_{3^3}3^2}=8^{\frac{2}{3}}=(2^3)^{\frac{2}{3}}=2^2=4$

086 답 $\frac{3}{4}$

$$\begin{aligned}\log_9 3+\log_{81}3&=\log_{3^2}3+\log_{3^4}3=\frac{1}{2}\log_3 3+\frac{1}{4}\log_3 3\\&=\frac{1}{2}+\frac{1}{4}=\frac{3}{4}\end{aligned}$$

087 답 −2

$$\begin{aligned}\log_{\frac{1}{2}}2+\log_5\frac{1}{5}&=\log_{2^{-1}}2+\log_5 5^{-1}=-\log_2 2-\log_5 5\\&=-1-1=-2\end{aligned}$$

088 답 2

$$\begin{aligned}&(\log_2 3+\log_4 3)(\log_3 2+\log_{27}2)\\&=(\log_2 3+\log_{2^2}3)(\log_3 2+\log_{3^3}2)\\&=\left(\log_2 3+\frac{1}{2}\log_2 3\right)\left(\log_3 2+\frac{1}{3}\log_3 2\right)\\&=\frac{3}{2}\log_2 3\times\frac{4}{3}\log_3 2\\&=2\log_2 3\times\frac{1}{\log_2 3}=2\end{aligned}$$

089 답 5

$$\begin{aligned}&\log_5 49\times(\log_7\sqrt{5}-\log_{\frac{1}{49}}625)\\&=\log_5 7^2\times(\log_7 5^{\frac{1}{2}}-\log_{7^{-2}}5^4)\\&=2\log_5 7\times\left(\frac{1}{2}\log_7 5+\frac{4}{2}\log_7 5\right)\\&=2\log_5 7\times\frac{5}{2}\log_7 5\\&=5\log_5 7\times\frac{1}{\log_5 7}=5\end{aligned}$$

090 답 5

$2^{\log_2 25-\log_2 5}=2^{\log_2 5}=5^{\log_2 2}=5$

091 답 −3

092 답 2

$\log 100=\log 10^2=2$

093 답 −4

$\log\frac{1}{10000}=\log 10^{-4}=-4$

094 답 −5

$\log 0.00001=\log 10^{-5}=-5$

095 답 $\frac{7}{3}$

$\log\sqrt[3]{10^7}=\log 10^{\frac{7}{3}}=\frac{7}{3}$

096 답 $\frac{7}{2}$

$\log 1000\sqrt{10}=\log 10^{\frac{7}{2}}=\frac{7}{2}$

097 답 **4**

$\log 10+\log 1000=\log 10+\log 10^3=1+3=4$

098 답 $\frac{1}{6}$

$\log\sqrt{10}-\log\sqrt[3]{10}=\log 10^{\frac{1}{2}}-\log 10^{\frac{1}{3}}=\frac{1}{2}-\frac{1}{3}=\frac{1}{6}$

099 답 $-\frac{5}{2}$

$\log 0.1+\log\sqrt{\frac{1}{1000}}=\log 10^{-1}+\log 10^{-\frac{3}{2}}$

$=-1-\frac{3}{2}=-\frac{5}{2}$

100 답 $-\frac{5}{6}$

$\log\sqrt{1000}-\log\sqrt[3]{10}+\log\frac{1}{100}=\log 10^{\frac{3}{2}}-\log 10^{\frac{1}{3}}+\log 10^{-2}$

$=\frac{3}{2}-\frac{1}{3}-2=-\frac{5}{6}$

101 답 **10, 10, 0.5132, 1.5132**

102 답 **3.5132**

$\log 3260=\log(3.26\times 1000)$

$=\log 3.26+\log 10^3$

$=0.5132+3=3.5132$

103 답 **−0.4868**

$\log 0.326=\log\left(3.26\times\frac{1}{10}\right)$

$=\log 3.26+\log 10^{-1}$

$=0.5132-1=-0.4868$

104 답 **−2.4868**

$\log 0.00326=\log\left(3.26\times\frac{1}{1000}\right)$

$=\log 3.26+\log 10^{-3}$

$=0.5132-3=-2.4868$

105 답 **1.3522**

$\log 22.5=\log(2.25\times 10)$

$=\log 2.25+\log 10$

$=0.3522+1=1.3522$

106 답 **2.3655**

$\log 232=\log(2.32\times 100)$

$=\log 2.32+\log 10^2$

$=0.3655+2=2.3655$

107 답 **−1.6655**

$\log 0.0216=\log\left(2.16\times\frac{1}{100}\right)$

$=\log 2.16+\log 10^{-2}$

$=0.3345-2=-1.6655$

108 답 **−3.6517**

$\log 0.000223=\log\left(2.23\times\frac{1}{10000}\right)$

$=\log 2.23+\log 10^{-4}$

$=0.3483-4=-3.6517$

109 답 **1, 10, 13.2, 13.2**

110 답 **1320**

$\log 1.32=0.1206$이므로

$\log N=3.1206=3+0.1206$

$=\log 10^3+\log 1.32$

$=\log 1320$

$\therefore N=1320$

111 답 **0.132**

$\log 1.32=0.1206$이므로

$\log N=-0.8794=-1+0.1206$

$=\log 10^{-1}+\log 1.32$

$=\log 0.132$

$\therefore N=0.132$

112 답 **0.00132**

$\log 1.32=0.1206$이므로

$\log N=-2.8794=-3+0.1206$

$=\log 10^{-3}+\log 1.32$

$=\log 0.00132$

$\therefore N=0.00132$

113 답 **417**

$\log 4.17=0.6201$이므로

$\log N=2.6201=2+0.6201$

$=\log 10^2+\log 4.17$

$=\log 417$

$\therefore N=417$

114 답 **41700**

$\log 4.17=0.6201$이므로

$\log N=4.6201=4+0.6201$

$=\log 10^4+\log 4.17$

$=\log 41700$

$\therefore N=41700$

115 답 **0.0417**

$\log 4.17=0.6201$이므로

$\log N=-1.3799=-2+0.6201$

$=\log 10^{-2}+\log 4.17$

$=\log 0.0417$

$\therefore N=0.0417$

116 답 0.000417

$\log 4.17 = 0.6201$이므로

$$\begin{aligned}\log N &= -3.3799 = -4 + 0.6201 \\ &= \log 10^{-4} + \log 4.17 \\ &= \log 0.000417\end{aligned}$$

$\therefore N = 0.000417$

117 답 3, 3, 4

118 답 10자리

3^{20}에 상용로그를 취하면

$$\begin{aligned}\log 3^{20} &= 20 \log 3 \\ &= 20 \times 0.4771 \\ &= 9.542 = 9 + 0.542\end{aligned}$$

$\log 3^{20}$의 정수 부분이 9이므로 3^{20}은 10자리의 수이다.

119 답 16자리

2^{50}에 상용로그를 취하면

$$\begin{aligned}\log 2^{50} &= 50 \log 2 \\ &= 50 \times 0.3010 \\ &= 15.05 = 15 + 0.05\end{aligned}$$

$\log 2^{50}$의 정수 부분이 15이므로 2^{50}은 16자리의 수이다.

120 답 24자리

6^{30}에 상용로그를 취하면

$$\begin{aligned}\log 6^{30} &= 30 \log (2 \times 3) \\ &= 30(\log 2 + \log 3) \\ &= 30 \times (0.3010 + 0.4771) \\ &= 23.343 = 23 + 0.343\end{aligned}$$

$\log 6^{30}$의 정수 부분이 23이므로 6^{30}은 24자리의 수이다.

121 답 15자리

30^{10}에 상용로그를 취하면

$$\begin{aligned}\log 30^{10} &= 10 \log (3 \times 10) \\ &= 10(\log 3 + \log 10) \\ &= 10 \times (0.4771 + 1) \\ &= 14.771 = 14 + 0.771\end{aligned}$$

$\log 30^{10}$의 정수 부분이 14이므로 30^{10}은 15자리의 수이다.

122 답 14자리

5^{20}에 상용로그를 취하면

$$\begin{aligned}\log 5^{20} &= 20 \log \frac{10}{2} \\ &= 20(\log 10 - \log 2) \\ &= 20 \times (1 - 0.3010) \\ &= 13.98 = 13 + 0.98\end{aligned}$$

$\log 5^{20}$의 정수 부분이 13이므로 5^{20}은 14자리의 수이다.

123 답 −4, −4, 4

124 답 소수점 아래 5째 자리

$\frac{1}{3^{10}}$에 상용로그를 취하면

$$\begin{aligned}\log \frac{1}{3^{10}} &= \log 3^{-10} \\ &= -10 \log 3 \\ &= -10 \times 0.4771 \\ &= -4.771 = -5 + 0.229\end{aligned}$$

$\log \frac{1}{3^{10}}$의 정수 부분이 -5이므로 $\frac{1}{3^{10}}$은 소수점 아래 5째 자리에서 처음으로 0이 아닌 숫자가 나타난다.

125 답 소수점 아래 7째 자리

2^{-20}에 상용로그를 취하면

$$\begin{aligned}\log 2^{-20} &= -20 \log 2 \\ &= -20 \times 0.3010 \\ &= -6.02 = -7 + 0.98\end{aligned}$$

$\log 2^{-20}$의 정수 부분이 -7이므로 2^{-20}은 소수점 아래 7째 자리에서 처음으로 0이 아닌 숫자가 나타난다.

126 답 소수점 아래 24째 자리

6^{-30}에 상용로그를 취하면

$$\begin{aligned}\log 6^{-30} &= -30 \log (2 \times 3) \\ &= -30(\log 2 + \log 3) \\ &= -30 \times (0.3010 + 0.4771) \\ &= -23.343 = -24 + 0.657\end{aligned}$$

$\log 6^{-30}$의 정수 부분이 -24이므로 6^{-30}은 소수점 아래 24째 자리에서 처음으로 0이 아닌 숫자가 나타난다.

127 답 소수점 아래 33째 자리

$\left(\frac{2}{9}\right)^{50}$에 상용로그를 취하면

$$\begin{aligned}\log \left(\frac{2}{9}\right)^{50} &= 50 \log \frac{2}{3^2} \\ &= 50(\log 2 - 2 \log 3) \\ &= 50 \times (0.3010 - 2 \times 0.4771) \\ &= -32.66 = -33 + 0.34\end{aligned}$$

$\log \left(\frac{2}{9}\right)^{50}$의 정수 부분이 -33이므로 $\left(\frac{2}{9}\right)^{50}$은 소수점 아래 33째 자리에서 처음으로 0이 아닌 숫자가 나타난다.

128 답 소수점 아래 7째 자리

$\left(\frac{3}{5}\right)^{30}$에 상용로그를 취하면

$$\begin{aligned}\log \left(\frac{3}{5}\right)^{30} &= 30 \log \frac{6}{10} \\ &= 30 \log \frac{2 \times 3}{10} \\ &= 30(\log 2 + \log 3 - \log 10) \\ &= 30 \times (0.3010 + 0.4771 - 1) \\ &= -6.657 = -7 + 0.343\end{aligned}$$

$\log \left(\frac{3}{5}\right)^{30}$의 정수 부분이 -7이므로 $\left(\frac{3}{5}\right)^{30}$은 소수점 아래 7째 자리에서 처음으로 0이 아닌 숫자가 나타난다.

최종 점검하기

36~37쪽

1 ③	**2** ③	**3** ①	**4** ⑤	**5** ④	**6** ④
7 ⑤	**8** ①	**9** ②	**10** -0.2219		**11** ②
12 13자리		**13** 소수점 아래 22째 자리			

1 $\log_a 3=2$, $\log_b 5=2$에서

$a^2=3$, $b^2=5$

$\therefore a=\sqrt{3}$, $b=\sqrt{5}$ ($\because a>0$, $b>0$)

$\therefore ab=\sqrt{15}$

2 $\log_2\{\log_9(\log_2 a)\}=-1$에서

$\log_9(\log_2 a)=2^{-1}=\frac{1}{2}$

따라서 $\log_2 a=9^{\frac{1}{2}}=3$이므로

$a=2^3=8$

3 밑의 조건에서 $6-x>0$, $6-x\neq1$

$\therefore x<5$ 또는 $5<x<6$ …… ㉠

진수의 조건에서 $-x^2+4x+5>0$

$x^2-4x-5<0$, $(x+1)(x-5)<0$

$\therefore -1<x<5$ …… ㉡

㉠, ㉡에서 $-1<x<5$

따라서 모든 정수 x의 값의 합은

$0+1+2+3+4=10$

4 ⑤ $\frac{1}{2}\log_7\sqrt{7}=\frac{1}{2}\log_7 7^{\frac{1}{2}}=\frac{1}{2}\times\frac{1}{2}\log_7 7=\frac{1}{4}$

5 $\log_2 24+\log_2\frac{\sqrt{3}}{2}-\frac{3}{2}\log_2 3=\log_2 24+\log_2\frac{\sqrt{3}}{2}-\log_2 3\sqrt{3}$

$=\log_2\left(24\times\frac{\sqrt{3}}{2}\times\frac{1}{3\sqrt{3}}\right)$

$=\log_2 4$

$=\log_2 2^2$

$=2$

6 $108^x=6$에서 $x=\log_{108}6$

$3^y=6$에서 $y=\log_3 6$

$\therefore \frac{y-x}{xy}=\frac{1}{x}-\frac{1}{y}$

$=\frac{1}{\log_{108}6}-\frac{1}{\log_3 6}$

$=\log_6 108-\log_6 3$

$=\log_6 36$

$=\log_6 6^2$

$=2$

7 이차방정식의 근과 계수의 관계에 의하여

$a=\log_3 5+1=\log_3 5+\log_3 3=\log_3 15$

$b=\log_3 5\times1=\log_3 5$

$\therefore \frac{b}{a}=\frac{\log_3 5}{\log_3 15}=\log_{15}5$

8 $\left(\log_2\sqrt{3}+\frac{3}{4}\log_{\sqrt{2}}3\right)\times\log_{\frac{1}{27}}2\sqrt{2}$

$=\left(\log_2 3^{\frac{1}{2}}+\frac{3}{4}\log_{2^{\frac{1}{2}}}3\right)\times\log_{3^{-3}}2^{\frac{3}{2}}$

$=\left(\frac{1}{2}\log_2 3+\frac{3}{4}\times2\log_2 3\right)\times\left(-\frac{1}{3}\times\frac{3}{2}\log_3 2\right)$

$=2\log_2 3\times\left(-\frac{1}{2}\log_3 2\right)$

$=-1$

9 $\log_5 2=b$에서 $\log_2 5=\frac{1}{b}$

$\therefore \log_4 45=\log_{2^2}45=\frac{1}{2}\log_2(3^2\times5)$

$=\frac{1}{2}(2\log_2 3+\log_2 5)$

$=\log_2 3+\frac{1}{2}\log_2 5$

$=a+\frac{1}{2b}$

10 $\log\frac{3}{5}=\log\frac{6}{10}=\log\frac{2\times3}{10}$

$=\log 2+\log 3-\log 10$

$=0.3010+0.4771-1$

$=-0.2219$

11 $\log 4.28=0.6314$이므로

$a=\log 428=\log(4.28\times100)$

$=\log 4.28+\log 10^2$

$=0.6314+2$

$=2.6314$

$\log b=-1.3686=-2+0.6314$

$=\log 10^{-2}+\log 4.28$

$=\log 0.0428$

$\therefore b=0.0428$

$\therefore a+b=2.6742$

12 18^{10}에 상용로그를 취하면

$\log 18^{10}=10\log(2\times3^2)$

$=10(\log 2+2\log 3)$

$=10\times(0.3010+2\times0.4771)$

$=12.552$

$=12+0.552$

$\log 18^{10}$의 정수 부분이 12이므로 18^{10}은 13자리의 수이다.

13 12^{-20}에 상용로그를 취하면

$\log 12^{-20}=-20\log(2^2\times3)$

$=-20(2\log 2+\log 3)$

$=-20\times(2\times0.3010+0.4771)$

$=-21.582$

$=-22+0.418$

$\log 12^{-20}$의 정수 부분이 -22이므로 12^{-20}은 소수점 아래 22째 자리에서 처음으로 0이 아닌 숫자가 나타난다.

03 지수함수와 로그함수

40~51쪽

001 답 ○

002 답 ×

003 답 ○

004 답 ×

005 답 ○

006 답 **4**

$f(2)=2^2=4$

007 답 $\frac{1}{2}$

$f(-1)=2^{-1}=\frac{1}{2}$

008 답 $\sqrt{2}$

$f\left(\frac{1}{2}\right)=2^{\frac{1}{2}}=\sqrt{2}$

009 답 **128**

$f(3)f(4)=2^3\times2^4=2^7=128$

010 답 **8**

$\frac{f(8)}{f(5)}=\frac{2^8}{2^5}=2^3=8$

011 답

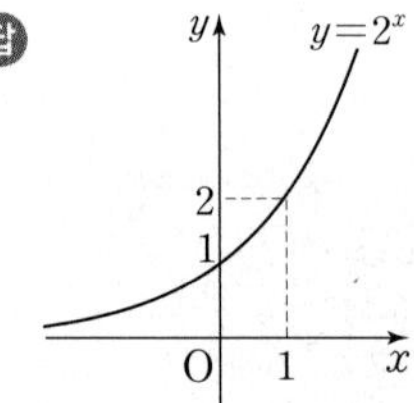

012 답

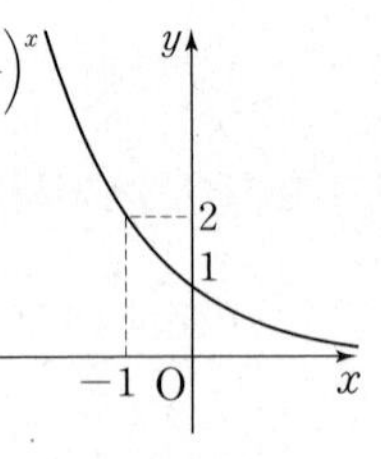

013 답

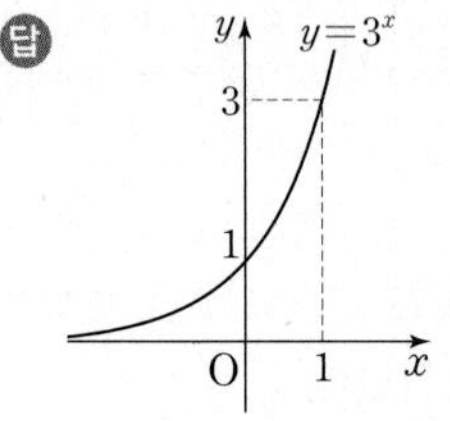

014 답 $y=\left(\frac{1}{3}\right)^x$

015 답 $y=2^{x-1}-2$

016 답 $y=3^{x+2}+1$

017 답 $y=\left(\frac{1}{3}\right)^{x-4}-1$

018 답 $y=-2^{x+3}+5$

019 답 $y=-2^{x-1}-1$

$-y=2^{x-1}+1$에서 $y=-2^{x-1}-1$

020 답 $y=\left(\frac{1}{2}\right)^{x+1}+1$

$y=2^{-x-1}+1$에서 $y=\left(\frac{1}{2}\right)^{x+1}+1$

021 답 $y=-\left(\frac{1}{2}\right)^{x+1}-1$

$-y=2^{-x-1}+1$에서 $y=-\left(\frac{1}{2}\right)^{x+1}-1$

022 답 **그래프는 풀이 참고, 점근선의 방정식: $y=-3$**

$y=2^{x+1}-3$의 그래프는 $y=2^x$의 그래프를 x축의 방향으로 -1만큼, y축의 방향으로 -3만큼 평행이동한 것이므로 오른쪽 그림과 같다.

따라서 점근선의 방정식은 $y=-3$이다.

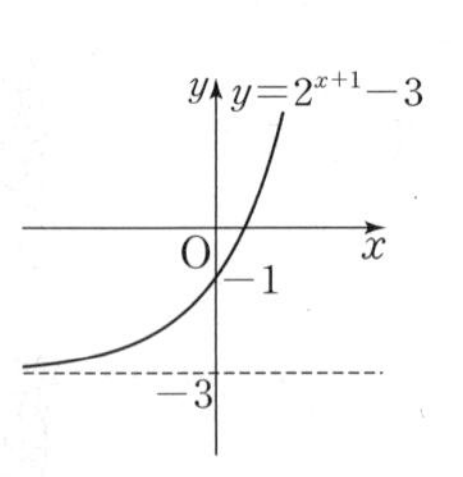

023 답 **그래프는 풀이 참고, 점근선의 방정식: $y=1$**

$y=2^{-x}+1$의 그래프는 $y=2^x$의 그래프를 y축에 대하여 대칭이동한 후 y축의 방향으로 1만큼 평행이동한 것이므로 오른쪽 그림과 같다.

따라서 점근선의 방정식은 $y=1$이다.

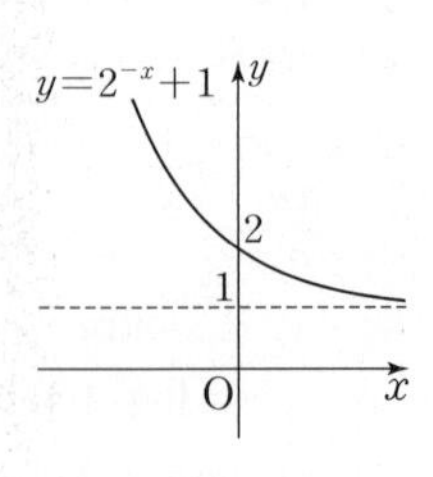

024 답 **그래프는 풀이 참고, 점근선의 방정식: $y=-1$**

$y=-2^x-1=-(2^x+1)$의 그래프는 $y=2^x$의 그래프를 y축의 방향으로 1만큼 평행이동한 후 x축에 대하여 대칭이동한 것이므로 오른쪽 그림과 같다.

따라서 점근선의 방정식은 $y=-1$이다.

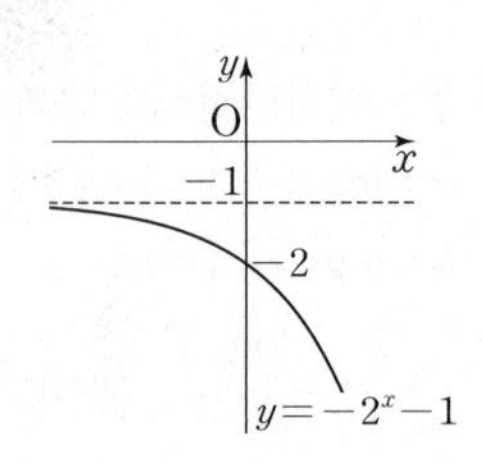

025 답 그래프는 풀이 참고,

점근선의 방정식: $y=-\frac{1}{2}$

$y=3^{x-1}-\frac{1}{2}$의 그래프는 $y=3^{x}$의 그래프를 x축의 방향으로 1만큼, y축의 방향으로 $-\frac{1}{2}$만큼 평행이동한 것이므로 오른쪽 그림과 같다.

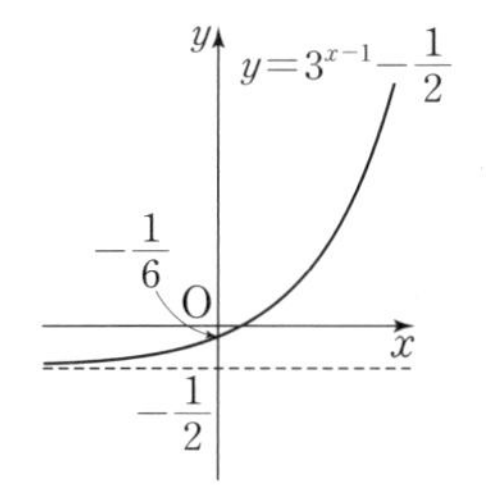

따라서 점근선의 방정식은 $y=-\frac{1}{2}$이다.

026 답 그래프는 풀이 참고,

점근선의 방정식: $y=0$

$y=-3^{-x}$의 그래프는 $y=3^{x}$의 그래프를 원점에 대하여 대칭이동한 것이므로 오른쪽 그림과 같다.

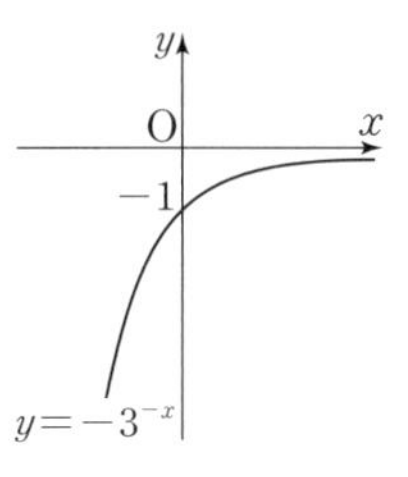

따라서 점근선의 방정식은 $y=0$이다.

027 답 그래프는 풀이 참고,

점근선의 방정식: $y=0$

$y=-3^{x+1}$의 그래프는 $y=3^{x}$의 그래프를 x축에 대하여 대칭이동한 후 x축의 방향으로 -1만큼 평행이동한 것이므로 오른쪽 그림과 같다.

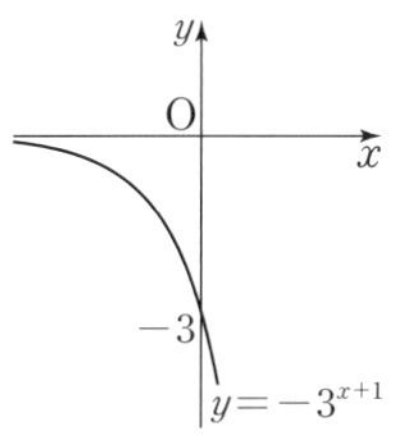

따라서 점근선의 방정식은 $y=0$이다.

028 답 ○

029 답 ×

밑이 1보다 크므로 x의 값이 증가하면 y의 값도 증가한다.

030 답 ○

031 답 ×

$x=0$일 때, $y=2^{-1}+3=\frac{1}{2}+3=\frac{7}{2}$

따라서 점 $\left(0, \frac{7}{2}\right)$을 지난다.

032 답 ○

$y=3^{x}$의 그래프를 y축에 대하여 대칭이동하면

$y=3^{-x}$　　$\therefore y=\left(\frac{1}{3}\right)^{x}$

다시 x축의 방향으로 2만큼, y축의 방향으로 -1만큼 평행이동하면

$y=\left(\frac{1}{3}\right)^{x-2}-1$

따라서 함수 $y=3^{x}$의 그래프를 평행이동, 대칭이동하여 일치할 수 있다.

033 답 ○

$y=\left(\frac{1}{3}\right)^{x-2}-1$의 그래프는 오른쪽 그림과 같으므로 제1, 2, 4사분면을 지난다.

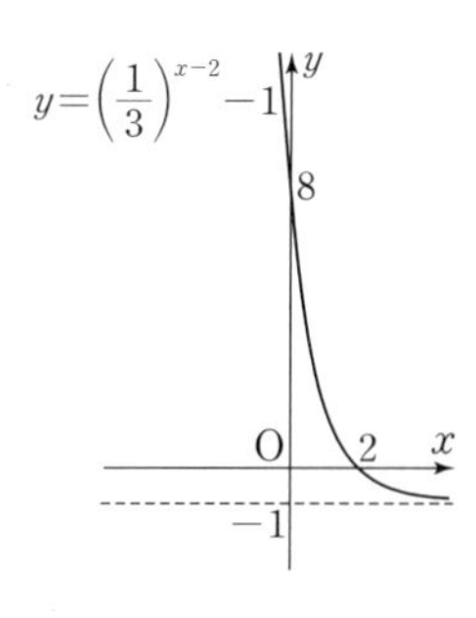

034 답 ×

점근선의 방정식은 $y=-1$이다.

035 답 ×

$x=2$일 때, $y=\left(\frac{1}{3}\right)^{0}-1=1-1=0$

따라서 점 (2, 0)을 지난다.

036 답 $4^{10}>8^{6}$

$4^{10}=2^{20}$, $8^{6}=2^{18}$

이때 $y=2^{x}$은 x의 값이 증가하면 y의 값도 증가하고 $20>18$이므로

$2^{20}>2^{18}$

$\therefore 4^{10}>8^{6}$

037 답 $\frac{1}{81}<\left(\sqrt{\frac{1}{3}}\right)^{5}$

$\frac{1}{81}=\left(\frac{1}{3}\right)^{4}$, $\left(\sqrt{\frac{1}{3}}\right)^{5}=\left(\frac{1}{3}\right)^{\frac{5}{2}}$

이때 $y=\left(\frac{1}{3}\right)^{x}$은 x의 값이 증가하면 y의 값은 감소하고 $4>\frac{5}{2}$이므로

$\left(\frac{1}{3}\right)^{4}<\left(\frac{1}{3}\right)^{\frac{5}{2}}$

$\therefore \frac{1}{81}<\left(\sqrt{\frac{1}{3}}\right)^{5}$

038 답 $\left(\frac{1}{2}\right)^{-3}<16^{1.25}$

$\left(\frac{1}{2}\right)^{-3}=2^{3}$, $16^{1.25}=2^{5}$

이때 $y=2^{x}$은 x의 값이 증가하면 y의 값도 증가하고 $3<5$이므로

$2^{3}<2^{5}$

$\therefore \left(\frac{1}{2}\right)^{-3}<16^{1.25}$

039 답 $\sqrt[3]{25}<0.2^{-\frac{3}{4}}<\sqrt{125}$

$\sqrt[3]{25}=5^{\frac{2}{3}}$, $0.2^{-\frac{3}{4}}=\left(\frac{1}{5}\right)^{-\frac{3}{4}}=5^{\frac{3}{4}}$, $\sqrt{125}=5^{\frac{3}{2}}$

이때 $y=5^{x}$은 x의 값이 증가하면 y의 값도 증가하고

$\frac{2}{3}<\frac{3}{4}<\frac{3}{2}$이므로

$5^{\frac{2}{3}}<5^{\frac{3}{4}}<5^{\frac{3}{2}}$

$\therefore \sqrt[3]{25}<0.2^{-\frac{3}{4}}<\sqrt{125}$

040 답 **최댓값: 9, 최솟값: $\frac{1}{3}$**

$x=-1$일 때, $y=3^{-1}=\frac{1}{3}$

$x=2$일 때, $y=3^2=9$

따라서 최댓값은 9, 최솟값은 $\frac{1}{3}$이다.

041 답 **최댓값: 2, 최솟값: $\frac{1}{4}$**

$x=-1$일 때, $y=\left(\frac{1}{2}\right)^{-1}=2$

$x=2$일 때, $y=\left(\frac{1}{2}\right)^2=\frac{1}{4}$

따라서 최댓값은 2, 최솟값은 $\frac{1}{4}$이다.

042 답 **최댓값: 5, 최솟값: $\frac{13}{4}$**

$x=-1$일 때, $y=2^{-1-1}+3=\frac{1}{4}+3=\frac{13}{4}$

$x=2$일 때, $y=2^{2-1}+3=2+3=5$

따라서 최댓값은 5, 최솟값은 $\frac{13}{4}$이다.

043 답 **최댓값: 26, 최솟값: 0**

$x=-1$일 때, $y=3^{2+1}-1=27-1=26$

$x=2$일 때, $y=3^{2-2}-1=1-1=0$

따라서 최댓값은 26, 최솟값은 0이다.

044 답 **3, −3, 1, 1, 2, −3, $\frac{1}{8}$**

045 답 **최댓값: 9, 최솟값: $\frac{1}{9}$**

$-x^2+6x-7=t$로 놓으면

$t=-(x-3)^2+2$

$1\le x\le 3$에서 $-2\le t\le 2$

이때 $y=3^t$의 밑이 1보다 크므로 $t=2$일 때 최댓값은 $3^2=9$,

$t=-2$일 때 최솟값은 $3^{-2}=\frac{1}{9}$이다.

046 답 **최댓값: 8, 최솟값: $\frac{1}{32}$**

$x^2+2x-3=t$로 놓으면

$t=(x+1)^2-4$

$0\le x\le 2$에서 $-3\le t\le 5$

이때 $y=\left(\frac{1}{2}\right)^t$의 밑이 1보다 작으므로 $t=-3$일 때 최댓값은

$\left(\frac{1}{2}\right)^{-3}=8$, $t=5$일 때 최솟값은 $\left(\frac{1}{2}\right)^5=\frac{1}{32}$이다.

047 답 **2^x, 2^x, $\frac{1}{2}$, 8, 1, 4, 8, 53, 1, 4**

048 답 **최댓값: 0, 최솟값: $-\frac{9}{4}$**

$y=9^x-3^{x+1}=(3^x)^2-3\times 3^x$

$3^x=t\,(t>0)$로 놓으면 $-1\le x\le 1$에서

$3^{-1}\le 3^x\le 3^1$

$\therefore \frac{1}{3}\le t\le 3$

이때 주어진 함수는

$y=t^2-3t=\left(t-\frac{3}{2}\right)^2-\frac{9}{4}$

따라서 $t=3$일 때 최댓값은 0, $t=\frac{3}{2}$일 때 최솟값은 $-\frac{9}{4}$이다.

049 답 **최댓값: 23, 최솟값: $\frac{1}{4}$**

$y=2^{-2x}+2^{-x+1}-1$

$=\left\{\left(\frac{1}{2}\right)^x\right\}^2+2\times\left(\frac{1}{2}\right)^x-1$

$\left(\frac{1}{2}\right)^x=t\,(t>0)$로 놓으면 $-2\le x\le 1$에서

$\left(\frac{1}{2}\right)^1\le\left(\frac{1}{2}\right)^x\le\left(\frac{1}{2}\right)^{-2}$

$\therefore \frac{1}{2}\le t\le 4$

이때 주어진 함수는

$y=t^2+2t-1=(t+1)^2-2$

따라서 $t=4$일 때 최댓값은 23, $t=\frac{1}{2}$일 때 최솟값은 $\frac{1}{4}$이다.

050 답 **$y=\log_2 x\ (x>0)$**

051 답 **$y=\log_{\frac{1}{3}} x\ (x>0)$**

052 답 **$y=\log_5 x-1\ (x>0)$**

$y=5^{x+1}$에서 $x+1=\log_5 y$

$\therefore x=\log_5 y-1$

이때 x와 y를 서로 바꾸면 구하는 역함수는

$y=\log_5 x-1\ (x>0)$

053 답 **$y=3^x$**

054 답 **$y=2^x+1$**

$y=\log_2(x-1)$에서 $x-1=2^y$

$\therefore x=2^y+1$

이때 x와 y를 서로 바꾸면 구하는 역함수는

$y=2^x+1$

055 답 **4**

$f(81)=\log_3 81=\log_3 3^4=4$

056 답 **−2**

$f\left(\frac{1}{9}\right)=\log_3\frac{1}{9}=\log_3 3^{-2}=-2$

057 답 **4**

$f(3)+f(27)=\log_3 3+\log_3 27$

$=1+\log_3 3^3$

$=1+3=4$

058 답 **2**

$$f(6)+f\left(\frac{3}{2}\right)=\log_3 6+\log_3 \frac{3}{2}$$
$$=\log_3\left(6\times\frac{3}{2}\right)$$
$$=\log_3 3^2=2$$

059 답 **1**

$$f(12)-f(4)=\log_3 12-\log_3 4$$
$$=\log_3\frac{12}{4}$$
$$=\log_3 3=1$$

060 답

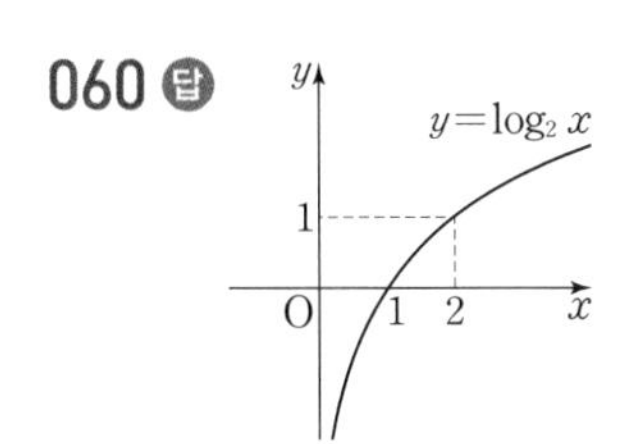

061 답

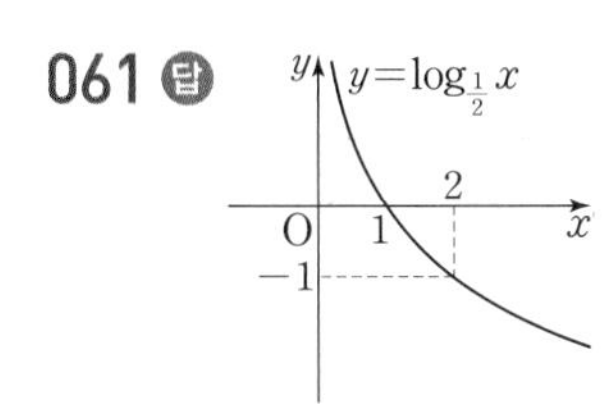

062 답

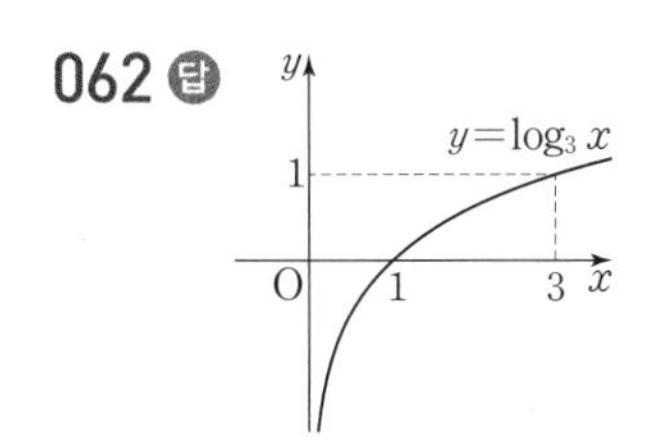

063 답

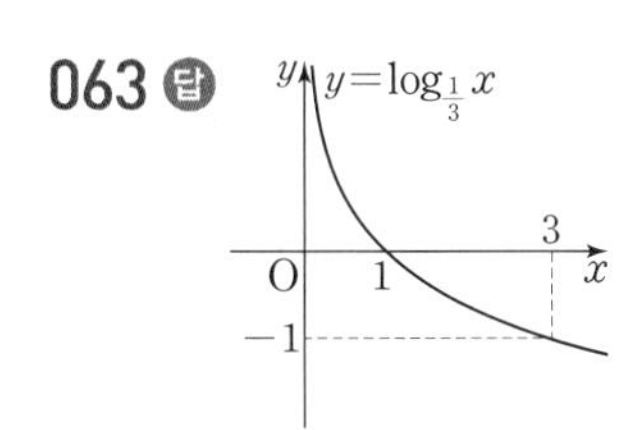

064 답 $\boldsymbol{y=\log_2(x-2)+1}$

065 답 $\boldsymbol{y=\log_3(x+1)+2}$

066 답 $\boldsymbol{y=\log_{\frac{1}{3}}(x-3)-2}$

067 답 $\boldsymbol{y=-\log_4(x+2)+5}$

068 답 $\boldsymbol{y=-\log_3(x+1)+1}$

$-y=\log_3(x+1)-1$에서 $y=-\log_3(x+1)+1$

069 답 $\boldsymbol{y=\log_3(1-x)-1}$

070 답 $\boldsymbol{y=-\log_3(1-x)+1}$

$-y=\log_3(1-x)-1$에서 $y=-\log_3(1-x)+1$

071 답 **그래프는 풀이 참고,**
점근선의 방정식: $x=2$

$y=\log_2(x-2)$의 그래프는 $y=\log_2 x$의 그래프를 x축의 방향으로 2만큼 평행이동한 것이므로 오른쪽 그림과 같다.
따라서 점근선의 방정식은 $x=2$이다.

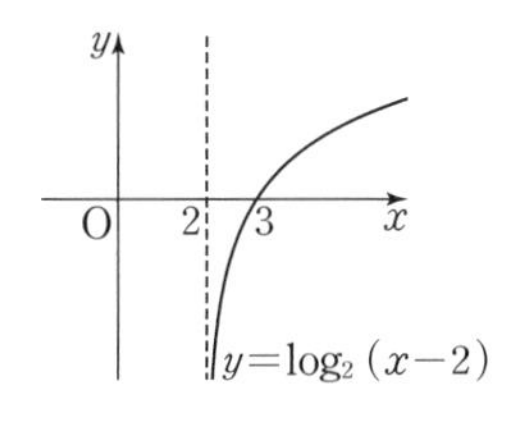

072 답 **그래프는 풀이 참고,**
점근선의 방정식: $x=0$

$y=\log_2 2x=\log_2 x+1$의 그래프는 $y=\log_2 x$의 그래프를 y축의 방향으로 1만큼 평행이동한 것이므로 오른쪽 그림과 같다.
따라서 점근선의 방정식은 $x=0$이다.

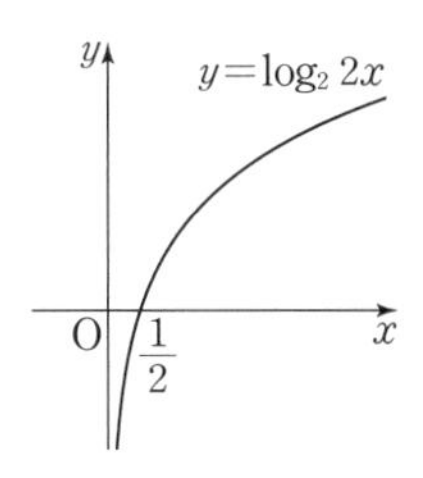

073 답 **그래프는 풀이 참고,**
점근선의 방정식: $x=0$

$y=\log_2(-x)$의 그래프는 $y=\log_2 x$의 그래프를 y축에 대하여 대칭이동한 것이므로 오른쪽 그림과 같다.
따라서 점근선의 방정식은 $x=0$이다.

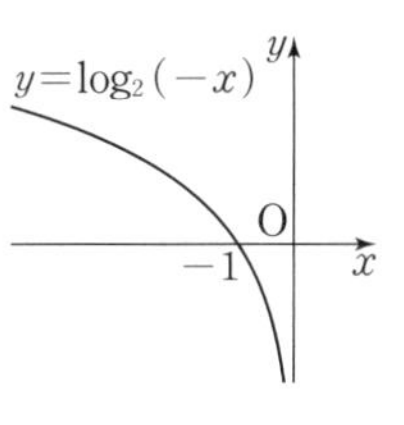

074 답 **그래프는 풀이 참고,**
점근선의 방정식: $x=-1$

$y=\log_3(x+1)-1$의 그래프는 $y=\log_3 x$의 그래프를 x축의 방향으로 -1만큼, y축의 방향으로 -1만큼 평행이동한 것이므로 오른쪽 그림과 같다.
따라서 점근선의 방정식은 $x=-1$이다.

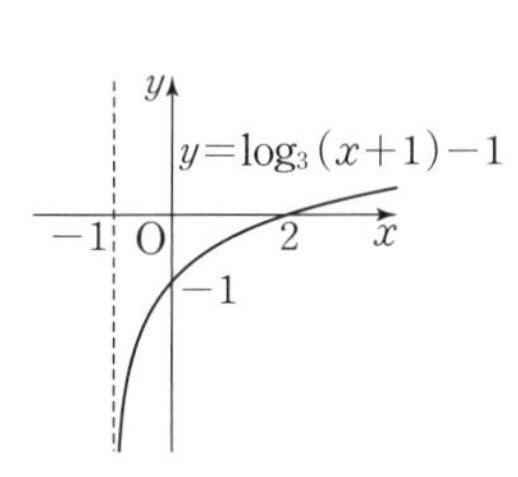

075 답 **그래프는 풀이 참고,**
점근선의 방정식: $x=0$

$y=\log_3\frac{1}{x}=-\log_3 x$의 그래프는 $y=\log_3 x$의 그래프를 x축에 대하여 대칭이동한 것이므로 오른쪽 그림과 같다.
따라서 점근선의 방정식은 $x=0$이다.

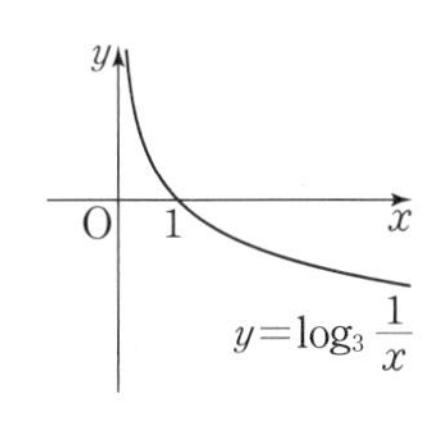

076 답 **그래프는 풀이 참고,**
점근선의 방정식: $x=2$

$y=\log_3(2-x)=\log_3\{-(x-2)\}$의 그래프는 $y=\log_3 x$의 그래프를 y축에 대하여 대칭이동한 후 x축의 방향으로 2만큼 평행이동한 것이므로 오른쪽 그림과 같다.
따라서 점근선의 방정식은 $x=2$이다.

077 답 ×

함수 $y=\log_2 x$의 그래프를 x축의 방향으로 1만큼, y축의 방향으로 -3만큼 평행이동한 것이다.

078 답 ○

밑이 1보다 크므로 x의 값이 증가하면 y의 값도 증가한다.

079 답 ×

$x-1>0$에서 $x>1$이므로 정의역은 $\{x|x>1\}$이다.

080 답 ○

$x=2$일 때, $y=\log_2 1-3=0-3=-3$
따라서 점 $(2,\ -3)$을 지난다.

081 답 ×

$y=\log_{\frac{1}{3}} x+2=-\log_3 x+2$이므로 함수 $y=\log_3 x$의 그래프를 x축에 대하여 대칭이동한 후 y축의 방향으로 2만큼 평행이동한 것이다.

082 답 ○

밑이 1보다 작으므로 x의 값이 증가하면 y의 값은 감소한다.

083 답 ○

$y=\log_{\frac{1}{3}} x+2$의 그래프는 오른쪽 그림과 같으므로 제1, 4사분면을 지난다.

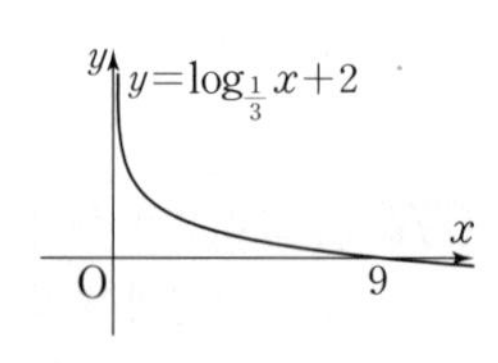

084 답 ×

점근선의 방정식은 $x=0$이다.

085 답 $\log_{\frac{1}{3}} 5>\log_{\frac{1}{3}} 7$

$y=\log_{\frac{1}{3}} x$는 x의 값이 증가하면 y의 값은 감소하고 $5<7$이므로
$\log_{\frac{1}{3}} 5>\log_{\frac{1}{3}} 7$

086 답 $2\log_2 3>\log_4 64$

$2\log_2 3=\log_2 9$, $\log_4 64=\log_2 8$
이때 $y=\log_2 x$는 x의 값이 증가하면 y의 값도 증가하고 $9>8$이므로
$\log_2 9>\log_2 8$
$\therefore 2\log_2 3>\log_4 64$

087 답 $\log_{\frac{1}{5}} \frac{1}{7}<-\log_{\frac{1}{5}} 8$

$-\log_{\frac{1}{5}} 8=\log_{\frac{1}{5}} \frac{1}{8}$

이때 $y=\log_{\frac{1}{5}} x$는 x의 값이 증가하면 y의 값은 감소하고 $\frac{1}{7}>\frac{1}{8}$이므로

$\log_{\frac{1}{5}} \frac{1}{7}<\log_{\frac{1}{5}} \frac{1}{8}$

$\therefore \log_{\frac{1}{5}} \frac{1}{7}<-\log_{\frac{1}{5}} 8$

088 답 $\log_{\frac{1}{3}} \frac{1}{2}<\frac{1}{2}\log_3 5<\log_9 16$

$\frac{1}{2}\log_3 5=\log_3 \sqrt{5}$, $\log_{\frac{1}{3}} \frac{1}{2}=\log_3 2$, $\log_9 16=\log_3 4$
이때 $y=\log_3 x$는 x의 값이 증가하면 y의 값도 증가하고 $2<\sqrt{5}<4$이므로
$\log_3 2<\log_3 \sqrt{5}<\log_3 4$
$\therefore \log_{\frac{1}{3}} \frac{1}{2}<\frac{1}{2}\log_3 5<\log_9 16$

089 답 최댓값: 4, 최솟값: 1

$x=2$일 때, $y=\log_2 2=1$
$x=16$일 때, $y=\log_2 16=4$
따라서 최댓값은 4, 최솟값은 1이다.

090 답 최댓값: -2, 최솟값: -3

$x=-1$일 때, $y=\log_{\frac{1}{3}} 3-1=-1-1=-2$
$x=5$일 때, $y=\log_{\frac{1}{3}} 9-1=-2-1=-3$
따라서 최댓값은 -2, 최솟값은 -3이다.

091 답 최댓값: 7, 최솟값: 5

$x=2$일 때, $y=\log_2 4+3=2+3=5$
$x=6$일 때, $y=\log_2 16+3=4+3=7$
따라서 최댓값은 7, 최솟값은 5이다.

092 답 최댓값: 3, 최솟값: 1

$x=-7$일 때, $y=\log_3 9+1=2+1=3$
$x=1$일 때, $y=\log_3 1+1=0+1=1$
따라서 최댓값은 3, 최솟값은 1이다.

093 답 2, 4, 64, 64, 6, 4, 2

094 답 최댓값: 2, 최솟값: $\log_3 5$

$-x^2+2x+8=t$로 놓으면
$t=-(x-1)^2+9$
$-1\le x\le 3$에서 $5\le t\le 9$
이때 $y=\log_3 t$의 밑이 1보다 크므로 $t=9$일 때 최댓값은 $\log_3 9=2$, $t=5$일 때 최솟값은 $\log_3 5$이다.

095 답 최댓값: 0, 최솟값: -1

$x^2-6x+10=t$로 놓으면
$t=(x-3)^2+1$
$1\le x\le 4$에서 $1\le t\le 5$
이때 $y=\log_{\frac{1}{5}} t$의 밑이 1보다 작으므로 $t=1$일 때 최댓값은 $\log_{\frac{1}{5}} 1=0$, $t=5$일 때 최솟값은 $\log_{\frac{1}{5}} 5=-1$이다.

096 답 0, 3, 1, 8, 3, 12, 1, 8

097 답 최댓값: 14, 최솟값: 5

$\log_2 x=t$로 놓으면 $1\le x\le 16$에서
$\log_2 1\le \log_2 x\le \log_2 16$ $\quad\therefore 0\le t\le 4$

이때 주어진 함수는

$y=t^2-2t+6=(t-1)^2+5$

따라서 $t=4$일 때 최댓값은 14, $t=1$일 때 최솟값은 5이다.

098 답 **최댓값: 6, 최솟값: −9**

$\log_{\frac{1}{3}} x=t$로 놓으면 $\frac{1}{9}\le x\le 3$에서

$\log_{\frac{1}{3}} 3\le \log_{\frac{1}{3}} x\le \log_{\frac{1}{3}} \frac{1}{9}$ $\quad\therefore -1\le t\le 2$

이때 주어진 함수는

$y=t^2-6t-1=(t-3)^2-10$

따라서 $t=-1$일 때 최댓값은 6, $t=2$일 때 최솟값은 -9이다.

연산 유형 최종 점검하기

52~53쪽

1 ③	2 $m=-1$, $n=4$	3 $a=3$, $b=-2$	4 ③
5 ①	6 ⑤	7 ②	8 ①	9 ⑤
10 $a=-1$, $b=-4$		11 ④	12 ④

1 ㄱ. 치역은 양의 실수 전체의 집합이다.

ㄹ. 임의의 실수 x_1, x_2에 대하여 $x_1<x_2$이면

(i) $a>1$일 때, $f(x_1)<f(x_2)$

(ii) $0<a<1$일 때, $f(x_1)>f(x_2)$

따라서 보기 중 옳은 것은 ㄴ, ㄷ이다.

2 $y=8\times 2^{3x}+4=2^{3x+3}+4=2^{3(x+1)}+4$이므로 함수 $y=8^x=2^{3x}$의 그래프를 x축의 방향으로 -1만큼, y축의 방향으로 4만큼 평행이동하면 함수 $y=8\times 2^{3x}+4$의 그래프와 일치한다.

$\therefore m=-1,\ n=4$

3 그래프의 점근선의 방정식이 $y=-2$이므로

$b=-2$

따라서 $f(x)=a\times 3^x-2$의 그래프가 점 $(0, 1)$을 지나므로

$a-2=1$ $\quad\therefore a=3$

4 $\sqrt[3]{4}=2^{\frac{2}{3}}$, $\left(\frac{1}{8}\right)^{-\frac{7}{9}}=2^{\frac{7}{3}}$,

$\sqrt{\sqrt{\sqrt{1024}}}=2^{\frac{5}{4}}$, $(2^{\frac{1}{3}}\times 16^{\frac{5}{6}})^{\frac{1}{2}}=2^{\frac{11}{6}}$

이때 $y=2^x$은 x의 값이 증가하면 y의 값도 증가하고

$\frac{2}{3}<\frac{5}{4}<\frac{11}{6}<\frac{7}{3}$이므로

$2^{\frac{2}{3}}<2^{\frac{5}{4}}<2^{\frac{11}{6}}<2^{\frac{7}{3}}$

$\therefore \sqrt[3]{4}<\sqrt{\sqrt{\sqrt{1024}}}<(2^{\frac{1}{3}}\times 16^{\frac{5}{6}})^{\frac{1}{2}}<\left(\frac{1}{8}\right)^{-\frac{7}{9}}$

따라서 가장 큰 수와 가장 작은 수의 곱은

$\left(\frac{1}{8}\right)^{-\frac{7}{9}}\times \sqrt[3]{4}=2^{\frac{7}{3}}\times 2^{\frac{2}{3}}=2^3=8$

5 $x=-1$일 때, 최댓값이 3이므로

$2^4+k=3$, $16+k=3$

$\therefore k=-13$

6 $y=2^{2x}-2^{x+1}+3=(2^x)^2-2\times 2^x+3$

$2^x=t\ (t>0)$로 놓으면 $0\le x\le 3$에서

$2^0\le 2^x\le 2^3$ $\quad\therefore 1\le t\le 8$

이때 주어진 함수는

$y=t^2-2t+3=(t-1)^2+2$

따라서 $t=8$일 때 최댓값은 51, $t=1$일 때 최솟값은 2이므로 구하는 합은

$51+2=53$

7 $y=\log_2 (x+1)-3$에서

$y+3=\log_2 (x+1)$

$x+1=2^{y+3}$

$\therefore x=2^{y+3}-1$

이때 x와 y를 서로 바꾸면 구하는 역함수는

$y=2^{x+3}-1$

따라서 $a=2$, $b=3$, $c=-1$이므로

$a+b+c=4$

8 $f(2)=4$에서

$\log_a 3+3=4$, $\log_a 3=1$

$\therefore a=3$

따라서 $f(x)=\log_3 (2x-1)+3$이므로

$f(5)=\log_3 9+3=2+3=5$

9 ⑤ 그래프는 함수 $y=\log_a \frac{1}{x}=-\log_a x$의 그래프와 x축에 대하여 대칭이다.

10 함수 $y=\log_{\frac{1}{2}} 4x$의 그래프를 x축의 방향으로 1만큼, y축의 방향으로 -2만큼 평행이동한 그래프의 식은

$y=\log_{\frac{1}{2}} 4(x-1)-2$

$=-\log_2 4(x-1)-2$

$=-\log_2 4-\log_2 (x-1)-2$

$=-2-\log_2 (x-1)-2$

$=-\log_2 (x-1)-4$

$\therefore a=-1,\ b=-4$

11 $A=\log_{\frac{1}{5}} 3$, $B=-1=\log_{\frac{1}{5}} 5$, $C=\frac{1}{2}\log_{\frac{1}{5}} 16=\log_{\frac{1}{5}} 4$

이때 $y=\log_{\frac{1}{5}} x$는 x의 값이 증가하면 y의 값은 감소하고 $3<4<5$이므로

$\log_{\frac{1}{5}} 5<\log_{\frac{1}{5}} 4<\log_{\frac{1}{5}} 3$

$\therefore B<C<A$

12 $x=-1$일 때, 최솟값이 2이므로

$\log_3 3+k=2$, $1+k=2$

$\therefore k=1$

04 지수함수와 로그함수의 활용

56~65쪽

001 답 $x=2$

$9^x=81$에서 $9^x=9^2$

$\therefore x=2$

002 답 $x=-4$

$2^{x-1}=\frac{1}{32}$에서 $2^{x-1}=2^{-5}$

따라서 $x-1=-5$이므로

$x=-4$

003 답 $x=3$

$5^{-x}=\frac{1}{125}$에서 $\left(\frac{1}{5}\right)^x=\left(\frac{1}{5}\right)^3$

$\therefore x=3$

004 답 $x=-\frac{7}{2}$

$\left(\frac{1}{3}\right)^{x+2}=3\sqrt{3}$에서 $3^{-x-2}=3^{\frac{3}{2}}$

따라서 $-x-2=\frac{3}{2}$이므로

$x=-\frac{7}{2}$

005 답 $x=-3$

$\left(\frac{1}{2}\right)^x=64\times2^x$에서 $2^{-x}=2^{x+6}$

따라서 $-x=x+6$이므로

$2x=-6 \qquad \therefore x=-3$

006 답 $x=-2$

$27^x=\left(\frac{1}{9}\right)^{1-x}$에서 $3^{3x}=3^{2x-2}$

따라서 $3x=2x-2$이므로

$x=-2$

007 답 $x=1$

$25^{x+1}=0.2^{2x-6}$에서

$5^{2x+2}=\left(\frac{1}{5}\right)^{2x-6}$, $5^{2x+2}=5^{-2x+6}$

따라서 $2x+2=-2x+6$이므로

$4x=4 \qquad \therefore x=1$

008 답 $x=-1$ 또는 $x=2$

$\left(\frac{3}{2}\right)^{x^2-2x}=\left(\frac{2}{3}\right)^{x-2}$에서 $\left(\frac{3}{2}\right)^{x^2-2x}=\left(\frac{3}{2}\right)^{-x+2}$

따라서 $x^2-2x=-x+2$이므로

$x^2-x-2=0$, $(x+1)(x-2)=0$

$\therefore x=-1$ 또는 $x=2$

009 답 2^x, 2^x, 4, 5, 1, 1, 1, 0

010 답 $x=2$

$9^x-6\times3^x-27=0$에서

$(3^x)^2-6\times3^x-27=0$

$3^x=t\,(t>0)$로 놓으면

$t^2-6t-27=0$, $(t+3)(t-9)=0$

$\therefore t=9$ ($\because t>0$)

따라서 $3^x=9=3^2$이므로

$x=2$

011 답 $x=2$

$5^{2x}=20\times5^x+5^{x+1}$에서

$(5^x)^2=20\times5^x+5\times5^x$, $(5^x)^2-25\times5^x=0$

$5^x=t\,(t>0)$로 놓으면

$t^2-25t=0$, $t(t-25)=0$

$\therefore t=25$ ($\because t>0$)

따라서 $5^x=25=5^2$이므로

$x=2$

012 답 $x=-2$ 또는 $x=-1$

$\left(\frac{1}{4}\right)^x-3\times\left(\frac{1}{2}\right)^{x-1}+8=0$에서

$\left\{\left(\frac{1}{2}\right)^x\right\}^2-6\times\left(\frac{1}{2}\right)^x+8=0$

$\left(\frac{1}{2}\right)^x=t\,(t>0)$로 놓으면

$t^2-6t+8=0$, $(t-4)(t-2)=0$

$\therefore t=4$ 또는 $t=2$

따라서 $\left(\frac{1}{2}\right)^x=4=\left(\frac{1}{2}\right)^{-2}$ 또는 $\left(\frac{1}{2}\right)^x=2=\left(\frac{1}{2}\right)^{-1}$이므로

$x=-2$ 또는 $x=-1$

013 답 1, 0, 4, 4

014 답 $x=1$ 또는 $x=4$

$(x^x)^4=x^x\times x^{12}$에서 $x^{4x}=x^{x+12}$

밑이 같으므로

(i) $x=1$

(ii) $4x=x+12$에서

$3x=12 \qquad \therefore x=4$

(i), (ii)에서 $x=1$ 또는 $x=4$

015 답 $x=3$ 또는 $x=4$

밑이 같으므로

(i) $x-2=1$에서 $x=3$

(ii) $x^2=3x+4$에서

$x^2-3x-4=0$, $(x+1)(x-4)=0$

$\therefore x=4$ ($\because x>2$)

(i), (ii)에서 $x=3$ 또는 $x=4$

016 답 6, 0, 2, 6

017 답 $x=2$

$x^{2x-4}=4^{x-2}$에서 $x^{2x-4}=2^{2x-4}$

지수가 같으므로

(i) $x=2$

(ii) $2x-4=0$에서

$2x=4 \quad \therefore x=2$

(i), (ii)에서 $x=2$

018 답 $x=-1$ 또는 $x=\frac{1}{2}$

지수가 같으므로

(i) $2x+3=x+2$에서 $x=-1$

(ii) $2x-1=0$에서

$2x=1 \quad \therefore x=\frac{1}{2}$

(i), (ii)에서 $x=-1$ 또는 $x=\frac{1}{2}$

019 답 $x>3$

$5^x>125$에서 $5^x>5^3$

밑이 1보다 크므로

$x>3$

020 답 $x>\frac{2}{3}$

$27^{2-x}<81$에서 $3^{6-3x}<3^4$

밑이 1보다 크므로

$6-3x<4$, $-3x<-2$

$\therefore x>\frac{2}{3}$

021 답 $x\le 6$

$8\times 2^x\le 512$에서 $2^{x+3}\le 2^9$

밑이 1보다 크므로

$x+3\le 9 \quad \therefore x\le 6$

022 답 $x\le -9$

$\left(\frac{1}{2}\right)^{x+3}\ge 64$에서 $2^{-x-3}\ge 2^6$

밑이 1보다 크므로

$-x-3\ge 6 \quad \therefore x\le -9$

023 답 $x<2$

$8^x<4^{x+1}$에서 $2^{3x}<2^{2x+2}$

밑이 1보다 크므로

$3x<2x+2 \quad \therefore x<2$

024 답 $x\ge -5$

$9^x\ge\left(\frac{1}{3}\right)^{x+15}$에서 $3^{2x}\ge 3^{-x-15}$

밑이 1보다 크므로

$2x\ge -x-15$, $3x\ge -15$

$\therefore x\ge -5$

025 답 $x>1$

$\left(\frac{1}{5}\right)^{2-x}>\left(\frac{1}{\sqrt{5}}\right)^{2x}$에서 $\left(\frac{1}{5}\right)^{2-x}>\left(\frac{1}{5}\right)^{x}$

밑이 1보다 작으므로

$2-x<x$, $2x>2 \quad \therefore x>1$

026 답 $x\ge\frac{5}{4}$

$0.3^{2x}\le 0.09^{5-3x}$에서 $0.3^{2x}\le 0.3^{10-6x}$

밑이 1보다 작으므로

$2x\ge 10-6x$, $8x\ge 10 \quad \therefore x\ge\frac{5}{4}$

027 답 3^x, 3^x, 8, 9, 9, 9, 9, 9, 2

028 답 $x\ge 1$

$3\times 4^x-2^{x+1}-8\ge 0$에서

$3\times(2^x)^2-2\times 2^x-8\ge 0$

$2^x=t\,(t>0)$로 놓으면

$3t^2-2t-8\ge 0$, $(3t+4)(t-2)\ge 0$

$\therefore t\le -\frac{4}{3}$ 또는 $t\ge 2$

그런데 $t>0$이므로 $t\ge 2$

따라서 $2^x\ge 2$이고 밑이 1보다 크므로

$x\ge 1$

029 답 $-1<x<1$

$2^{2x+1}-2^x-2^{x+2}+2<0$에서

$2\times(2^x)^2-2^x-4\times 2^x+2<0$

$2\times(2^x)^2-5\times 2^x+2<0$

$2^x=t\,(t>0)$로 놓으면

$2t^2-5t+2<0$, $(2t-1)(t-2)<0$

$\therefore \frac{1}{2}<t<2$

따라서 $\frac{1}{2}<2^x<2$이고 밑이 1보다 크므로

$-1<x<1$

030 답 $>$, 2, 1, 1, 2, 1, 2

031 답 $0<x\le\frac{2}{3}$ 또는 $x\ge 1$

(i) $0<x<1$일 때

$2x+1\le 3-x$에서 $3x\le 2 \quad \therefore x\le\frac{2}{3}$

그런데 $0<x<1$이므로 $0<x\le\frac{2}{3}$

(ii) $x=1$일 때

부등식은 성립한다.

(iii) $x>1$일 때

$2x+1\ge 3-x$에서 $3x\ge 2 \quad \therefore x\ge\frac{2}{3}$

그런데 $x>1$이므로 $x>1$

(i), (ii), (iii)에서 $0<x\le\frac{2}{3}$ 또는 $x\ge 1$

032 답 $1 \le x \le 4$

(i) $0 < x < 1$일 때

$x^2 \ge 3x+4$에서 $x^2-3x-4 \ge 0$

$(x+1)(x-4) \ge 0$ $\quad \therefore x \le -1$ 또는 $x \ge 4$

그런데 $0 < x < 1$이므로 해가 없다.

(ii) $x=1$일 때

부등식은 성립한다.

(iii) $x>1$일 때

$x^2 \le 3x+4$에서 $x^2-3x-4 \le 0$

$(x+1)(x-4) \le 0$ $\quad \therefore -1 \le x \le 4$

그런데 $x>1$이므로 $1 < x \le 4$

(i), (ii), (iii)에서 $1 \le x \le 4$

033 답 4년

n년 후에 제품의 가치가 50만 원이 된다고 하면

$100(2\sqrt{2})^{-\frac{1}{6}n}=50$

$(2\sqrt{2})^{-\frac{1}{6}n}=\frac{1}{2}$, $2^{-\frac{1}{4}n}=2^{-1}$

$-\frac{1}{4}n=-1$ $\quad \therefore n=4$

따라서 제품의 가치가 50만 원이 되는 것은 4년 후이다.

034 답 8년

투자한 5000만 원이 n년 후에 2억 원 이상이 된다고 하면

$5000 \times 2^{\frac{n}{4}} \ge 20000$

$2^{\frac{n}{4}} \ge 4$, $2^{\frac{n}{4}} \ge 2^2$

$\frac{n}{4} \ge 2$ $\quad \therefore n \ge 8$

따라서 투자한 5000만 원이 2억 원 이상이 되는 것은 최소 8년 후이다.

035 답 4, 4, 4, 4, 80

036 답 6시간

처음에 20마리였던 박테리아가 4시간 후에 1620마리가 되었으므로

$20 \times a^4=1620$

$a^4=81=3^4$ $\quad \therefore a=3$

20마리였던 박테리아가 n시간 후에 14580마리가 된다고 하면

$20 \times 3^n=14580$

$3^n=729=3^6$ $\quad \therefore n=6$

따라서 20마리였던 박테리아가 14580마리가 되는 것은 6시간 후이다.

037 답 $x=3$

진수의 조건에서 $2x+1>0$

$\therefore x>-\frac{1}{2}$ $\quad \cdots\cdots$ ㉠

$\log_2(2x+1)=\log_2 7$에서

$2x+1=7$, $2x=6$ $\quad \therefore x=3$

이것은 ㉠을 만족하므로 구하는 해이다.

038 답 $x=2$

진수의 조건에서 $3x-1>0$, $7-x>0$

$\therefore \frac{1}{3}<x<7$ $\quad \cdots\cdots$ ㉠

$\log_{\frac{1}{2}}(3x-1)=\log_{\frac{1}{2}}(7-x)$에서

$3x-1=7-x$, $4x=8$ $\quad \therefore x=2$

이것은 ㉠을 만족하므로 구하는 해이다.

039 답 $x=-1$

진수의 조건에서 $x+2>0$, $2x+3>0$

$\therefore x>-\frac{3}{2}$ $\quad \cdots\cdots$ ㉠

$2\log_5(x+2)=\log_5(2x+3)$에서

$\log_5(x+2)^2=\log_5(2x+3)$

따라서 $(x+2)^2=2x+3$이므로

$x^2+2x+1=0$, $(x+1)^2=0$ $\quad \therefore x=-1$

이것은 ㉠을 만족하므로 구하는 해이다.

040 답 $x=7$

진수의 조건에서 $5x+7>0$, $x>0$, $x-1>0$

$\therefore x>1$ $\quad \cdots\cdots$ ㉠

$\log_7(5x+7)=\log_7 x+\log_7(x-1)$에서

$\log_7(5x+7)=\log_7 x(x-1)$

따라서 $5x+7=x(x-1)$이므로

$x^2-6x-7=0$, $(x+1)(x-7)=0$

$\therefore x=-1$ 또는 $x=7$

이때 ㉠에 의하여 구하는 해는 $x=7$

041 답 $x=7$

진수의 조건에서 $2x-5>0$

$\therefore x>\frac{5}{2}$ $\quad \cdots\cdots$ ㉠

$-\log_{\frac{1}{5}}(2x-5)=\log_5 9$에서

$\log_5(2x-5)=\log_5 9$

따라서 $2x-5=9$이므로

$2x=14$ $\quad \therefore x=7$

이것은 ㉠을 만족하므로 구하는 해이다.

042 답 $x=3$

진수의 조건에서 $x-1>0$, $x+1>0$

$\therefore x>1$ $\quad \cdots\cdots$ ㉠

$\log_2(x-1)=\log_4(x+1)$에서

$\log_2(x-1)=\frac{1}{2}\log_2(x+1)$

$2\log_2(x-1)=\log_2(x+1)$

$\log_2(x-1)^2=\log_2(x+1)$

따라서 $(x-1)^2=x+1$이므로

$x^2-3x=0$, $x(x-3)=0$

$\therefore x=0$ 또는 $x=3$

이때 ㉠에 의하여 구하는 해는 $x=3$

043 답 $x=3$

진수의 조건에서 $x>0$, $x-2>0$

$\therefore x>2$ …… ㉠

$\log_3 x+\log_3 (x-2)=1$에서

$\log_3 x(x-2)=\log_3 3$

따라서 $x(x-2)=3$이므로

$x^2-2x-3=0$, $(x+1)(x-3)=0$

$\therefore x=-1$ 또는 $x=3$

이때 ㉠에 의하여 구하는 해는 $x=3$

044 답 $x=0$ 또는 $x=3$

진수의 조건에서 $x+3>0$, $x+1>0$

$\therefore x>-1$ …… ㉠

$\log_{\sqrt{3}} (x+3)=\log_3 (x+1)+2$에서

$2\log_3 (x+3)=\log_3 (x+1)+\log_3 9$

$\log_3 (x+3)^2=\log_3 9(x+1)$

따라서 $(x+3)^2=9(x+1)$이므로

$x^2-3x=0$, $x(x-3)=0$

$\therefore x=0$ 또는 $x=3$

이것은 ㉠을 만족하므로 구하는 해이다.

045 답 $\log_2 x$, 6, 2, 2, 2, 4

046 답 $x=\frac{1}{27}$ 또는 $x=3$

$(\log_3 x)^2+\log_3 x^2-3=0$에서

$(\log_3 x)^2+2\log_3 x-3=0$

$\log_3 x=t$로 놓으면

$t^2+2t-3=0$, $(t+3)(t-1)=0$

$\therefore t=-3$ 또는 $t=1$

따라서 $\log_3 x=-3$ 또는 $\log_3 x=1$이므로

$x=\frac{1}{27}$ 또는 $x=3$

047 답 $x=2$ 또는 $x=32$

$(1+\log_2 x)^2-\log_2 x^8+4=0$에서

$(\log_2 x)^2+2\log_2 x+1-8\log_2 x+4=0$

$(\log_2 x)^2-6\log_2 x+5=0$

$\log_2 x=t$로 놓으면

$t^2-6t+5=0$, $(t-1)(t-5)=0$

$\therefore t=1$ 또는 $t=5$

따라서 $\log_2 x=1$ 또는 $\log_2 x=5$이므로

$x=2$ 또는 $x=32$

048 답 2, $2x+1$, 2, $2x+1$, $\frac{\log 2+\log 3}{\log 2-2\log 3}$

049 답 $x=\frac{\log 3+2\log 5}{4\log 3-\log 5}$

$3^{4x-1}=5^{x+2}$의 양변에 상용로그를 취하면

$\log 3^{4x-1}=\log 5^{x+2}$

$(4x-1)\log 3=(x+2)\log 5$

$(4\log 3-\log 5)x=\log 3+2\log 5$

$\therefore x=\frac{\log 3+2\log 5}{4\log 3-\log 5}$

050 답 3, 3, 3, 3, 2, 2, 1, -1, -1, $\frac{1}{3}$

051 답 $x=5$ 또는 $x=25$

$x^{\log_5 x}=\frac{x^3}{25}$의 양변에 밑이 5인 로그를 취하면

$\log_5 x^{\log_5 x}=\log_5 \frac{x^3}{25}$

$(\log_5 x)^2=\log_5 x^3-\log_5 25$

$(\log_5 x)^2-3\log_5 x+2=0$

$\log_5 x=t$로 놓으면

$t^2-3t+2=0$, $(t-1)(t-2)=0$

$\therefore t=1$ 또는 $t=2$

따라서 $\log_5 x=1$ 또는 $\log_5 x=2$이므로

$x=5$ 또는 $x=25$

052 답 $x>6$

진수의 조건에서 $2x-1>0$

$\therefore x>\frac{1}{2}$ …… ㉠

$\log_3 (2x-1)>\log_3 11$에서 밑이 1보다 크므로

$2x-1>11$, $2x>12$ $\therefore x>6$ …… ㉡

㉠, ㉡의 공통 범위를 구하면

$x>6$

053 답 $\frac{3}{2}<x<4$

진수의 조건에서 $x+1>0$, $2x-3>0$

$\therefore x>\frac{3}{2}$ …… ㉠

$\log_{\frac{1}{5}} (x+1)<\log_{\frac{1}{5}} (2x-3)$에서 밑이 1보다 작으므로

$x+1>2x-3$ $\therefore x<4$ …… ㉡

㉠, ㉡의 공통 범위를 구하면

$\frac{3}{2}<x<4$

054 답 $1<x\le 3$

진수의 조건에서 $x>0$, $x-1>0$, $9-x>0$

$\therefore 1<x<9$ …… ㉠

$\log_2 x+\log_2 (x-1)\le\log_2 (9-x)$에서

$\log_2 x(x-1)\le\log_2 (9-x)$

밑이 1보다 크므로

$x(x-1)\le 9-x$

$x^2-9\le 0$, $(x+3)(x-3)\le 0$

$\therefore -3\le x\le 3$ …… ㉡

㉠, ㉡의 공통 범위를 구하면

$1<x\le 3$

055 답 $x>-\frac{2}{3}$

진수의 조건에서 $x+3>0$, $x^2+5>0$

$\therefore x>-3$ ...... ㉠

$\log_7(x+3)>\log_{49}(x^2+5)$에서

$\log_7(x+3)>\frac{1}{2}\log_7(x^2+5)$

$2\log_7(x+3)>\log_7(x^2+5)$

$\log_7(x+3)^2>\log_7(x^2+5)$

밑이 1보다 크므로

$(x+3)^2>x^2+5$

$6x>-4$

$\therefore x>-\frac{2}{3}$ ...... ㉡

㉠, ㉡의 공통 범위를 구하면

$x>-\frac{2}{3}$

056 답 $0\le x<1$

진수의 조건에서 $x+1>0$, $1-x>0$

$\therefore -1<x<1$ ...... ㉠

$\log_{\frac{1}{3}}(x+1)\le\log_{\frac{1}{9}}(1-x)$에서

$\log_{\frac{1}{3}}(x+1)\le\frac{1}{2}\log_{\frac{1}{3}}(1-x)$

$2\log_{\frac{1}{3}}(x+1)\le\log_{\frac{1}{3}}(1-x)$

$\log_{\frac{1}{3}}(x+1)^2\le\log_{\frac{1}{3}}(1-x)$

밑이 1보다 작으므로

$(x+1)^2\ge1-x$

$x^2+3x\ge0$, $x(x+3)\ge0$

$\therefore x\le-3$ 또는 $x\ge0$ ...... ㉡

㉠, ㉡의 공통 범위를 구하면

$0\le x<1$

057 답 $x\ge8$

진수의 조건에서 $x-2>0$, $x+1>0$

$\therefore x>2$ ...... ㉠

$\log_2(x-2)\ge\log_4(x+1)+1$에서

$\log_2(x-2)\ge\log_4(x+1)+\log_4 4$

$\log_2(x-2)\ge\log_4 4(x+1)$

$\log_2(x-2)\ge\frac{1}{2}\log_2 4(x+1)$

$2\log_2(x-2)\ge\log_2 4(x+1)$

$\log_2(x-2)^2\ge\log_2 4(x+1)$

밑이 1보다 크므로

$(x-2)^2\ge4(x+1)$

$x^2-8x\ge0$, $x(x-8)\ge0$

$\therefore x\le0$ 또는 $x\ge8$ ...... ㉡

㉠, ㉡의 공통 범위를 구하면

$x\ge8$

058 답 $\log_3 x$, 3, 1, 1, 1, $\frac{1}{81}$, 3, $\frac{1}{81}$, 3

059 답 $0<x\le\frac{1}{64}$ 또는 $x\ge4$

진수의 조건에서 $x>0$, $x^4>0$

$\therefore x>0$ ...... ㉠

$(\log_2 x)^2+\log_2 x^4-12\ge0$에서

$(\log_2 x)^2+4\log_2 x-12\ge0$

$\log_2 x=t$로 놓으면

$t^2+4t-12\ge0$

$(t+6)(t-2)\ge0$

$\therefore t\le-6$ 또는 $t\ge2$

따라서 $\log_2 x\le-6$ 또는 $\log_2 x\ge2$이고 밑이 1보다 크므로

$x\le\frac{1}{64}$ 또는 $x\ge4$ ...... ㉡

㉠, ㉡의 공통 범위를 구하면

$0<x\le\frac{1}{64}$ 또는 $x\ge4$

060 답 $0<x<2$ 또는 $x>32$

진수의 조건에서 $x>0$ ...... ㉠

주어진 부등식에서 $\log_{\frac{1}{2}}x=t$로 놓으면

$t^2+6t+5>0$

$(t+5)(t+1)>0$

$\therefore t<-5$ 또는 $t>-1$

따라서 $\log_{\frac{1}{2}}x<-5$ 또는 $\log_{\frac{1}{2}}x>-1$이고 밑이 1보다 작으므로

$x>32$ 또는 $x<2$ ...... ㉡

㉠, ㉡의 공통 범위를 구하면

$0<x<2$ 또는 $x>32$

061 답 2, x, 2, x, 2, 2, $\frac{\log 2}{\log 2-\log 5}$

062 답 $x>\frac{3}{\log 3-1}$

$3^x<10^{x+3}$의 양변에 상용로그를 취하면

$\log 3^x<\log 10^{x+3}$

$x\log 3<x+3$, $(\log 3-1)x<3$

$\therefore x>\frac{3}{\log 3-1}$

063 답 2, 2, 2, x, x, $\log_2 x$, 1, -1, -1, $\frac{1}{2}$, $\frac{1}{2}$

064 답 $0<x<\frac{1}{10}$ 또는 $x>1000$

진수의 조건에서 $x>0$ ...... ㉠

$x^{\log x}>1000x^2$의 양변에 상용로그를 취하면

$\log x^{\log x}>\log 1000x^2$

$(\log x)^2>\log 1000+\log x^2$

$(\log x)^2-2\log x-3>0$

$\log x=t$로 놓으면

$t^2-2t-3>0$, $(t+1)(t-3)>0$

$\therefore t<-1$ 또는 $t>3$

따라서 $\log x<-1$ 또는 $\log x>3$이고 밑이 1보다 크므로

$x<\frac{1}{10}$ 또는 $x>1000$ …… ㉡

㉠, ㉡의 공통 범위를 구하면

$0<x<\frac{1}{10}$ 또는 $x>1000$

065 답 10^{-7} 몰/L

$-\log x=7$에서 $\log x=-7$

$\therefore x=10^{-7}$

따라서 pH 7인 용액의 수소 이온 농도는 10^{-7} 몰/L이다.

066 답 $\frac{1}{100}$기압 이상 $\frac{1}{10}$기압 이하

평균 해수면에서 높이가 3320 m 이상 6640 m 이하인 곳의 기압을 x기압이라고 하면

$3.32\le-3.32\log x\le6.64$

$-2\le\log x\le-1$

밑이 1보다 크므로

$\frac{1}{100}\le x\le\frac{1}{10}$

따라서 구하는 기압은 $\frac{1}{100}$기압 이상 $\frac{1}{10}$기압 이하이다.

067 답 0.05, 0.05, 0.05, 2, 2, 2, 0.3, 15, 15

068 답 8번

처음 불순물의 양을 a라고 하면 여과기를 한 번 통과할 때 불순물의 20%, 즉 $\frac{1}{5}$이 걸러지므로 n번 통과한 후 남아 있는 불순물의 양은 $a\left(\frac{4}{5}\right)^n$이다.

여과기를 n번 통과한 후 남아 있는 불순물의 양이 처음의 20%, 즉 $\frac{1}{5}$ 이하가 된다고 하면

$a\left(\frac{4}{5}\right)^n\le\frac{1}{5}a$

양변을 a로 나누고 양변에 상용로그를 취하면

$\log\left(\frac{4}{5}\right)^n\le\log\frac{1}{5}$

$n\log\frac{8}{10}\le\log\frac{2}{10}$

$n(3\log2-1)\le\log2-1$

$\therefore n\ge\frac{\log2-1}{3\log2-1}=\frac{0.301-1}{3\times0.301-1}=7.2\times\times$

따라서 남아 있는 불순물의 양이 처음의 20% 이하가 되려면 여과기를 최소 8번 통과해야 한다.

연산 유형 최종 점검하기 66~67쪽

1 ③	2 ④	3 9	4 2	5 ⑤	6 ②
7 $0<x<1$ 또는 $x>3$			8 4년	9 $x=1$	10 ③
11 ⑤	12 ①	13 $1<x\le8$		14 ③	15 4

1 $\left(\frac{1}{3}\right)^{x^2+1}\times(\sqrt{3})^x-27^x=0$에서

$3^{-x^2-1}\times3^{\frac{1}{2}x}-3^{3x}=0$

$3^{-x^2+\frac{1}{2}x-1}=3^{3x}$

$-x^2+\frac{1}{2}x-1=3x$이므로

$2x^2+5x+2=0$, $(x+2)(2x+1)=0$

$\therefore x=-2$ 또는 $x=-\frac{1}{2}$

따라서 두 근의 차는

$-\frac{1}{2}-(-2)=\frac{3}{2}$

2 $2^x-2^{2-x}=3$에서

$2^x-\frac{4}{2^x}=3$

$2^x=t\ (t>0)$로 놓으면

$t-\frac{4}{t}=3$

$t^2-4=3t$, $t^2-3t-4=0$

$(t+1)(t-4)=0$

$\therefore t=4\ (\because t>0)$

즉, $2^x=4=2^2$이므로

$x=2$

따라서 $a=2$이므로

$\log_2 a=\log_2 2=1$

3 $x^x\times x^8-(x^x)^2=0$에서 $x^{x+8}=x^{2x}$

밑이 같으므로

(i) $x=1$

(ii) $x+8=2x$에서 $x=8$

(i), (ii)에서 $x=1$ 또는 $x=8$

따라서 모든 근의 합은

$1+8=9$

4 지수가 같으므로

(i) $x+2=8$에서 $x=6$

(ii) $3x-1=0$에서 $x=\frac{1}{3}$

(i), (ii)에서 $x=\frac{1}{3}$ 또는 $x=6$

따라서 모든 근의 곱은

$\frac{1}{3}\times6=2$

5 $\left(\frac{1}{7}\right)^{x-1}<\left(\frac{1}{49}\right)^{2-x}$에서

$\left(\frac{1}{7}\right)^{x-1}<\left(\frac{1}{7}\right)^{4-2x}$

밑이 1보다 작으므로

$x-1>4-2x$, $3x>5$

$\therefore x>\frac{5}{3}$

6 $2^{2x+1}-9\times2^x+4<0$에서
$2\times(2^x)^2-9\times2^x+4<0$
$2^x=t\,(t>0)$로 놓으면
$2t^2-9t+4<0$
$(2t-1)(t-4)<0$ $\quad\therefore \frac{1}{2}<t<4$
즉, $\frac{1}{2}<2^x<4$이고 밑이 1보다 크므로
$-1<x<2$
따라서 모든 정수 x의 값의 합은
$0+1=1$

7 (i) $0<x<1$일 때
$3x-1<x+5$에서 $2x<6$ $\quad\therefore x<3$
그런데 $0<x<1$이므로 $0<x<1$
(ii) $x=1$일 때
부등식은 성립하지 않는다.
(iii) $x>1$일 때
$3x-1>x+5$에서 $2x>6$ $\quad\therefore x>3$
(i), (ii), (iii)에서 $0<x<1$ 또는 $x>3$

8 n년 후에 전자 기기의 가치가 256만 원이 된다고 하면
$625(1-0.2)^n=256$
$\left(\frac{4}{5}\right)^n=\left(\frac{4}{5}\right)^4$ $\quad\therefore n=4$
따라서 전자 기기의 가치가 처음으로 256만 원이 되는 것은 구매한 지 4년 후이다.

9 진수의 조건에서 $x>0$, $x\neq-8$
$\therefore x>0$ $\quad\cdots\cdots$ ㉠
$\log_3 x+\log_9 (x+8)^2=2$에서
$\log_3 x+\log_3 (x+8)=2$
$\log_3 x(x+8)=\log_3 9$
따라서 $x(x+8)=9$이므로
$x^2+8x-9=0$, $(x+9)(x-1)=0$
$\therefore x=-9$ 또는 $x=1$
이때 ㉠에 의하여 구하는 해는
$x=1$

10 $(\log_2 4x)^2-2\log_2 8x^2=14$에서
$(2+\log_2 x)^2-2(3+2\log_2 x)=14$
$(\log_2 x)^2-16=0$
$\log_2 x=t$로 놓으면
$t^2-16=0$, $(t+4)(t-4)=0$
$\therefore t=-4$ 또는 $t=4$
즉, $\log_2 x=-4$ 또는 $\log_2 x=4$이므로
$x=\frac{1}{16}$ 또는 $x=16$
따라서 모든 근의 곱은
$\frac{1}{16}\times16=1$

11 $x^{\log_2 x}=16x^3$의 양변에 밑이 2인 로그를 취하면
$\log_2 x^{\log_2 x}=\log_2 16x^3$
$(\log_2 x)^2=4+3\log_2 x$
$\log_2 x=t$로 놓으면
$t^2-3t-4=0$, $(t+1)(t-4)=0$
$\therefore t=-1$ 또는 $t=4$
즉, $\log_2 x=-1$ 또는 $\log_2 x=4$이므로
$x=\frac{1}{2}$ 또는 $x=16$
따라서 모든 근의 곱은
$\frac{1}{2}\times16=8$

12 진수의 조건에서 $x+2>0$, $x-1>0$
$\therefore x>1$ $\quad\cdots\cdots$ ㉠
$\log_2 (x+2)+\log_2 (x-1)<2$에서
$\log_2 (x+2)(x-1)<\log_2 4$
밑이 1보다 크므로
$(x+2)(x-1)<4$
$x^2+x-6<0$, $(x+3)(x-2)<0$
$\therefore -3<x<2$ $\quad\cdots\cdots$ ㉡
㉠, ㉡의 공통 범위를 구하면 $1<x<2$
따라서 $\alpha=1$, $\beta=2$이므로 $\beta-\alpha=1$

13 진수의 조건에서 $\log_2 x>0$, $x>0$
$\therefore x>1$ $\quad\cdots\cdots$ ㉠
$\log_3 (\log_2 x)\le1$에서 $\log_2 x\le3$
$\therefore x\le8$ $\quad\cdots\cdots$ ㉡
㉠, ㉡의 공통 범위를 구하면
$1<x\le8$

14 진수의 조건에서 $x>0$ $\quad\cdots\cdots$ ㉠
$\log_{\frac{1}{3}} 3x\times\log_3 \frac{x}{9}>0$에서
$-\log_3 3x\times(\log_3 x-2)>0$
$(\log_3 x+1)(\log_3 x-2)<0$
$\log_3 x=t$로 놓으면
$(t+1)(t-2)<0$ $\quad\therefore -1<t<2$
따라서 $-1<\log_3 x<2$이고 밑이 1보다 크므로
$\frac{1}{3}<x<9$ $\quad\cdots\cdots$ ㉡
㉠, ㉡의 공통 범위를 구하면 $\frac{1}{3}<x<9$
따라서 $\alpha=\frac{1}{3}$, $\beta=9$이므로 $\alpha\beta=3$

15 $2^x<10^{6-x}$의 양변에 상용로그를 취하면
$\log 2^x<\log 10^{6-x}$
$x\log 2<6-x$, $(\log 2+1)x<6$
$\therefore x<\frac{6}{\log 2+1}=\frac{6}{0.3+1}=4.6\times\times$
따라서 부등식을 만족하는 가장 큰 정수 x의 값은 4이다.

05 삼각함수

70~79쪽

001 답
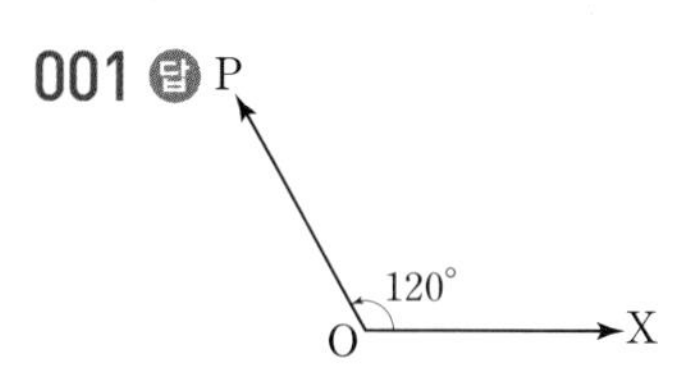

002 답
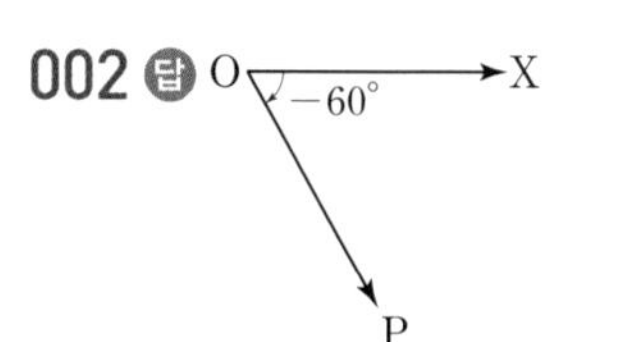

003 답
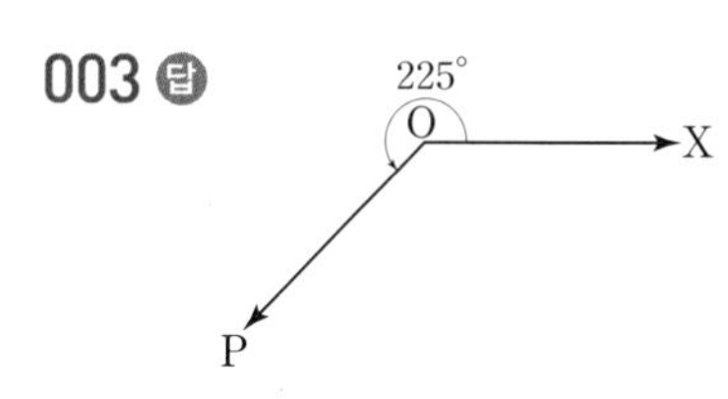

004 답
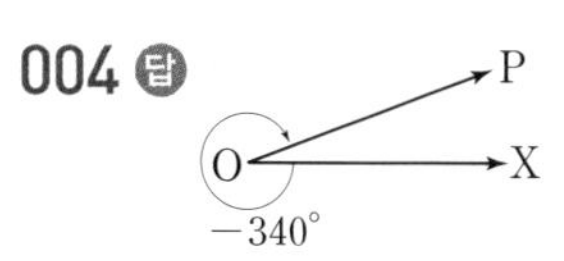

005 답 $\theta=360°\times n+30°$ (단, n은 정수)

006 답 $\theta=360°\times n+125°$ (단, n은 정수)

007 답 $\theta=360°\times n-50°$ (단, n은 정수)
또는 $\theta=360°\times n+310°$ (단, n은 정수)

008 답 $360°\times n+120°$

$480°=360°\times 1+120°$이므로
$360°\times n+120°$

009 답 $360°\times n+45°$

$765°=360°\times 2+45°$이므로
$360°\times n+45°$

010 답 $360°\times n+30°$

$-1050°=360°\times(-3)+30°$이므로
$360°\times n+30°$

011 답 $75°$, 1

012 답 제3사분면

$930°=360°\times 2+210°$이므로 $930°$를 나타내는 동경은 제3사분면에 있다.

013 답 제2사분면

$-580°=360°\times(-2)+140°$이므로 $-580°$를 나타내는 동경은 제2사분면에 있다.

014 답 제4사분면

$-1145°=360°\times(-4)+295°$이므로 $-1145°$를 나타내는 동경은 제4사분면에 있다.

015 답 $\frac{\pi}{180}$, $\frac{\pi}{6}$

016 답 $\frac{\pi}{3}$

$60°=60\times 1°=60\times\frac{\pi}{180}=\frac{\pi}{3}$

017 답 $\frac{5}{12}\pi$

$75°=75\times 1°=75\times\frac{\pi}{180}=\frac{5}{12}\pi$

018 답 $\frac{\pi}{2}$

$90°=90\times 1°=90\times\frac{\pi}{180}=\frac{\pi}{2}$

019 답 $\frac{5}{6}\pi$

$150°=150\times 1°=150\times\frac{\pi}{180}=\frac{5}{6}\pi$

020 답 $\frac{7}{4}\pi$

$315°=315\times 1°=315\times\frac{\pi}{180}=\frac{7}{4}\pi$

021 답 $180°$, $45°$

022 답 $120°$

$\frac{2}{3}\pi=\frac{2}{3}\pi\times\frac{180°}{\pi}=120°$

023 답 $330°$

$\frac{11}{6}\pi=\frac{11}{6}\pi\times\frac{180°}{\pi}=330°$

024 답 $105°$

$\frac{7}{12}\pi=\frac{7}{12}\pi\times\frac{180°}{\pi}=105°$

025 답 $468°$

$\frac{13}{5}\pi=\frac{13}{5}\pi\times\frac{180°}{\pi}=468°$

026 답 $-54°$

$-\frac{3}{10}\pi=-\frac{3}{10}\pi\times\frac{180°}{\pi}=-54°$

027 답 $2n\pi+\pi$

$5\pi=2\pi\times 2+\pi$이므로
$2n\pi+\pi$

028 답 $2n\pi+\frac{3}{2}\pi$

$\frac{7}{2}\pi=2\pi\times1+\frac{3}{2}\pi$이므로

$2n\pi+\frac{3}{2}\pi$

029 답 $2n\pi+\frac{2}{3}\pi$

$\frac{14}{3}\pi=2\pi\times2+\frac{2}{3}\pi$이므로

$2n\pi+\frac{2}{3}\pi$

030 답 $2n\pi+\frac{11}{6}\pi$

$\frac{23}{6}\pi=2\pi\times1+\frac{11}{6}\pi$이므로

$2n\pi+\frac{11}{6}\pi$

031 답 $2n\pi+\pi$

$-7\pi=2\pi\times(-4)+\pi$이므로

$2n\pi+\pi$

032 답 $2n\pi+\frac{7}{5}\pi$

$-\frac{3}{5}\pi=2\pi\times(-1)+\frac{7}{5}\pi$이므로

$2n\pi+\frac{7}{5}\pi$

033 답 $\frac{\pi}{6}$, $\frac{4}{3}\pi$, $\frac{\pi}{6}$, $\frac{16}{3}\pi$

034 답 $l=\frac{3}{2}\pi$, $S=\frac{3}{2}\pi$

$l=2\times\frac{3}{4}\pi=\frac{3}{2}\pi$

$S=\frac{1}{2}\times2^2\times\frac{3}{4}\pi=\frac{3}{2}\pi$

035 답 $l=6\pi$, $S=27\pi$

$l=9\times\frac{2}{3}\pi=6\pi$

$S=\frac{1}{2}\times9^2\times\frac{2}{3}\pi=27\pi$

036 답 $l=16\pi$, $S=96\pi$

$240°=\frac{4}{3}\pi$이므로

$l=12\times\frac{4}{3}\pi=16\pi$

$S=\frac{1}{2}\times12^2\times\frac{4}{3}\pi=96\pi$

037 답 $r=8$, $S=8\pi$

$2\pi=r\times\frac{\pi}{4}$이므로 $r=8$

$\therefore S=\frac{1}{2}\times8\times2\pi=8\pi$

038 답 $\theta=\frac{\pi}{3}$, $l=\pi$

$\frac{3}{2}\pi=\frac{1}{2}\times3^2\times\theta$이므로 $\theta=\frac{\pi}{3}$

$\therefore l=3\times\frac{\pi}{3}=\pi$

039 답 $r=5$, $\theta=\frac{4}{5}$

$10=\frac{1}{2}\times r\times4$이므로 $r=5$

따라서 $4=5\times\theta$이므로 $\theta=\frac{4}{5}$

040 답 36

부채꼴의 반지름의 길이가 6이고 둘레의 길이가 24이므로 호의 길이를 l이라고 하면

$6\times2+l=24 \qquad \therefore l=12$

따라서 부채꼴의 넓이는

$\frac{1}{2}\times6\times12=36$

041 답 $2r$, $2r$, 3, 9, 9, 3

042 답 5

부채꼴의 반지름의 길이를 r, 호의 길이를 l, 넓이를 S라고 하면

$2r+l=20 \qquad \therefore l=20-2r$

$\therefore S=\frac{1}{2}rl=\frac{1}{2}r(20-2r)$

$=-(r-5)^2+25$

따라서 부채꼴의 넓이의 최댓값은 25이고 그때의 반지름의 길이는 5이다.

043 답 1600 m^2

부채꼴의 반지름의 길이를 r m, 호의 길이를 l m, 넓이를 $S\text{ m}^2$라고 하면

$2r+l=160 \qquad \therefore l=160-2r$

$\therefore S=\frac{1}{2}rl=\frac{1}{2}r(160-2r)$

$=-(r-40)^2+1600$

따라서 꽃밭의 넓이의 최댓값은 1600 m^2이다.

044 답 3, 5, $-\frac{4}{5}$, $\frac{3}{5}$, $-\frac{4}{3}$

045 답 $\sin\theta=\frac{12}{13}$, $\cos\theta=-\frac{5}{13}$, $\tan\theta=-\frac{12}{5}$

$\overline{OP}=\sqrt{(-5)^2+12^2}=13$이므로

$\sin\theta=\frac{12}{13}$, $\cos\theta=-\frac{5}{13}$, $\tan\theta=-\frac{12}{5}$

046 답 $\sin\theta=-\frac{3}{5}$, $\cos\theta=-\frac{4}{5}$, $\tan\theta=\frac{3}{4}$

$\overline{OP}=\sqrt{(-8)^2+(-6)^2}=10$이므로

$\sin\theta=\frac{-6}{10}=-\frac{3}{5}$, $\cos\theta=\frac{-8}{10}=-\frac{4}{5}$, $\tan\theta=\frac{-6}{-8}=\frac{3}{4}$

047 답 $\frac{\sqrt{2}}{2}$, $\frac{\sqrt{2}}{2}$, $-\frac{\sqrt{2}}{2}$, $\frac{\sqrt{2}}{2}$, $\frac{\sqrt{2}}{2}$, $-\frac{\sqrt{2}}{2}$, -1

048 답 $\sin\theta=-\frac{1}{2}$, $\cos\theta=-\frac{\sqrt{3}}{2}$, $\tan\theta=\frac{\sqrt{3}}{3}$

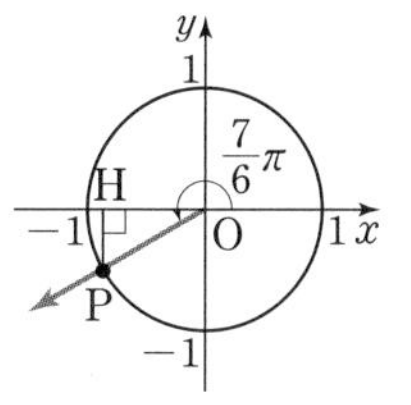

오른쪽 그림과 같이 $\frac{7}{6}\pi$를 나타내는 동경과 반지름의 길이가 1인 원의 교점을 P, 점 P에서 x축에 내린 수선의 발을 H라고 하면

$\overline{PH}=\overline{OP}\sin\frac{\pi}{6}=\frac{1}{2}$,

$\overline{OH}=\overline{OP}\cos\frac{\pi}{6}=\frac{\sqrt{3}}{2}$

따라서 점 P의 좌표는 $\left(-\frac{\sqrt{3}}{2}, -\frac{1}{2}\right)$이므로

$\sin\theta=-\frac{1}{2}$, $\cos\theta=-\frac{\sqrt{3}}{2}$, $\tan\theta=\frac{\sqrt{3}}{3}$

049 답 $\sin\theta=-\frac{\sqrt{3}}{2}$, $\cos\theta=\frac{1}{2}$, $\tan\theta=-\sqrt{3}$

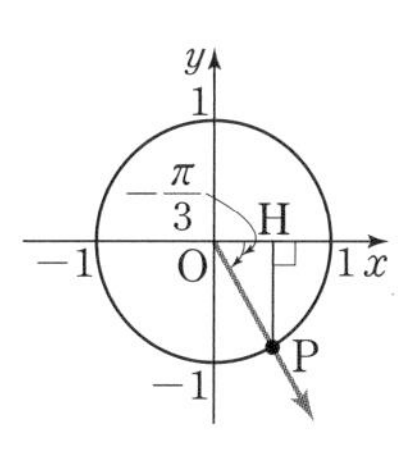

오른쪽 그림과 같이 $-\frac{\pi}{3}$를 나타내는 동경과 반지름의 길이가 1인 원의 교점을 P, 점 P에서 x축에 내린 수선의 발을 H라고 하면

$\overline{PH}=\overline{OP}\sin\frac{\pi}{3}=\frac{\sqrt{3}}{2}$,

$\overline{OH}=\overline{OP}\cos\frac{\pi}{3}=\frac{1}{2}$

따라서 점 P의 좌표는 $\left(\frac{1}{2}, -\frac{\sqrt{3}}{2}\right)$이므로

$\sin\theta=-\frac{\sqrt{3}}{2}$, $\cos\theta=\frac{1}{2}$, $\tan\theta=-\sqrt{3}$

050 답 1, >, >, >

051 답 $\sin\theta>0$, $\cos\theta<0$, $\tan\theta<0$

$\frac{8}{3}\pi$는 제2사분면의 각이므로

$\sin\theta>0$, $\cos\theta<0$, $\tan\theta<0$

052 답 $\sin\theta<0$, $\cos\theta<0$, $\tan\theta>0$

$-\frac{3}{4}\pi$는 제3사분면의 각이므로

$\sin\theta<0$, $\cos\theta<0$, $\tan\theta>0$

053 답 $\sin\theta<0$, $\cos\theta>0$, $\tan\theta<0$

$-\frac{5}{12}\pi$는 제4사분면의 각이므로

$\sin\theta<0$, $\cos\theta>0$, $\tan\theta<0$

054 답 제2사분면

055 답 제3사분면

056 답 제4사분면

057 답 제1사분면 또는 제3사분면

$\sin\theta\cos\theta>0$에서

$\sin\theta>0$, $\cos\theta>0$ 또는 $\sin\theta<0$, $\cos\theta<0$

$\sin\theta>0$, $\cos\theta>0$이면 θ는 제1사분면의 각이고

$\sin\theta<0$, $\cos\theta<0$이면 θ는 제3사분면의 각이므로

θ는 제1사분면 또는 제3사분면의 각이다.

058 답 제3사분면 또는 제4사분면

$\cos\theta\tan\theta<0$에서

$\cos\theta>0$, $\tan\theta<0$ 또는 $\cos\theta<0$, $\tan\theta>0$

$\cos\theta>0$, $\tan\theta<0$이면 θ는 제4사분면의 각이고

$\cos\theta<0$, $\tan\theta>0$이면 θ는 제3사분면의 각이므로

θ는 제3사분면 또는 제4사분면의 각이다.

059 답 제2사분면

(i) $\sin\theta\cos\theta<0$에서

$\sin\theta>0$, $\cos\theta<0$ 또는 $\sin\theta<0$, $\cos\theta>0$

$\sin\theta>0$, $\cos\theta<0$이면 θ는 제2사분면의 각이고

$\sin\theta<0$, $\cos\theta>0$이면 θ는 제4사분면의 각이므로

θ는 제2사분면 또는 제4사분면의 각이다.

(ii) $\sin\theta\tan\theta<0$에서

$\sin\theta>0$, $\tan\theta<0$ 또는 $\sin\theta<0$, $\tan\theta>0$

$\sin\theta>0$, $\tan\theta<0$이면 θ는 제2사분면의 각이고

$\sin\theta<0$, $\tan\theta>0$이면 θ는 제3사분면의 각이므로

θ는 제2사분면 또는 제3사분면의 각이다.

(i), (ii)에서 θ는 제2사분면의 각이다.

060 답 1, 1, 1, $\frac{16}{25}$, <, $-\frac{4}{5}$, $-\frac{3}{4}$

061 답 $\sin\theta=\frac{\sqrt{3}}{2}$, $\tan\theta=\sqrt{3}$

$\sin^2\theta+\cos^2\theta=1$이므로

$\sin^2\theta=1-\cos^2\theta=1-\left(\frac{1}{2}\right)^2=\frac{3}{4}$

이때 θ가 제1사분면의 각이므로 $\sin\theta>0$

$\therefore \sin\theta=\frac{\sqrt{3}}{2}$

$\therefore \tan\theta=\frac{\sin\theta}{\cos\theta}=\frac{\frac{\sqrt{3}}{2}}{\frac{1}{2}}=\sqrt{3}$

062 답 $\sin\theta=\frac{2\sqrt{2}}{3}$, $\tan\theta=-2\sqrt{2}$

$\sin^2\theta+\cos^2\theta=1$이므로

$\sin^2\theta=1-\cos^2\theta=1-\left(-\frac{1}{3}\right)^2=\frac{8}{9}$

이때 θ가 제2사분면의 각이므로 $\sin\theta>0$

$\therefore \sin\theta=\frac{2\sqrt{2}}{3}$

$\therefore \tan\theta=\frac{\sin\theta}{\cos\theta}=\frac{\frac{2\sqrt{2}}{3}}{-\frac{1}{3}}=-2\sqrt{2}$

063 답 $\cos\theta=\frac{5}{13}$, $\tan\theta=-\frac{12}{5}$

$\sin^2\theta+\cos^2\theta=1$이므로

$\cos^2\theta=1-\sin^2\theta=1-\left(-\frac{12}{13}\right)^2=\frac{25}{169}$

이때 θ가 제4사분면의 각이므로 $\cos\theta>0$

$\therefore \cos\theta=\frac{5}{13}$

$\therefore \tan\theta=\frac{\sin\theta}{\cos\theta}=\frac{-\frac{12}{13}}{\frac{5}{13}}=-\frac{12}{5}$

064 답 2

$(\sin\theta+\cos\theta)^2+(\sin\theta-\cos\theta)^2$

$=(\sin^2\theta+2\sin\theta\cos\theta+\cos^2\theta)+(\sin^2\theta-2\sin\theta\cos\theta+\cos^2\theta)$

$=2(\sin^2\theta+\cos^2\theta)$

$=2\times1=2$

065 답 $\frac{1}{\cos\theta}$

$\frac{\cos\theta}{1-\sin\theta}-\tan\theta=\frac{\cos\theta}{1-\sin\theta}-\frac{\sin\theta}{\cos\theta}$

$=\frac{\cos^2\theta-\sin\theta(1-\sin\theta)}{\cos\theta(1-\sin\theta)}$

$=\frac{\cos^2\theta-\sin\theta+\sin^2\theta}{\cos\theta(1-\sin\theta)}$

$=\frac{1-\sin\theta}{\cos\theta(1-\sin\theta)}$

$=\frac{1}{\cos\theta}$

066 답 $\frac{2}{\sin\theta}$

$\frac{\sin\theta}{1-\cos\theta}+\frac{\sin\theta}{1+\cos\theta}$

$=\frac{\sin\theta(1+\cos\theta)+\sin\theta(1-\cos\theta)}{(1-\cos\theta)(1+\cos\theta)}$

$=\frac{\sin\theta+\sin\theta\cos\theta+\sin\theta-\sin\theta\cos\theta}{1-\cos^2\theta}$

$=\frac{2\sin\theta}{\sin^2\theta}=\frac{2}{\sin\theta}$

067 답 $\frac{1}{4}$, 1, 1, $\frac{1}{4}$, $-\frac{3}{8}$

068 답 $-\frac{4}{3}$

$\frac{1}{\sin\theta}+\frac{1}{\cos\theta}=\frac{\sin\theta+\cos\theta}{\sin\theta\cos\theta}=\frac{\frac{1}{2}}{-\frac{3}{8}}=-\frac{4}{3}$

069 답 $-\frac{8}{3}$

$\frac{\cos\theta}{\sin\theta}+\frac{\sin\theta}{\cos\theta}=\frac{\sin^2\theta+\cos^2\theta}{\sin\theta\cos\theta}=\frac{1}{-\frac{3}{8}}=-\frac{8}{3}$

070 답 $\frac{11}{16}$

$\sin^3\theta+\cos^3\theta$

$=(\sin\theta+\cos\theta)(\sin^2\theta-\sin\theta\cos\theta+\cos^2\theta)$

$=\frac{1}{2}\times\left\{1-\left(-\frac{3}{8}\right)\right\}=\frac{11}{16}$

071 답 $-\frac{3\sqrt{5}}{5}$

$(\sin\theta+\cos\theta)^2=\sin^2\theta+\cos^2\theta+2\sin\theta\cos\theta$

$=1+2\times\frac{2}{5}=\frac{9}{5}$

이때 θ가 제3사분면의 각이므로

$\sin\theta<0$, $\cos\theta<0$

$\therefore \sin\theta+\cos\theta=-\frac{3\sqrt{5}}{5}$

072 답 $-\sqrt{2}$

$(\cos\theta-\sin\theta)^2=\sin^2\theta+\cos^2\theta-2\sin\theta\cos\theta$

$=1-2\times\left(-\frac{1}{2}\right)=2$

이때 θ가 제2사분면의 각이므로

$\sin\theta>0$, $\cos\theta<0$

$\therefore \cos\theta-\sin\theta=-\sqrt{2}$

073 답 $-\frac{4}{3}$

이차방정식의 근과 계수의 관계에 의하여

$\sin\theta+\cos\theta=\frac{1}{3}$, $\sin\theta\cos\theta=\frac{k}{3}$

$(\sin\theta+\cos\theta)^2=\sin^2\theta+\cos^2\theta+2\sin\theta\cos\theta$이므로

$\frac{1}{9}=1+2\times\frac{k}{3}$, $\frac{2}{3}k=-\frac{8}{9}$

$\therefore k=-\frac{4}{3}$

074 답 $-\frac{7}{4}$

이차방정식의 근과 계수의 관계에 의하여

$(\sin\theta+\cos\theta)+(\sin\theta-\cos\theta)=-\frac{1}{2}$ …… ㉠

$(\sin\theta+\cos\theta)(\sin\theta-\cos\theta)=\frac{k}{2}$ …… ㉡

㉠에서 $2\sin\theta=-\frac{1}{2}$ $\quad\therefore \sin\theta=-\frac{1}{4}$

㉡에서 $\sin^2\theta-\cos^2\theta=\frac{k}{2}$

$\sin^2\theta-(1-\sin^2\theta)=\frac{k}{2}$

$2\sin^2\theta-1=\frac{k}{2}$

$\sin\theta=-\frac{1}{4}$을 대입하면

$2\times\frac{1}{16}-1=\frac{k}{2}$, $\frac{k}{2}=-\frac{7}{8}$

$\therefore k=-\frac{7}{4}$

최종 점검하기

80~81쪽

1 ⑤ **2** ③ **3** 4π **4** ④ **5** $-\frac{19}{20}$ **6** ③
7 ④ **8** ⑤ **9** ② **10** ⑤ **11** $\frac{2\sqrt{10}}{5}$
12 ①

1 ① $550°=360°\times1+190°$이므로 $550°$를 나타내는 동경은 제3사분면에 있다.
② $735°=360°\times2+15°$이므로 $735°$를 나타내는 동경은 제1사분면에 있다.
③ $1020°=360°\times2+300°$이므로 $1020°$를 나타내는 동경은 제4사분면에 있다.
④ $-510°=360°\times(-2)+210°$이므로 $-510°$를 나타내는 동경은 제3사분면에 있다.
⑤ $-920°=360°\times(-3)+160°$이므로 $-920°$를 나타내는 동경은 제2사분면에 있다.

2 ③ $220°=220\times1°=220\times\frac{\pi}{180}=\frac{11}{9}\pi$

3 부채꼴의 반지름의 길이를 r, 호의 길이를 l이라고 하면
$12\pi=\frac{1}{2}\times r^2\times\frac{2}{3}\pi$
$r^2=36$ $\quad\therefore r=6\ (\because r>0)$
$\therefore l=6\times\frac{2}{3}\pi=4\pi$

4 부채꼴의 반지름의 길이를 r, 호의 길이를 l, 넓이를 S라고 하면
$2r+l=24$ $\quad\therefore l=24-2r$
$\therefore S=\frac{1}{2}rl=\frac{1}{2}r(24-2r)$
$=-(r-6)^2+36$
따라서 부채꼴의 넓이의 최댓값은 36이고 그때의 반지름의 길이는 6이다.

5 $\overline{OP}=\sqrt{(-4)^2+3^2}=5$이므로
$\sin\theta=\frac{3}{5},\ \cos\theta=-\frac{4}{5},\ \tan\theta=-\frac{3}{4}$
$\therefore \sin\theta+\cos\theta+\tan\theta=-\frac{19}{20}$

6 $\sin\theta\cos\theta>0$, $\sin\theta+\cos\theta<0$을 모두 만족하려면
$\sin\theta<0$, $\cos\theta<0$이어야 한다.
따라서 θ는 제3사분면의 각이다.

7 θ가 제4사분면의 각이므로
$\sin\theta<0,\ \cos\theta>0$
$\therefore |\sin\theta-\cos\theta|-\sqrt{\sin^2\theta}=-(\sin\theta-\cos\theta)-(-\sin\theta)$
$=-\sin\theta+\cos\theta+\sin\theta$
$=\cos\theta$

8 $\sin^2\theta+\cos^2\theta=1$이므로
$\sin^2\theta=1-\cos^2\theta=1-\left(-\frac{1}{4}\right)^2=\frac{15}{16}$
이때 θ가 제3사분면의 각이므로 $\sin\theta<0$
$\therefore \sin\theta=-\frac{\sqrt{15}}{4}$
$\therefore \tan\theta=\frac{\sin\theta}{\cos\theta}=\frac{-\frac{\sqrt{15}}{4}}{-\frac{1}{4}}=\sqrt{15}$
$\therefore \sin\theta+\tan\theta=\frac{3\sqrt{15}}{4}$

9 $\frac{\cos\theta}{1-\sin\theta}+\frac{1-\sin\theta}{\cos\theta}=\frac{\cos^2\theta+(1-\sin\theta)^2}{\cos\theta(1-\sin\theta)}$
$=\frac{\cos^2\theta+(1-2\sin\theta+\sin^2\theta)}{\cos\theta(1-\sin\theta)}$
$=\frac{2(1-\sin\theta)}{\cos\theta(1-\sin\theta)}$
$=\frac{2}{\cos\theta}$

10 $\sin\theta-\cos\theta=\frac{1}{3}$의 양변을 제곱하면
$1-2\sin\theta\cos\theta=\frac{1}{9}$ $\quad\therefore \sin\theta\cos\theta=\frac{4}{9}$
$\therefore \tan\theta+\frac{1}{\tan\theta}=\frac{\sin\theta}{\cos\theta}+\frac{\cos\theta}{\sin\theta}$
$=\frac{\sin^2\theta+\cos^2\theta}{\sin\theta\cos\theta}$
$=\frac{1}{\sin\theta\cos\theta}=\frac{9}{4}$

11 $(\sin\theta-\cos\theta)^2=1-2\sin\theta\cos\theta$
$=1-2\times\left(-\frac{3}{10}\right)=\frac{8}{5}$
이때 θ가 제2사분면의 각이므로
$\sin\theta>0,\ \cos\theta<0$
$\therefore \sin\theta-\cos\theta=\frac{2\sqrt{10}}{5}$

12 이차방정식의 근과 계수의 관계에 의하여
$(\cos\theta+\sin\theta)+(\cos\theta-\sin\theta)=\frac{1}{4}$ ⋯⋯ ㉠
$(\cos\theta+\sin\theta)(\cos\theta-\sin\theta)=\frac{k}{4}$ ⋯⋯ ㉡
㉠에서 $2\cos\theta=\frac{1}{4}$ $\quad\therefore \cos\theta=\frac{1}{8}$
㉡에서 $\cos^2\theta-\sin^2\theta=\frac{k}{4}$
$\cos^2\theta-(1-\cos^2\theta)=\frac{k}{4}$
$2\cos^2\theta-1=\frac{k}{4}$
$\cos\theta=\frac{1}{8}$을 대입하면
$2\times\frac{1}{64}-1=\frac{k}{4},\ \frac{k}{4}=-\frac{31}{32}$
$\therefore k=-\frac{31}{8}$

06 삼각함수의 그래프

84~93쪽

001 답 $1,\ -\pi,\ \frac{\pi}{2},\ 2\pi$

002 답 $-1,\ 1$

003 답 원점

004 답 2π

005 답 $-\frac{\pi}{2},\ \pi,\ -1$

006 답 $-1,\ 1$

007 답 y축

008 답 2π

009 답 $-\frac{\pi}{2}$

010 답 $-\pi,\ \pi,\ \frac{3}{2}\pi$

011 답 $n\pi+\frac{\pi}{2}$

012 답 원점

013 답 π

014 답 $n\pi+\frac{\pi}{2}$

015 답 $-\frac{1}{2},\ \frac{1}{2},\ \frac{1}{2},\ -\frac{1}{2},\ \pi,\ \pi,\ \frac{1}{2},\ \pi$

016 답 **최댓값: 1, 최솟값: -1, 주기: 4π, 그래프는 풀이 참고**

$-1\le\sin\left(\frac{x}{2}+\frac{\pi}{2}\right)\le1$이므로 최댓값은 1, 최솟값은 -1이다.

또 $\sin\frac{x}{2}=\sin\left(\frac{x}{2}+2\pi\right)=\sin\frac{1}{2}(x+4\pi)$이므로 주기는 4π이다.

따라서 함수 $y=\sin\left(\frac{x}{2}+\frac{\pi}{2}\right)=\sin\frac{1}{2}(x+\pi)$의 그래프는 함수 $y=\sin\frac{x}{2}$의 그래프를 x축의 방향으로 $-\pi$만큼 평행이동한 것이므로 다음 그림과 같다.

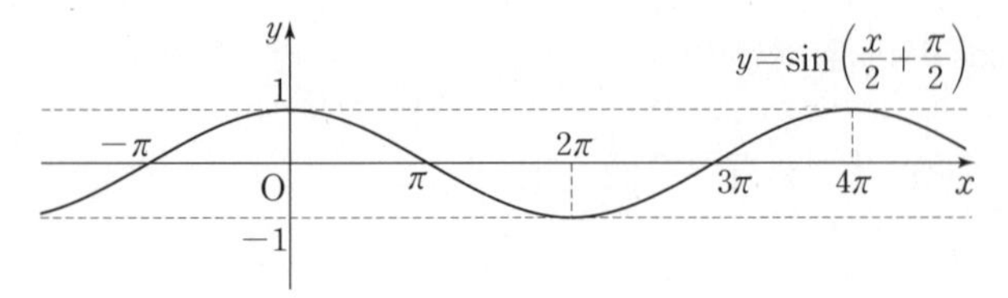

017 답 **최댓값: 3, 최솟값: -1, 주기: 2π, 그래프는 풀이 참고**

$-1\le\sin x\le1$에서 $-1\le2\sin x+1\le3$이므로 최댓값은 3, 최솟값은 -1이다.

또 $\sin x=\sin(x+2\pi)$이므로 주기는 2π이다.

따라서 함수 $y=2\sin x+1$의 그래프는 함수 $y=2\sin x$의 그래프를 y축의 방향으로 1만큼 평행이동한 것이므로 다음 그림과 같다.

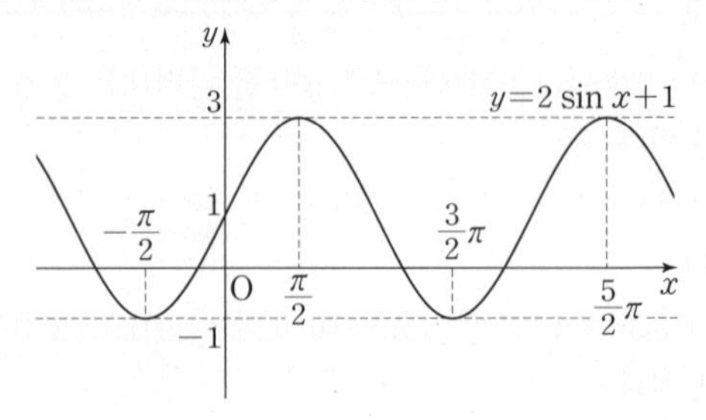

018 답 **최댓값: 0, 최솟값: -2, 주기: $\frac{2}{3}\pi$, 그래프는 풀이 참고**

$-1\le\cos3x\le1$에서 $-2\le\cos3x-1\le0$이므로 최댓값은 0, 최솟값은 -2이다.

또 $\cos3x=\cos(3x+2\pi)=\cos3\left(x+\frac{2}{3}\pi\right)$이므로 주기는 $\frac{2}{3}\pi$이다.

따라서 함수 $y=\cos3x-1$의 그래프는 함수 $y=\cos3x$의 그래프를 y축의 방향으로 -1만큼 평행이동한 것이므로 다음 그림과 같다.

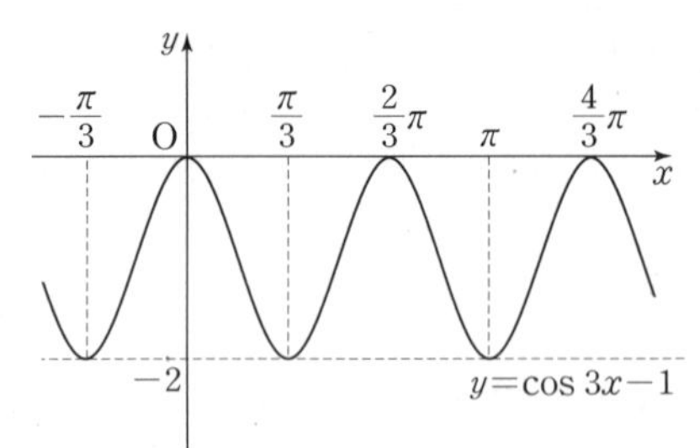

019 답 **최댓값: 3, 최솟값: -3, 주기: 2π, 그래프는 풀이 참고**

$-1\le\cos(x+\pi)\le1$에서 $-3\le3\cos(x+\pi)\le3$이므로 최댓값은 3, 최솟값은 -3이다.

또 $\cos x=\cos(x+2\pi)$이므로 주기는 2π이다.

따라서 함수 $y=3\cos(x+\pi)$의 그래프는 함수 $y=3\cos x$의 그래프를 x축의 방향으로 $-\pi$만큼 평행이동한 것이므로 다음 그림과 같다.

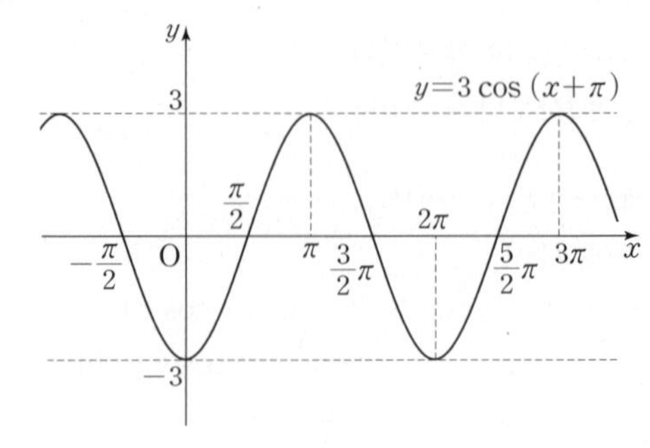

020 답 **최댓값: 1, 최솟값: -1, 주기: 4π, 그래프는 풀이 참고**

$-1\le\cos\frac{x}{2}\le1$에서 $-1\le-\cos\frac{x}{2}\le1$이므로 최댓값은 1, 최솟값은 -1이다.

또 $\cos\frac{x}{2}=\cos\left(\frac{x}{2}+2\pi\right)=\cos\frac{1}{2}(x+4\pi)$이므로 주기는 4π이다.

따라서 함수 $y=-\cos\frac{x}{2}$의 그래프는 함수 $y=\cos\frac{x}{2}$의 그래프를 x축에 대하여 대칭이동한 것이므로 다음 그림과 같다.

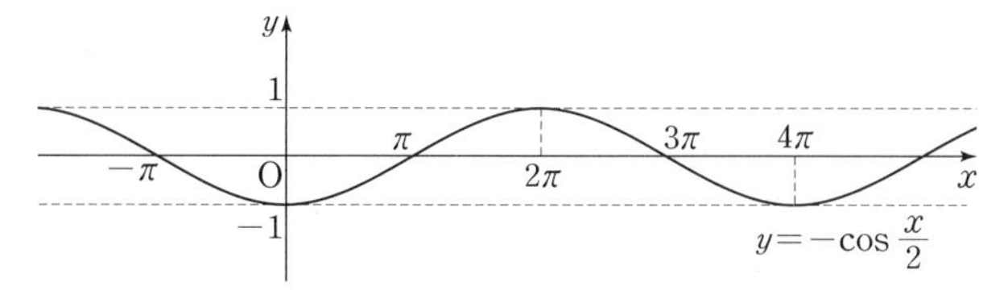

021 답 **2π, 2π, π, 2π**

022 답 **주기: π, 그래프는 풀이 참고**

$\tan x=\tan(x+\pi)$이므로 주기는 π이다.

따라서 함수 $y=2\tan x-1$의 그래프는 함수 $y=2\tan x$의 그래프를 y축의 방향으로 -1만큼 평행이동한 것이므로 다음 그림과 같다.

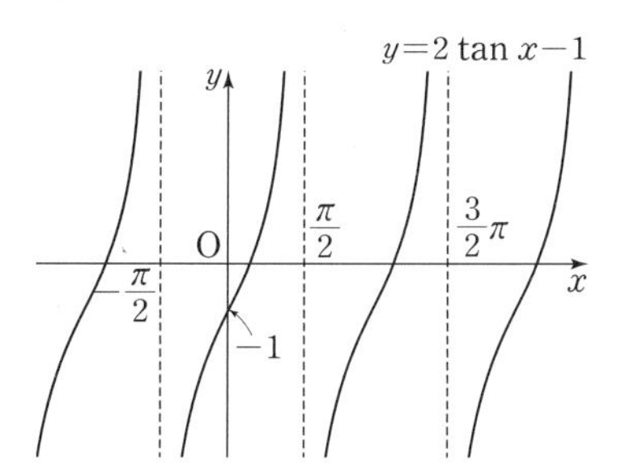

023 답 **주기: $\frac{\pi}{2}$, 그래프는 풀이 참고**

$\tan 2x=\tan(2x+\pi)=\tan 2\left(x+\frac{\pi}{2}\right)$이므로 주기는 $\frac{\pi}{2}$이다.

따라서 함수 $y=\tan(2x-\pi)=\tan 2\left(x-\frac{\pi}{2}\right)$의 그래프는 함수 $y=\tan 2x$의 그래프를 x축의 방향으로 $\frac{\pi}{2}$만큼 평행이동한 것이므로 다음 그림과 같다.

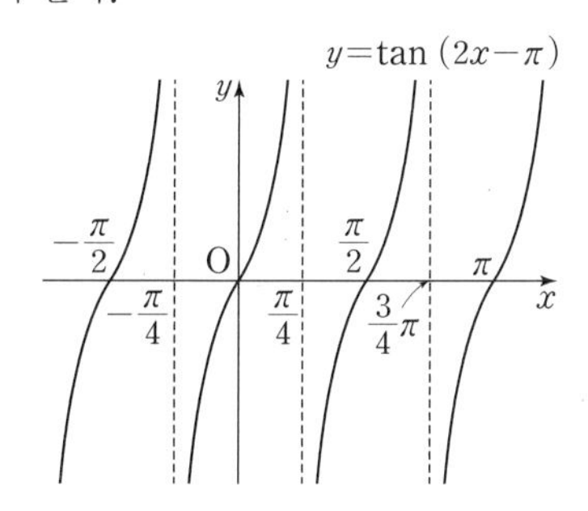

024 답 **$\frac{\pi}{6}$, $\frac{1}{2}$**

025 답 **$\frac{\sqrt{2}}{2}$**

$\cos\frac{17}{4}\pi=\cos\left(4\pi+\frac{\pi}{4}\right)$
$=\cos\frac{\pi}{4}=\frac{\sqrt{2}}{2}$

026 답 **$\sqrt{3}$**

$\tan\frac{13}{3}\pi=\tan\left(4\pi+\frac{\pi}{3}\right)$
$=\tan\frac{\pi}{3}=\sqrt{3}$

027 답 **$-\frac{\sqrt{3}}{2}$**

$\sin\left(-\frac{\pi}{3}\right)=-\sin\frac{\pi}{3}=-\frac{\sqrt{3}}{2}$

028 답 **$\frac{\sqrt{3}}{2}$**

$\cos\left(-\frac{\pi}{6}\right)=\cos\frac{\pi}{6}=\frac{\sqrt{3}}{2}$

029 답 **-1**

$\tan(-45^\circ)=-\tan 45^\circ=-1$

030 답 **$-\frac{\sqrt{2}}{2}$**

$\sin\frac{5}{4}\pi=\sin\left(\pi+\frac{\pi}{4}\right)$
$=-\sin\frac{\pi}{4}=-\frac{\sqrt{2}}{2}$

031 답 **$\frac{1}{2}$**

$\sin\frac{5}{6}\pi=\sin\left(\pi-\frac{\pi}{6}\right)$
$=\sin\frac{\pi}{6}=\frac{1}{2}$

032 답 **$-\frac{\sqrt{3}}{2}$**

$\cos\frac{7}{6}\pi=\cos\left(\pi+\frac{\pi}{6}\right)$
$=-\cos\frac{\pi}{6}=-\frac{\sqrt{3}}{2}$

033 답 **$-\frac{1}{2}$**

$\cos\frac{2}{3}\pi=\cos\left(\pi-\frac{\pi}{3}\right)$
$=-\cos\frac{\pi}{3}=-\frac{1}{2}$

034 답 **1**

$\tan\frac{5}{4}\pi=\tan\left(\pi+\frac{\pi}{4}\right)$
$=\tan\frac{\pi}{4}=1$

035 답 $-\frac{\sqrt{3}}{3}$

$\tan\frac{5}{6}\pi=\tan\left(\pi-\frac{\pi}{6}\right)$

$=-\tan\frac{\pi}{6}=-\frac{\sqrt{3}}{3}$

036 답 $-\frac{1}{2}$

$\sin(-390^\circ)=\sin(-360^\circ-30^\circ)$

$=\sin(-30^\circ)$

$=-\sin 30^\circ=-\frac{1}{2}$

037 답 $\frac{1}{2}$

$\cos(-780^\circ)=\cos(-720^\circ-60^\circ)$

$=\cos(-60^\circ)$

$=\cos 60^\circ=\frac{1}{2}$

038 답 $-\sqrt{3}$

$\tan\left(-\frac{10}{3}\pi\right)=\tan\left(-3\pi-\frac{\pi}{3}\right)$

$=\tan\left(-\frac{\pi}{3}\right)$

$=-\tan\frac{\pi}{3}=-\sqrt{3}$

039 답 ○

040 답 ○

041 답 ×

$\tan\left(\frac{\pi}{2}+\frac{\pi}{6}\right)=-\frac{1}{\tan\frac{\pi}{6}}$

042 답 ×

$\sin\left(\frac{\pi}{2}-\frac{\pi}{6}\right)=\cos\frac{\pi}{6}$

043 답 ×

$\cos\left(\frac{\pi}{2}-\frac{\pi}{3}\right)=\sin\frac{\pi}{3}$

044 답 ○

045 답 $x=\frac{\pi}{3}$ 또는 $x=\frac{2}{3}\pi$

$0\le x<2\pi$에서 $y=\sin x$의 그래프와 직선 $y=\frac{\sqrt{3}}{2}$은 다음 그림과 같다.

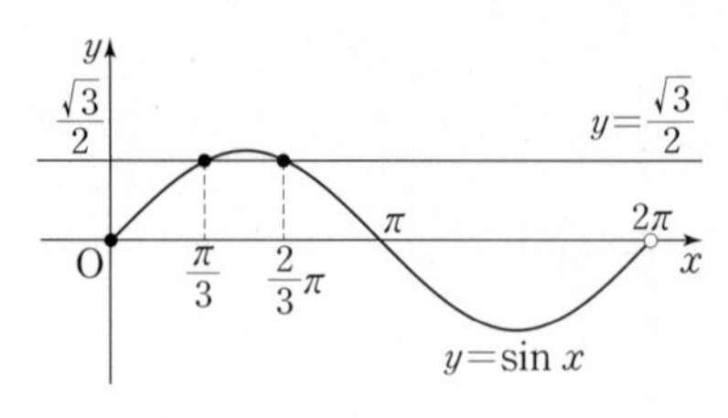

따라서 교점의 x좌표는 $\frac{\pi}{3}$, $\frac{2}{3}\pi$이므로 방정식의 해는

$x=\frac{\pi}{3}$ 또는 $x=\frac{2}{3}\pi$

046 답 $x=\frac{\pi}{4}$ 또는 $x=\frac{3}{4}\pi$

$2\sin x=\sqrt{2}$에서 $\sin x=\frac{\sqrt{2}}{2}$

$0\le x<2\pi$에서 $y=\sin x$의 그래프와 직선 $y=\frac{\sqrt{2}}{2}$는 다음 그림과 같다.

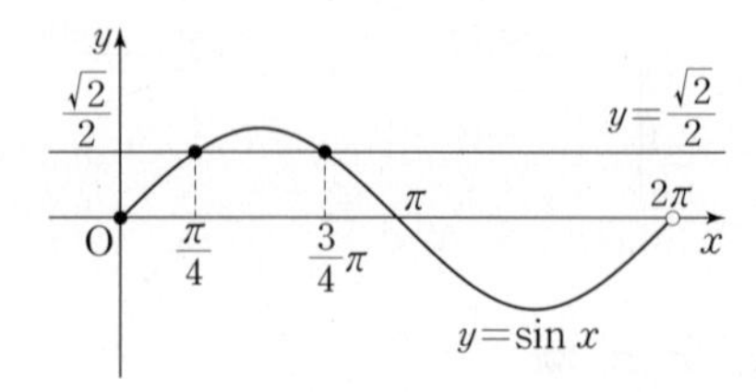

따라서 교점의 x좌표는 $\frac{\pi}{4}$, $\frac{3}{4}\pi$이므로 방정식의 해는

$x=\frac{\pi}{4}$ 또는 $x=\frac{3}{4}\pi$

047 답 $x=\frac{7}{6}\pi$ 또는 $x=\frac{11}{6}\pi$

$2\sin x+1=0$에서 $\sin x=-\frac{1}{2}$

$0\le x<2\pi$에서 $y=\sin x$의 그래프와 직선 $y=-\frac{1}{2}$은 다음 그림과 같다.

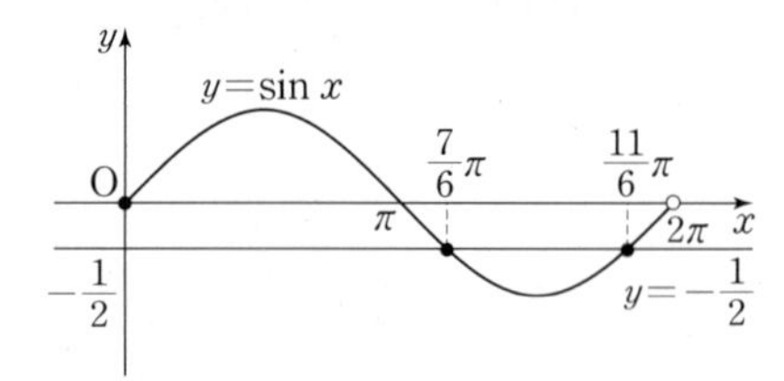

따라서 교점의 x좌표는 $\frac{7}{6}\pi$, $\frac{11}{6}\pi$이므로 방정식의 해는

$x=\frac{7}{6}\pi$ 또는 $x=\frac{11}{6}\pi$

048 답 $x=\frac{\pi}{3}$ 또는 $x=\frac{5}{3}\pi$

$0\le x<2\pi$에서 $y=\cos x$의 그래프와 직선 $y=\frac{1}{2}$은 다음 그림과 같다.

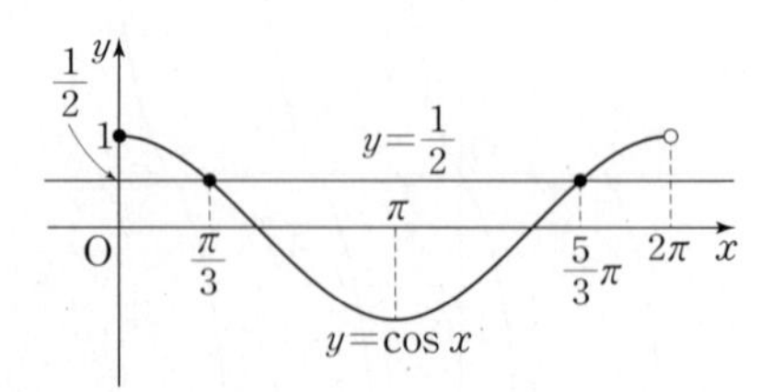

따라서 교점의 x좌표는 $\frac{\pi}{3}$, $\frac{5}{3}\pi$이므로 방정식의 해는

$x=\frac{\pi}{3}$ 또는 $x=\frac{5}{3}\pi$

049 답 $x=\frac{5}{6}\pi$ 또는 $x=\frac{7}{6}\pi$

$2\cos x=-\sqrt{3}$에서 $\cos x=-\frac{\sqrt{3}}{2}$

$0\le x<2\pi$에서 $y=\cos x$의 그래프와 직선 $y=-\frac{\sqrt{3}}{2}$은 다음 그림과 같다.

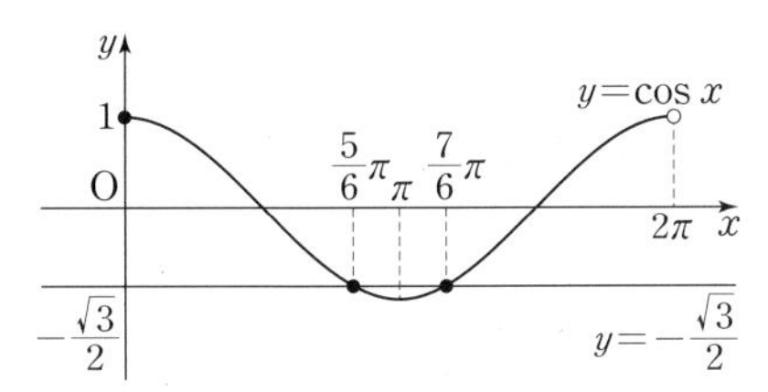

따라서 교점의 x좌표는 $\frac{5}{6}\pi$, $\frac{7}{6}\pi$이므로 방정식의 해는

$x=\frac{5}{6}\pi$ 또는 $x=\frac{7}{6}\pi$

050 답 $x=\frac{\pi}{4}$ 또는 $x=\frac{7}{4}\pi$

$\sqrt{2}\cos x-1=0$에서 $\cos x=\frac{\sqrt{2}}{2}$

$0\le x<2\pi$에서 $y=\cos x$의 그래프와 직선 $y=\frac{\sqrt{2}}{2}$는 다음 그림과 같다.

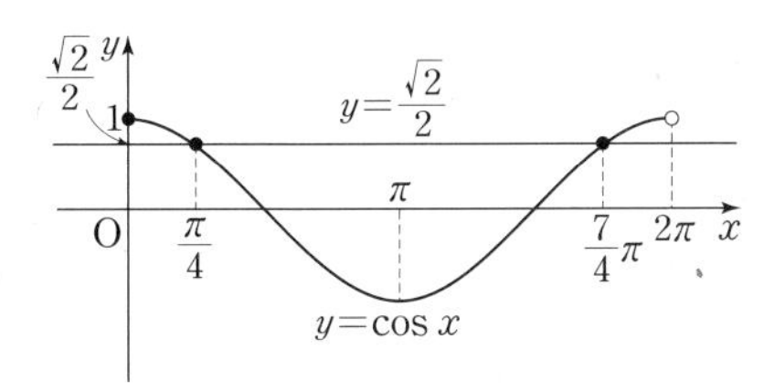

따라서 교점의 x좌표는 $\frac{\pi}{4}$, $\frac{7}{4}\pi$이므로 방정식의 해는

$x=\frac{\pi}{4}$ 또는 $x=\frac{7}{4}\pi$

051 답 $x=\frac{3}{4}\pi$

$0\le x<\pi$에서 $y=\tan x$의 그래프와 직선 $y=-1$은 오른쪽 그림과 같다.

따라서 교점의 x좌표는 $\frac{3}{4}\pi$이므로 방정식의 해는

$x=\frac{3}{4}\pi$

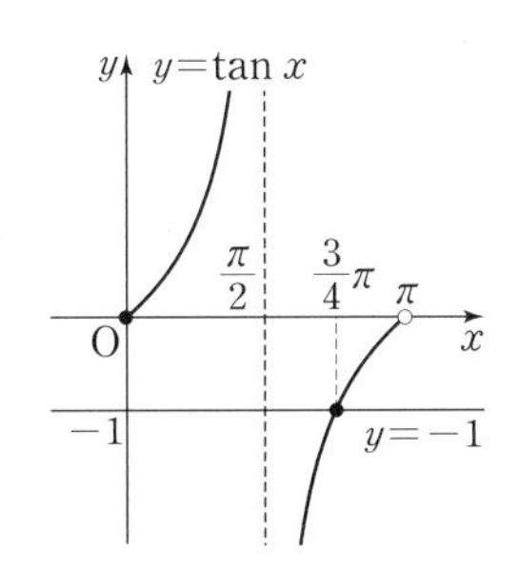

052 답 $x=\frac{\pi}{6}$

$\sqrt{3}\tan x=1$에서 $\tan x=\frac{\sqrt{3}}{3}$

$0\le x<\pi$에서 $y=\tan x$의 그래프와 직선 $y=\frac{\sqrt{3}}{3}$은 오른쪽 그림과 같다.

따라서 교점의 x좌표는 $\frac{\pi}{6}$이므로 방정식의 해는

$x=\frac{\pi}{6}$

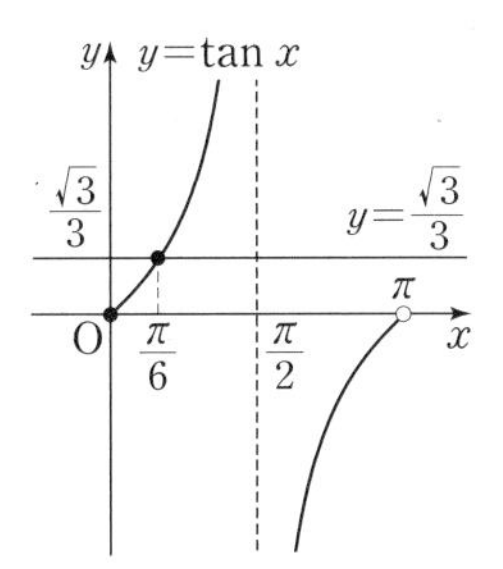

053 답 $x=\frac{\pi}{3}$

$\tan x-\sqrt{3}=0$에서 $\tan x=\sqrt{3}$

$0\le x<\pi$에서 $y=\tan x$의 그래프와 직선 $y=\sqrt{3}$은 오른쪽 그림과 같다.

따라서 교점의 x좌표는 $\frac{\pi}{3}$이므로 방정식의 해는

$x=\frac{\pi}{3}$

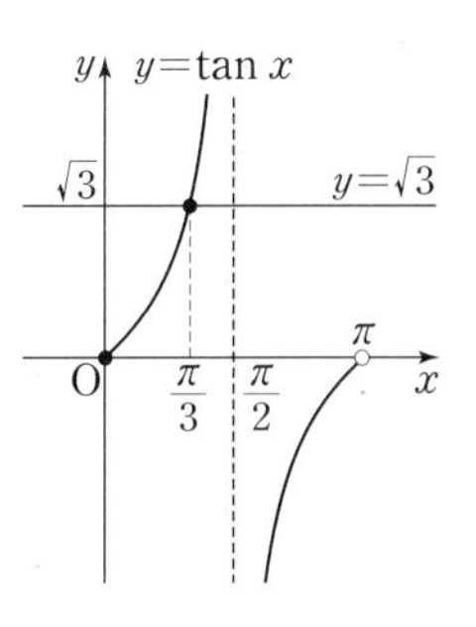

054 답 1, 1, 1, 1, 1, 1, $\frac{4}{3}\pi$, 0, $\frac{4}{3}\pi$, 0, $\frac{4}{3}\pi$

055 답 $x=0$ 또는 $x=\frac{\pi}{4}$ 또는 $x=\frac{3}{4}\pi$ 또는 $x=\pi$

$\sqrt{2}\sin^2 x-\sin x=0$에서

$\sin x(\sqrt{2}\sin x-1)=0$

$\therefore \sin x=0$ 또는 $\sin x=\frac{\sqrt{2}}{2}$

$0\le x<2\pi$에서 $y=\sin x$의 그래프와 직선 $y=0$, $y=\frac{\sqrt{2}}{2}$는 다음 그림과 같다.

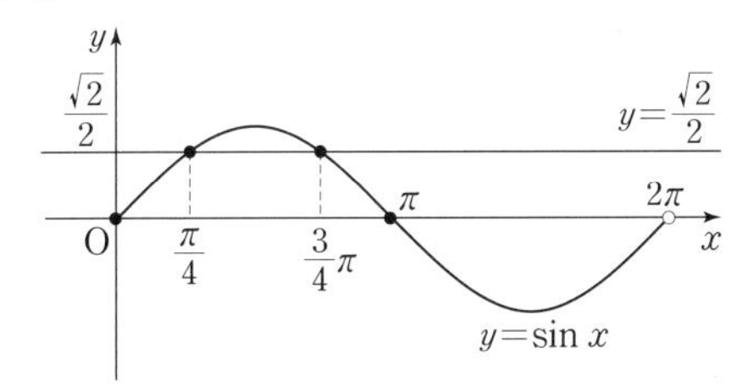

따라서 교점의 x좌표는 0, $\frac{\pi}{4}$, $\frac{3}{4}\pi$, π이므로 방정식의 해는

$x=0$ 또는 $x=\frac{\pi}{4}$ 또는 $x=\frac{3}{4}\pi$ 또는 $x=\pi$

056 답 $x=\frac{\pi}{6}$ 또는 $x=\frac{5}{6}\pi$

$\sin^2 x+\cos^2 x=1$이므로

$2(1-\sin^2 x)-5\sin x+1=0$

$2\sin^2 x+5\sin x-3=0$

$(2\sin x-1)(\sin x+3)=0$

$\therefore \sin x=\frac{1}{2}$ ($\because -1\le\sin x\le 1$)

$0\le x<2\pi$에서 $y=\sin x$의 그래프와 직선 $y=\frac{1}{2}$은 다음 그림과 같다.

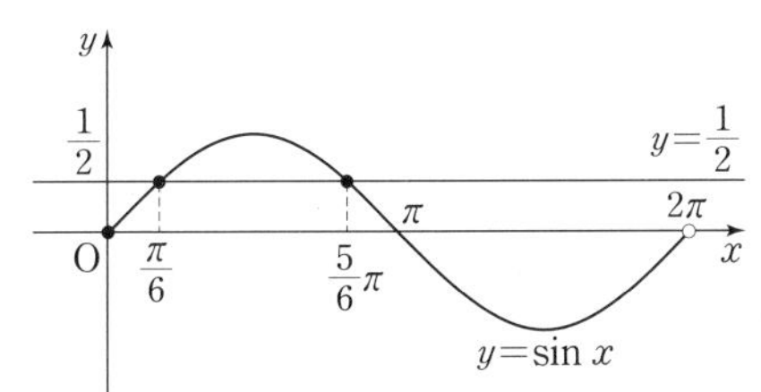

따라서 교점의 x좌표는 $\frac{\pi}{6}$, $\frac{5}{6}\pi$이므로 방정식의 해는

$x=\frac{\pi}{6}$ 또는 $x=\frac{5}{6}\pi$

057 답 $\frac{\pi}{6}<x<\frac{5}{6}\pi$

$0\le x<2\pi$에서 $y=\sin x$의 그래프와 직선 $y=\frac{1}{2}$은 다음 그림과 같다.

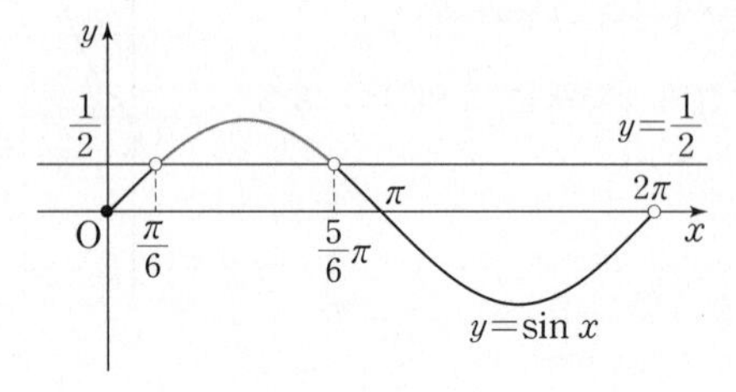

따라서 $y=\sin x$의 그래프가 직선 $y=\frac{1}{2}$보다 위쪽에 있는 x의 값의 범위를 구하면 부등식의 해는

$\frac{\pi}{6}<x<\frac{5}{6}\pi$

058 답 $0\le x<\frac{\pi}{4}$ 또는 $\frac{3}{4}\pi<x<2\pi$

$\sqrt{2}\sin x<1$에서 $\sin x<\frac{\sqrt{2}}{2}$

$0\le x<2\pi$에서 $y=\sin x$의 그래프와 직선 $y=\frac{\sqrt{2}}{2}$는 다음 그림과 같다.

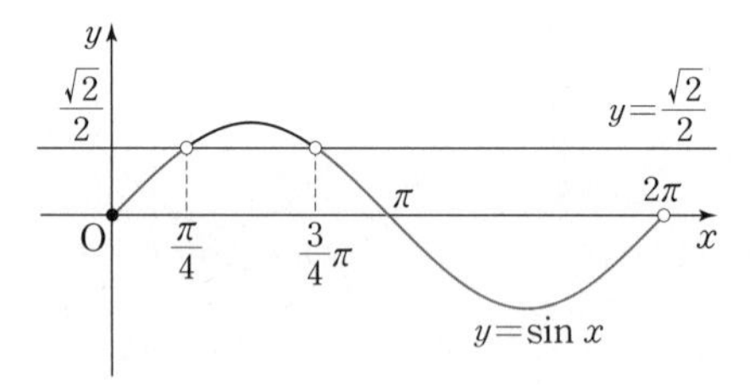

따라서 $y=\sin x$의 그래프가 직선 $y=\frac{\sqrt{2}}{2}$보다 아래쪽에 있는 x의 값의 범위를 구하면 부등식의 해는

$0\le x<\frac{\pi}{4}$ 또는 $\frac{3}{4}\pi<x<2\pi$

059 답 $0\le x\le\frac{4}{3}\pi$ 또는 $\frac{5}{3}\pi\le x<2\pi$

$2\sin x+\sqrt{3}\ge 0$에서 $\sin x\ge -\frac{\sqrt{3}}{2}$

$0\le x<2\pi$에서 $y=\sin x$의 그래프와 직선 $y=-\frac{\sqrt{3}}{2}$은 다음 그림과 같다.

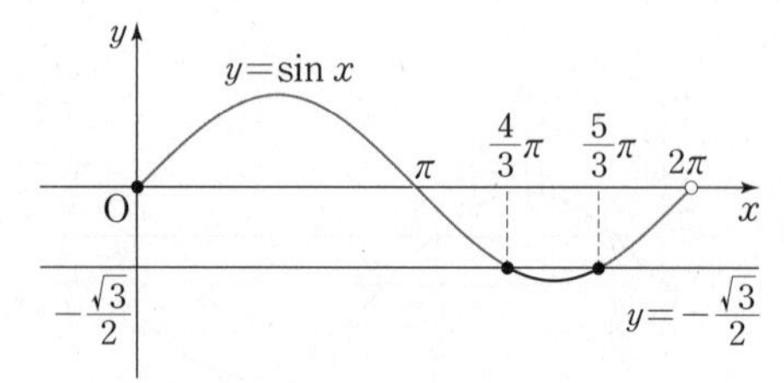

따라서 $y=\sin x$의 그래프가 직선 $y=-\frac{\sqrt{3}}{2}$과 만나거나 위쪽에 있는 x의 값의 범위를 구하면 부등식의 해는

$0\le x\le\frac{4}{3}\pi$ 또는 $\frac{5}{3}\pi\le x<2\pi$

060 답 $\frac{\pi}{6}<x<\frac{11}{6}\pi$

$0\le x<2\pi$에서 $y=\cos x$의 그래프와 직선 $y=\frac{\sqrt{3}}{2}$은 다음 그림과 같다.

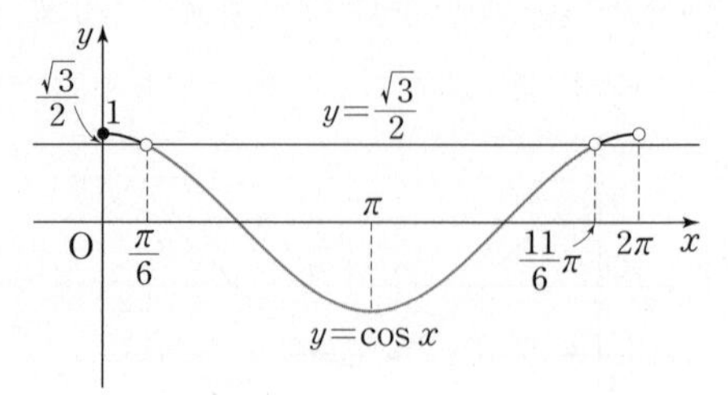

따라서 $y=\cos x$의 그래프가 직선 $y=\frac{\sqrt{3}}{2}$보다 아래쪽에 있는 x의 값의 범위를 구하면 부등식의 해는

$\frac{\pi}{6}<x<\frac{11}{6}\pi$

061 답 $0\le x<\frac{\pi}{4}$ 또는 $\frac{7}{4}\pi<x<2\pi$

$2\cos x>\sqrt{2}$에서 $\cos x>\frac{\sqrt{2}}{2}$

$0\le x<2\pi$에서 $y=\cos x$의 그래프와 직선 $y=\frac{\sqrt{2}}{2}$는 다음 그림과 같다.

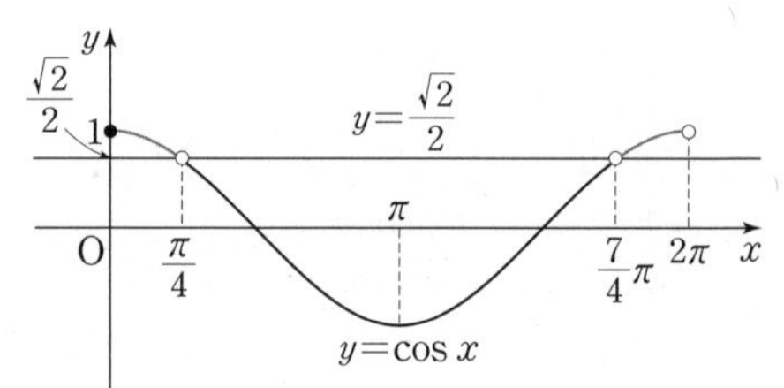

따라서 $y=\cos x$의 그래프가 직선 $y=\frac{\sqrt{2}}{2}$보다 위쪽에 있는 x의 값의 범위를 구하면 부등식의 해는

$0\le x<\frac{\pi}{4}$ 또는 $\frac{7}{4}\pi<x<2\pi$

062 답 $\frac{2}{3}\pi\le x\le\frac{4}{3}\pi$

$2\cos x+1\le 0$에서 $\cos x\le -\frac{1}{2}$

$0\le x<2\pi$에서 $y=\cos x$의 그래프와 직선 $y=-\frac{1}{2}$은 다음 그림과 같다.

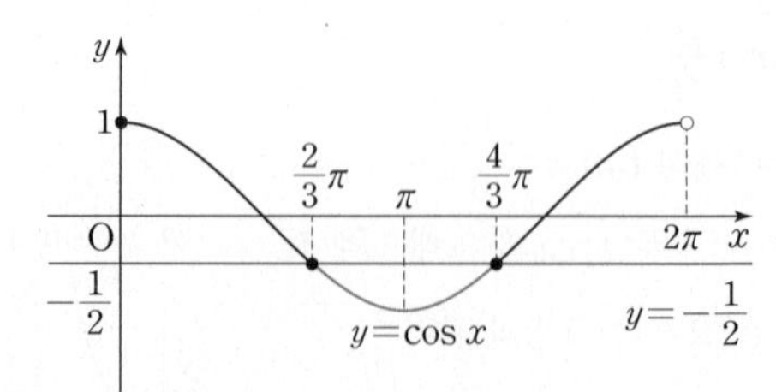

따라서 $y=\cos x$의 그래프가 직선 $y=-\frac{1}{2}$과 만나거나 아래쪽에 있는 x의 값의 범위를 구하면 부등식의 해는

$\frac{2}{3}\pi\le x\le\frac{4}{3}\pi$

063 답 $\frac{\pi}{4} \le x < \frac{\pi}{2}$

$0 \le x < \pi$에서 $y=\tan x$의 그래프와 직선 $y=1$은 오른쪽 그림과 같다.

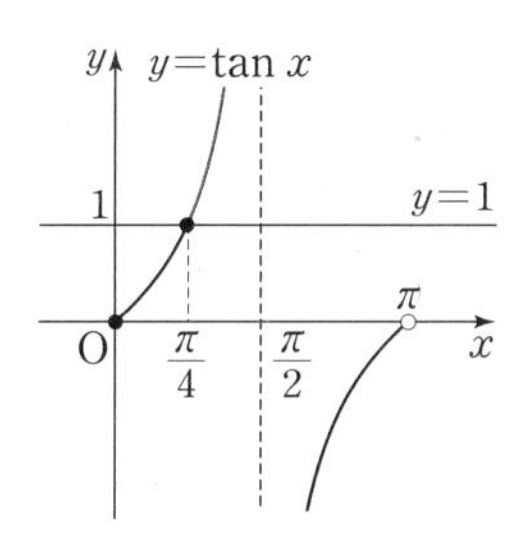

따라서 $y=\tan x$의 그래프가 직선 $y=1$과 만나거나 위쪽에 있는 x의 값의 범위를 구하면 부등식의 해는

$\frac{\pi}{4} \le x < \frac{\pi}{2}$

064 답 $0 \le x \le \frac{\pi}{6}$ 또는 $\frac{\pi}{2} < x < \pi$

$3\tan x \le \sqrt{3}$에서 $\tan x \le \frac{\sqrt{3}}{3}$

$0 \le x < \pi$에서 $y=\tan x$의 그래프와 직선 $y=\frac{\sqrt{3}}{3}$은 오른쪽 그림과 같다.

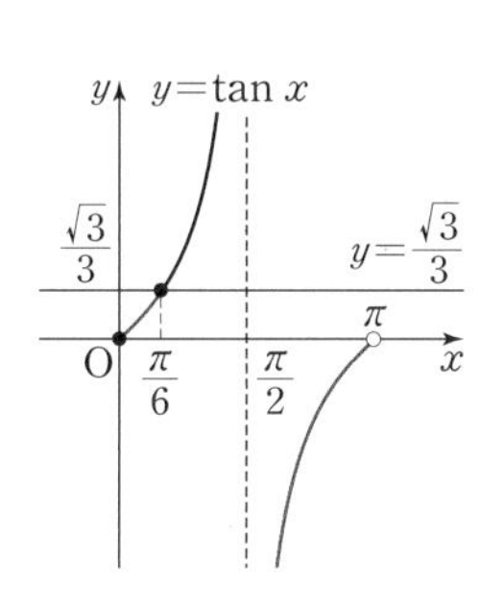

따라서 $y=\tan x$의 그래프가 직선 $y=\frac{\sqrt{3}}{3}$과 만나거나 아래쪽에 있는 x의 값의 범위를 구하면 부등식의 해는

$0 \le x \le \frac{\pi}{6}$ 또는 $\frac{\pi}{2} < x < \pi$

065 답 $\frac{\pi}{2} < x < \frac{2}{3}\pi$

$\tan x + \sqrt{3} < 0$에서 $\tan x < -\sqrt{3}$

$0 \le x < \pi$에서 $y=\tan x$의 그래프와 직선 $y=-\sqrt{3}$은 오른쪽 그림과 같다.

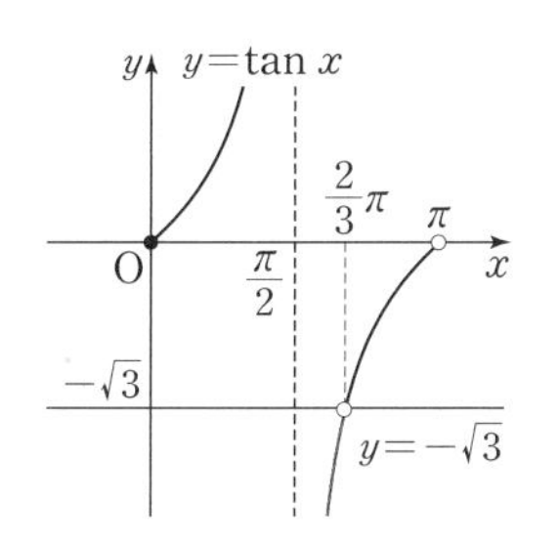

따라서 $y=\tan x$의 그래프가 직선 $y=-\sqrt{3}$보다 아래쪽에 있는 x의 값의 범위를 구하면 부등식의 해는

$\frac{\pi}{2} < x < \frac{2}{3}\pi$

066 답 1, 1, 1, 0, 1, 0, 1, $\frac{\pi}{2}$, 0, 1, $\frac{\pi}{2}$, $\frac{\pi}{2}$, π

067 답 $\frac{\pi}{3} < x < \frac{2}{3}\pi$ 또는 $\pi < x < 2\pi$

$2\sin^2 x - \sqrt{3}\sin x > 0$에서

$\sin x(2\sin x - \sqrt{3}) > 0$

$\therefore \sin x < 0$ 또는 $\sin x > \frac{\sqrt{3}}{2}$

$0 \le x < 2\pi$에서 $y=\sin x$의 그래프와 직선 $y=0$, $y=\frac{\sqrt{3}}{2}$은 다음 그림과 같다.

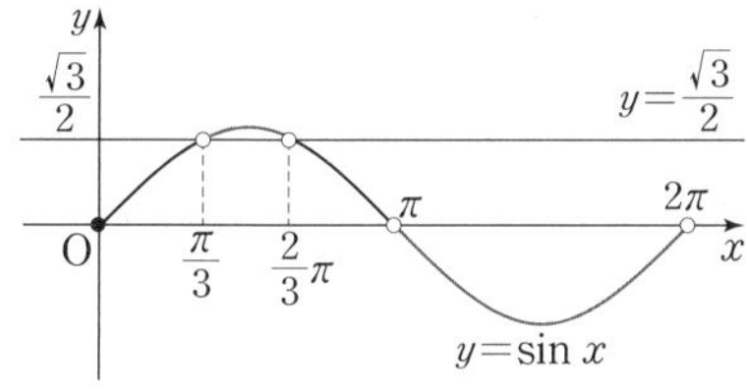

따라서 $y=\sin x$의 그래프가 직선 $y=0$보다 아래쪽에 있거나 직선 $y=\frac{\sqrt{3}}{2}$보다 위쪽에 있는 x의 값의 범위를 구하면 부등식의 해는

$\frac{\pi}{3} < x < \frac{2}{3}\pi$ 또는 $\pi < x < 2\pi$

068 답 $0 \le x \le \frac{\pi}{3}$ 또는 $x=\pi$ 또는 $\frac{5}{3}\pi \le x < 2\pi$

$\sin^2 x + \cos^2 x = 1$이므로

$2(1-\cos^2 x) - \cos x - 1 \le 0$

$2\cos^2 x + \cos x - 1 \ge 0$

$(\cos x + 1)(2\cos x - 1) \ge 0$

$\therefore \cos x \le -1$ 또는 $\cos x \ge \frac{1}{2}$

$0 \le x < 2\pi$에서 $y=\cos x$의 그래프와 직선 $y=-1$, $y=\frac{1}{2}$은 다음 그림과 같다.

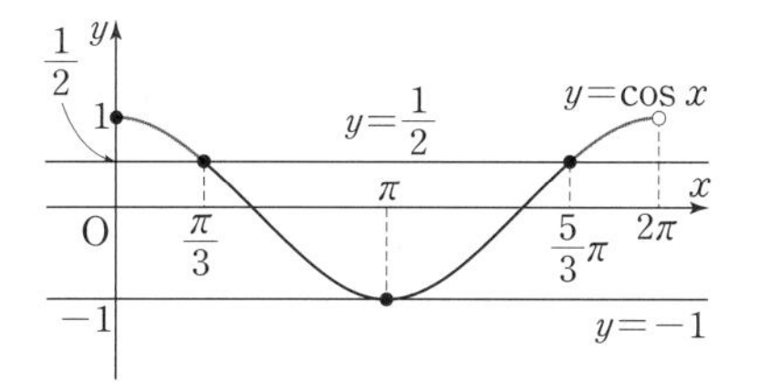

따라서 $y=\cos x$의 그래프가 직선 $y=-1$과 만나거나 아래쪽에 있거나 직선 $y=\frac{1}{2}$과 만나거나 위쪽에 있는 x의 값의 범위를 구하면 부등식의 해는

$0 \le x \le \frac{\pi}{3}$ 또는 $x=\pi$ 또는 $\frac{5}{3}\pi \le x < 2\pi$

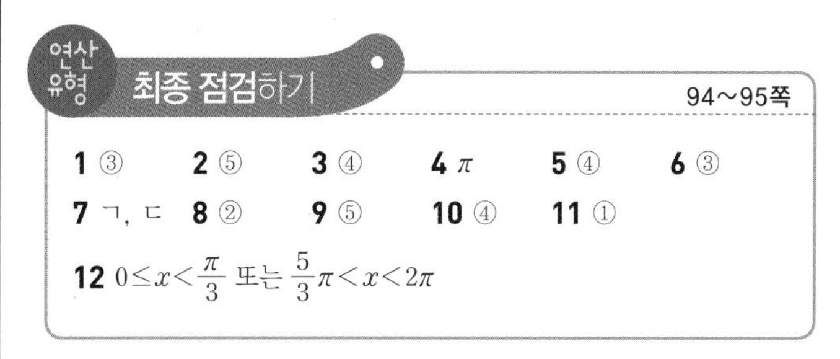

연산 유형 최종 점검하기

94~95쪽

1 ③	**2** ⑤	**3** ④	**4** π	**5** ④	**6** ③
7 ㄱ, ㄷ	**8** ②	**9** ⑤	**10** ④	**11** ①	

12 $0 \le x < \frac{\pi}{3}$ 또는 $\frac{5}{3}\pi < x < 2\pi$

1 ③ 최댓값은 $|2|-1=1$이다.

2 ① 그래프는 점 $\left(\frac{\pi}{3}, 0\right)$을 지난다.

② 주기는 $\frac{\pi}{|3|}=\frac{\pi}{3}$이다.

③ 최댓값은 없다.

④ 그래프는 $y=\tan 3x$의 그래프를 x축에 대하여 대칭이동한 것이다.

3 각각의 함수의 주기를 구하면

① $\frac{2\pi}{|4|}=\frac{\pi}{2}$ ② $\frac{2\pi}{|4|}=\frac{\pi}{2}$ ③ $\frac{2\pi}{|4|}=\frac{\pi}{2}$

④ $\frac{2\pi}{|2|}=\pi$ ⑤ $\frac{\pi}{|2|}=\frac{\pi}{2}$

따라서 주기가 나머지 넷과 다른 하나는 ④이다.

4 주어진 그래프에서 최댓값은 1, 최솟값은 -1이고 $a>0$이므로
$a=1$
또 주어진 그래프에서 주기가 2π이고 $b>0$이므로
$b=1$
따라서 $y=\cos(x-c)$이고 주어진 그래프는 $y=\cos x$의 그래프를 x축의 방향으로 π만큼 평행이동한 것이므로
$c=\pi$
$\therefore abc=1\times1\times\pi=\pi$

5 ④ $\sin\left(-\frac{\pi}{4}\right)=-\sin\frac{\pi}{4}=-\frac{\sqrt{2}}{2}$

6 $\sin\frac{2}{3}\pi\times\tan\frac{25}{4}\pi-\cos\frac{11}{6}\pi$
$=\sin\left(\pi-\frac{\pi}{3}\right)\times\tan\left(6\pi+\frac{\pi}{4}\right)-\cos\left(2\pi-\frac{\pi}{6}\right)$
$=\sin\frac{\pi}{3}\times\tan\frac{\pi}{4}-\cos\left(-\frac{\pi}{6}\right)$
$=\sin\frac{\pi}{3}\times\tan\frac{\pi}{4}-\cos\frac{\pi}{6}$
$=\frac{\sqrt{3}}{2}\times1-\frac{\sqrt{3}}{2}$
$=0$

7 ㄱ. $\sin(6\pi+x)=\sin x$
ㄴ. $\cos(-x)=\cos x$
ㄷ. $\cos\left(\frac{\pi}{2}-x\right)=\sin x$
ㄹ. $\sin(\pi+x)=-\sin x$
따라서 보기 중 $\sin x$와 같은 것은 ㄱ, ㄷ이다.

8 $\sin\left(\frac{\pi}{2}-x\right)-\sin(\pi-x)+\cos\left(\frac{3}{2}\pi+x\right)-\cos(4\pi-x)$
$=\cos x-\sin x-\cos\left(\frac{\pi}{2}+x\right)-\cos(-x)$
$=\cos x-\sin x+\sin x-\cos x$
$=0$

9 $0\le x<2\pi$에서 $y=\cos x$의 그래프와 직선 $y=\frac{\sqrt{3}}{2}$은 다음 그림과 같다.

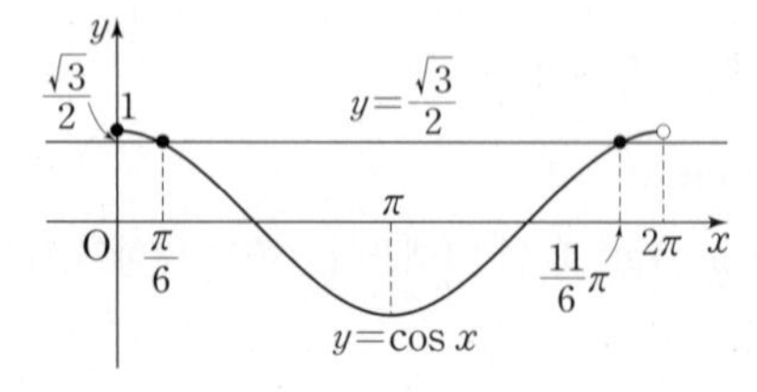

이때 교점의 x좌표는 $\frac{\pi}{6}$, $\frac{11}{6}\pi$이므로 방정식의 해는
$x=\frac{\pi}{6}$ 또는 $x=\frac{11}{6}\pi$
따라서 모든 근의 합은
$\frac{\pi}{6}+\frac{11}{6}\pi=2\pi$

10 $\sin^2 x+\cos^2 x=1$이므로
$2(1-\sin^2 x)+\sin x-1=0$
$2\sin^2 x-\sin x-1=0$
$(2\sin x+1)(\sin x-1)=0$
$\therefore \sin x=-\frac{1}{2}$ 또는 $\sin x=1$
$0\le x<\pi$에서 $y=\sin x$의 그래프와 직선 $y=-\frac{1}{2}$, $y=1$은 다음 그림과 같다.

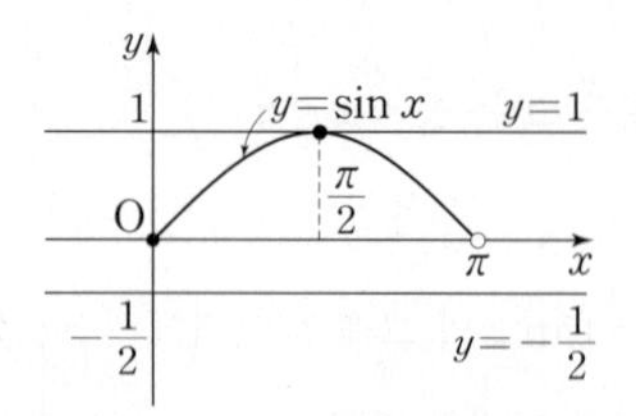

이때 교점의 x좌표는 $\frac{\pi}{2}$이므로 방정식의 해는 $x=\frac{\pi}{2}$
따라서 $\alpha=\frac{\pi}{2}$이므로
$\tan\frac{\alpha}{2}=\tan\frac{\pi}{4}=1$

11 $\tan x+1\le0$에서 $\tan x\le-1$
$0\le x<\pi$에서 $y=\tan x$의 그래프와 직선 $y=-1$은 오른쪽 그림과 같다.
이때 $y=\tan x$의 그래프가 직선 $y=-1$과 만나거나 아래쪽에 있는 x의 값의 범위를 구하면 부등식의 해는
$\frac{\pi}{2}<x\le\frac{3}{4}\pi$

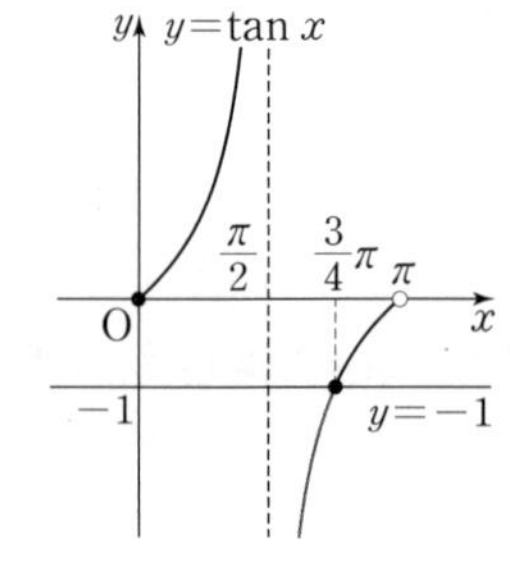

따라서 $a=\frac{\pi}{2}$, $b=\frac{3}{4}\pi$이므로
$b-a=\frac{\pi}{4}$

12 $\sin^2 x+\cos^2 x=1$이므로
$2(1-\cos^2 x)-3\cos x<0$
$2\cos^2 x+3\cos x-2>0$
$(\cos x+2)(2\cos x-1)>0$
$\therefore \cos x>\frac{1}{2}$ ($\because -1\le\cos x\le1$)
$0\le x<2\pi$에서 $y=\cos x$의 그래프와 직선 $y=\frac{1}{2}$은 다음 그림과 같다.

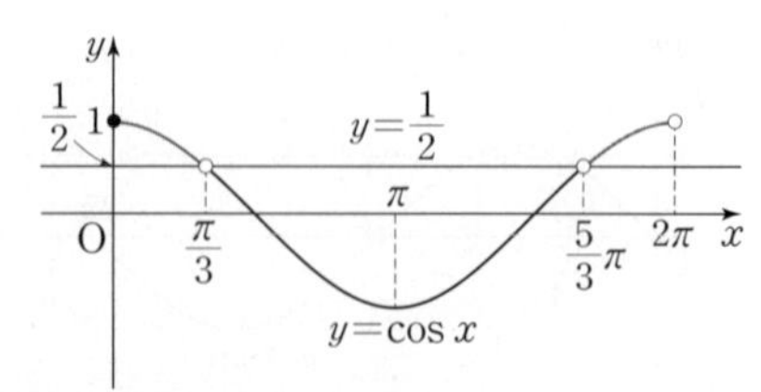

따라서 $y=\cos x$의 그래프가 직선 $y=\frac{1}{2}$보다 위쪽에 있는 x의 값의 범위를 구하면 부등식의 해는
$0\le x<\frac{\pi}{3}$ 또는 $\frac{5}{3}\pi<x<2\pi$

07 사인법칙과 코사인법칙

98~103쪽

001 답 a, a, a, a, $\frac{1}{2}$, $3\sqrt{2}$

002 답 $4\sqrt{3}$

$\frac{b}{\sin B}=\frac{c}{\sin C}$이므로 $\frac{b}{\sin 30^\circ}=\frac{12}{\sin 60^\circ}$

$b\sin 60^\circ=12\sin 30^\circ$

$\frac{\sqrt{3}}{2}b=12\times\frac{1}{2}$ $\quad\therefore b=4\sqrt{3}$

003 답 $\sqrt{6}$

$C=180^\circ-(A+B)=180^\circ-(60^\circ+75^\circ)=45^\circ$

$\frac{a}{\sin A}=\frac{c}{\sin C}$이므로 $\frac{3}{\sin 60^\circ}=\frac{c}{\sin 45^\circ}$

$3\sin 45^\circ=c\sin 60^\circ$

$3\times\frac{\sqrt{2}}{2}=\frac{\sqrt{3}}{2}c$ $\quad\therefore c=\sqrt{6}$

004 답 A, A, A, $\sqrt{2}$, 1, 90°

005 답 30°

$\frac{a}{\sin A}=\frac{b}{\sin B}$이므로 $\frac{3\sqrt{2}}{\sin 135^\circ}=\frac{3}{\sin B}$

$3\sqrt{2}\sin B=3\sin 135^\circ$

$\therefore \sin B=3\times\frac{\sqrt{2}}{2}\times\frac{1}{3\sqrt{2}}=\frac{1}{2}$

이때 $0^\circ<B<45^\circ$이므로 $B=30^\circ$

006 답 60° 또는 120°

$\frac{b}{\sin B}=\frac{c}{\sin C}$이므로 $\frac{\sqrt{2}}{\sin 30^\circ}=\frac{\sqrt{6}}{\sin C}$

$\sqrt{2}\sin C=\sqrt{6}\sin 30^\circ$

$\therefore \sin C=\sqrt{6}\times\frac{1}{2}\times\frac{1}{\sqrt{2}}=\frac{\sqrt{3}}{2}$

이때 $0^\circ<C<150^\circ$이므로 $C=60^\circ$ 또는 $C=120^\circ$

007 답 $\sqrt{3}$, $\sqrt{3}$

008 답 2

$B=180^\circ-(A+C)=180^\circ-(105^\circ+45^\circ)=30^\circ$

$\frac{b}{\sin B}=2R$이므로 $\frac{2}{\sin 30^\circ}=2R$

$\therefore R=\frac{2}{2\sin 30^\circ}=\frac{2}{2\times\frac{1}{2}}=2$

009 답 $\sqrt{2}$

$\frac{a}{\sin A}=2R$이므로 $\frac{a}{\sin 45^\circ}=2\times 1$

$\therefore a=2\sin 45^\circ=2\times\frac{\sqrt{2}}{2}=\sqrt{2}$

010 답 60° 또는 120°

$\frac{c}{\sin C}=2R$이므로 $\frac{2\sqrt{3}}{\sin C}=2\times 2$

$\therefore \sin C=2\sqrt{3}\times\frac{1}{4}=\frac{\sqrt{3}}{2}$

이때 $0^\circ<C<180^\circ$이므로 $C=60^\circ$ 또는 $C=120^\circ$

011 답 b, $2R$, b, $2R$, c^2, 90°, 직각

012 답 $a=b$인 이등변삼각형

삼각형 ABC의 외접원의 반지름의 길이를 R라고 하면 사인법칙에 의하여

$\sin A=\frac{a}{2R}$, $\sin B=\frac{b}{2R}$

이를 주어진 식에 대입하면

$a\times\frac{a}{2R}=b\times\frac{b}{2R}$ $\quad\therefore a^2=b^2$

이때 $a>0$, $b>0$이므로 $a=b$

따라서 삼각형 ABC는 $a=b$인 이등변삼각형이다.

013 답 $B=90^\circ$인 직각삼각형

삼각형 ABC의 외접원의 반지름의 길이를 R라고 하면 사인법칙에 의하여

$\sin A=\frac{a}{2R}$, $\sin B=\frac{b}{2R}$, $\sin C=\frac{c}{2R}$

이를 주어진 식에 대입하면

$\left(\frac{a}{2R}\right)^2+\left(\frac{c}{2R}\right)^2=\left(\frac{b}{2R}\right)^2$ $\quad\therefore a^2+c^2=b^2$

따라서 삼각형 ABC는 $B=90^\circ$인 직각삼각형이다.

014 답 $\frac{1}{2}$, 12, $2\sqrt{3}$

015 답 $\sqrt{5}$

$b^2=c^2+a^2-2ca\cos B$이므로

$b^2=(2\sqrt{2})^2+3^2-2\times 2\sqrt{2}\times 3\times\cos 45^\circ$

$=8+9-12\sqrt{2}\times\frac{\sqrt{2}}{2}=5$

$\therefore b=\sqrt{5}$ ($\because b>0$)

016 답 1

$c^2=a^2+b^2-2ab\cos C$이므로

$c^2=2^2+(\sqrt{3})^2-2\times 2\times\sqrt{3}\times\cos 30^\circ$

$=4+3-4\sqrt{3}\times\frac{\sqrt{3}}{2}=1$

$\therefore c=1$ ($\because c>0$)

017 답 c, a, 5, 3, $\frac{4}{5}$

018 답 $\frac{2}{3}$

$\cos C=\frac{a^2+b^2-c^2}{2ab}$

$=\frac{1^2+3^2-(\sqrt{6})^2}{2\times 1\times 3}=\frac{2}{3}$

019 답 **60°**

$\cos A=\frac{b^2+c^2-a^2}{2bc}=\frac{2^2+4^2-(2\sqrt{3})^2}{2\times2\times4}=\frac{1}{2}$

이때 $0°<A<180°$이므로

$A=60°$

020 답 **120°**

$\cos B=\frac{c^2+a^2-b^2}{2ca}=\frac{3^2+5^2-7^2}{2\times3\times5}=-\frac{1}{2}$

이때 $0°<B<180°$이므로

$B=120°$

021 답 **6**

삼각형 ABC의 넓이는

$\frac{1}{2}ab\sin C=\frac{1}{2}\times4\times2\sqrt{3}\times\sin 60°$

$=\frac{1}{2}\times4\times2\sqrt{3}\times\frac{\sqrt{3}}{2}=6$

022 답 **9**

삼각형 ABC의 넓이는

$\frac{1}{2}bc\sin A=\frac{1}{2}\times6\times3\sqrt{2}\times\sin 45°$

$=\frac{1}{2}\times6\times3\sqrt{2}\times\frac{\sqrt{2}}{2}=9$

023 답 **14**

삼각형 ABC의 넓이는

$\frac{1}{2}ca\sin B=\frac{1}{2}\times8\times7\times\sin 150°$

$=\frac{1}{2}\times8\times7\times\frac{1}{2}=14$

024 답 **8, 9, $\frac{2}{7}$, $\frac{2}{7}$, $\frac{3\sqrt{5}}{7}$, $\frac{3\sqrt{5}}{7}$, $12\sqrt{5}$**

025 답 **$\frac{15\sqrt{7}}{4}$**

$\cos C=\frac{a^2+b^2-c^2}{2ab}=\frac{4^2+5^2-6^2}{2\times4\times5}=\frac{1}{8}$

$\therefore \sin C=\sqrt{1-\cos^2 C}=\sqrt{1-\left(\frac{1}{8}\right)^2}=\frac{3\sqrt{7}}{8}$

따라서 삼각형 ABC의 넓이는

$\frac{1}{2}ab\sin C=\frac{1}{2}\times4\times5\times\frac{3\sqrt{7}}{8}=\frac{15\sqrt{7}}{4}$

026 답 **$\frac{3\sqrt{15}}{4}$**

$\cos C=\frac{a^2+b^2-c^2}{2ab}=\frac{2^2+3^2-4^2}{2\times2\times3}=-\frac{1}{4}$

$\therefore \sin C=\sqrt{1-\cos^2 C}=\sqrt{1-\left(-\frac{1}{4}\right)^2}=\frac{\sqrt{15}}{4}$

따라서 삼각형 ABC의 넓이는

$\frac{1}{2}ab\sin C=\frac{1}{2}\times2\times3\times\frac{\sqrt{15}}{4}=\frac{3\sqrt{15}}{4}$

027 답 **$12\sqrt{3}$**

평행사변형 ABCD의 넓이는

$4\times6\times\sin 60°=4\times6\times\frac{\sqrt{3}}{2}=12\sqrt{3}$

028 답 **10**

평행사변형 ABCD의 넓이는

$4\times5\times\sin 30°=4\times5\times\frac{1}{2}=10$

029 답 **12**

$B=180°-135°=45°$

따라서 평행사변형 ABCD의 넓이는

$3\times4\sqrt{2}\times\sin 45°=3\times4\sqrt{2}\times\frac{\sqrt{2}}{2}=12$

030 답 **15**

$B=D=150°$

따라서 평행사변형 ABCD의 넓이는

$5\times6\times\sin 150°=5\times6\times\frac{1}{2}=15$

031 답 **$12\sqrt{3}$**

사각형 ABCD의 넓이는

$\frac{1}{2}\times6\times8\times\sin 120°=\frac{1}{2}\times6\times8\times\frac{\sqrt{3}}{2}=12\sqrt{3}$

032 답 **5**

사각형 ABCD의 넓이는

$\frac{1}{2}\times5\times4\times\sin 150°=\frac{1}{2}\times5\times4\times\frac{1}{2}=5$

033 답 **8**

사각형 ABCD의 넓이는

$\frac{1}{2}\times4\times4\sqrt{2}\times\sin 45°=\frac{1}{2}\times4\times4\sqrt{2}\times\frac{\sqrt{2}}{2}=8$

034 답 **48, $4\sqrt{3}$, $4\sqrt{3}$, $5\sqrt{3}$, $13\sqrt{3}$**

035 답 **$\frac{25\sqrt{3}}{2}$**

삼각형 ABD에서 코사인법칙에 의하여

$\overline{BD}^2=5^2+3^2-2\times5\times3\times\cos 120°$

$=25+9-30\times\left(-\frac{1}{2}\right)=49$

$\therefore \overline{BD}=7$ ($\because \overline{BD}>0$)

따라서 사각형 ABCD의 넓이는

$\triangle ABD+\triangle BCD=\frac{1}{2}\times5\times3\times\sin 120°+\frac{1}{2}\times5\times7\times\sin 60°$

$=\frac{1}{2}\times5\times3\times\frac{\sqrt{3}}{2}+\frac{1}{2}\times5\times7\times\frac{\sqrt{3}}{2}$

$=\frac{15\sqrt{3}}{4}+\frac{35\sqrt{3}}{4}$

$=\frac{25\sqrt{3}}{2}$

036 답 18

삼각형 ABD에서 피타고라스 정리에 의하여

$\overline{BD}=\sqrt{3^2+4^2}=5$

삼각형 BCD에서 코사인법칙에 의하여

$\cos C=\dfrac{5^2+6^2-5^2}{2\times5\times6}=\dfrac{3}{5}$

$\therefore \sin C=\sqrt{1-\cos^2 C}=\sqrt{1-\left(\dfrac{3}{5}\right)^2}=\dfrac{4}{5}$

따라서 사각형 ABCD의 넓이는

$\triangle ABD+\triangle BCD=\dfrac{1}{2}\times3\times4+\dfrac{1}{2}\times5\times6\times\sin C$

$=\dfrac{1}{2}\times3\times4+\dfrac{1}{2}\times5\times6\times\dfrac{4}{5}$

$=6+12=18$

최종 점검하기

104~105쪽

1 $4\sqrt{2}$	**2** ⑤	**3** ⑤	**4** $a=c$인 이등변삼각형		
5 ①	**6** 2	**7** ②	**8** ③	**9** $135°$	**10** ②
11 ②	**12** $30°$	**13** 44			

1 $\dfrac{a}{\sin A}=\dfrac{b}{\sin B}$이므로 $\dfrac{a}{\sin 45°}=\dfrac{4\sqrt{3}}{\sin 60°}$

$a\sin 60°=4\sqrt{3}\sin 45°$

$\dfrac{\sqrt{3}}{2}a=4\sqrt{3}\times\dfrac{\sqrt{2}}{2}\qquad\therefore a=4\sqrt{2}$

2 $\dfrac{\overline{AC}}{\sin B}=\dfrac{\overline{AB}}{\sin C}$이므로 $\dfrac{4\sqrt{2}}{\sin B}=\dfrac{6}{\sin 30°}$

$4\sqrt{2}\sin 30°=6\sin B$

$\therefore \sin B=4\sqrt{2}\times\dfrac{1}{2}\times\dfrac{1}{6}=\dfrac{\sqrt{2}}{3}$

이때 $0°<B<90°$이므로

$\cos B=\sqrt{1-\sin^2 B}=\sqrt{1-\left(\dfrac{\sqrt{2}}{3}\right)^2}=\dfrac{\sqrt{7}}{3}$

3 $C=180°-(A+B)=180°-(45°+105°)=30°$

삼각형 ABC의 외접원의 반지름의 길이를 R라고 하면

$\dfrac{c}{\sin C}=2R$이므로 $\dfrac{6}{\sin 30°}=2R$

$\therefore R=\dfrac{6}{2\sin 30°}=\dfrac{6}{2\times\dfrac{1}{2}}=6$

따라서 삼각형 ABC의 외접원의 넓이는

$\pi\times6^2=36\pi$

4 삼각형 ABC의 외접원의 반지름의 길이를 R라고 하면 사인법칙에 의하여

$\sin B=\dfrac{b}{2R},\ \sin C=\dfrac{c}{2R}\qquad\cdots\cdots$ ㉠

또 코사인법칙에 의하여

$\cos A=\dfrac{b^2+c^2-a^2}{2bc}\qquad\cdots\cdots$ ㉡

㉠, ㉡을 주어진 식에 대입하면

$\dfrac{b}{2R}=2\times\dfrac{b^2+c^2-a^2}{2bc}\times\dfrac{c}{2R}\qquad\therefore a^2=c^2$

이때 $a>0,\ c>0$이므로 $a=c$

따라서 삼각형 ABC는 $a=c$인 이등변삼각형이다.

5 $c^2=a^2+b^2-2ab\cos C$이므로

$c^2=3^2+(2\sqrt{3})^2-2\times3\times2\sqrt{3}\times\cos 30°$

$=9+12-12\sqrt{3}\times\dfrac{\sqrt{3}}{2}=3$

$\therefore c=\sqrt{3}\ (\because c>0)$

6 $a^2=b^2+c^2-2bc\cos A$이므로

$a^2=4^2+(2\sqrt{2})^2-2\times4\times2\sqrt{2}\times\cos 45°$

$=16+8-16\sqrt{2}\times\dfrac{\sqrt{2}}{2}=8$

$\therefore a=2\sqrt{2}\ (\because a>0)$

삼각형 ABC의 외접원의 반지름의 길이를 R라고 하면

$\dfrac{a}{\sin A}=2R$이므로 $\dfrac{2\sqrt{2}}{\sin 45°}=2R$

$\therefore R=\dfrac{2\sqrt{2}}{2\sin 45°}=\dfrac{2\sqrt{2}}{2\times\dfrac{\sqrt{2}}{2}}=2$

7 $\cos A=\dfrac{b^2+c^2-a^2}{2bc}=\dfrac{7^2+8^2-6^2}{2\times7\times8}=\dfrac{11}{16}$

8 삼각형 ABC의 넓이는

$\dfrac{1}{2}ca\sin B=\dfrac{1}{2}\times2\times2\sqrt{6}\times\sin 45°$

$=\dfrac{1}{2}\times2\times2\sqrt{6}\times\dfrac{\sqrt{2}}{2}=2\sqrt{3}$

9 $\dfrac{1}{2}\times6\times10\times\sin A=15\sqrt{2}$이므로 $\sin A=\dfrac{\sqrt{2}}{2}$

이때 $A>90°$이므로 $A=135°$

10 $\cos B=\dfrac{5^2+8^2-7^2}{2\times5\times8}=\dfrac{1}{2}$

이때 $0°<B<90°$이므로 $B=60°$

따라서 삼각형 ABC의 넓이는

$\dfrac{1}{2}\times5\times8\times\sin 60°=\dfrac{1}{2}\times5\times8\times\dfrac{\sqrt{3}}{2}=10\sqrt{3}$

11 $4\times\overline{BC}\times\sin 45°=10\sqrt{2}$이므로

$4\times\overline{BC}\times\dfrac{\sqrt{2}}{2}=10\sqrt{2}\qquad\therefore \overline{BC}=5$

12 $\dfrac{1}{2}\times6\times9\times\sin\theta=\dfrac{27}{2}$이므로 $\sin\theta=\dfrac{1}{2}$

이때 $0°<\theta<90°$이므로 $\theta=30°$

13 삼각형 ACD에서 $\angle CAD=180°-(90°+45°)=45°$

$\therefore \overline{AC}=\overline{CD}=8$

따라서 사각형 ABCD의 넓이는

$\triangle ABC+\triangle ACD=\dfrac{1}{2}\times6\times8\times\sin 30°+\dfrac{1}{2}\times8\times8$

$=\dfrac{1}{2}\times6\times8\times\dfrac{1}{2}+\dfrac{1}{2}\times8\times8$

$=12+32=44$

08 등차수열과 등비수열

108~122쪽

001 답 **3, 5, 7, 9, 11**

$a_n=2n+1$에 n 대신 1, 2, 3, 4, 5를 대입하면
$a_1=2\times1+1=3$
$a_2=2\times2+1=5$
$a_3=2\times3+1=7$
$a_4=2\times4+1=9$
$a_5=2\times5+1=11$

002 답 **−2, −2, 0, 4, 10**

$a_n=n^2-3n$에 n 대신 1, 2, 3, 4, 5를 대입하면
$a_1=1^2-3\times1=-2$
$a_2=2^2-3\times2=-2$
$a_3=3^2-3\times3=0$
$a_4=4^2-3\times4=4$
$a_5=5^2-3\times5=10$

003 답 **1, 3, 7, 15, 31**

$a_n=2^n-1$에 n 대신 1, 2, 3, 4, 5를 대입하면
$a_1=2^1-1=1$
$a_2=2^2-1=3$
$a_3=2^3-1=7$
$a_4=2^4-1=15$
$a_5=2^5-1=31$

004 답 $1,\ \frac{1}{4},\ \frac{1}{7},\ \frac{1}{10},\ \frac{1}{13}$

$a_n=\frac{1}{3n-2}$에 n 대신 1, 2, 3, 4, 5를 대입하면
$a_1=\frac{1}{3\times1-2}=1$
$a_2=\frac{1}{3\times2-2}=\frac{1}{4}$
$a_3=\frac{1}{3\times3-2}=\frac{1}{7}$
$a_4=\frac{1}{3\times4-2}=\frac{1}{10}$
$a_5=\frac{1}{3\times5-2}=\frac{1}{13}$

005 답 $a_n=3n$

$a_1=3=3\times1,\ a_2=6=3\times2,\ a_3=9=3\times3,$
$a_4=12=3\times4,\ a_5=15=3\times5,\ \cdots$
따라서 일반항 a_n은 $a_n=3n$

006 답 $a_n=n^2$

$a_1=1=1^2,\ a_2=4=2^2,\ a_3=9=3^2,$
$a_4=16=4^2,\ a_5=25=5^2,\ \cdots$
따라서 일반항 a_n은 $a_n=n^2$

007 답 $a_n=(-1)^n$

$a_1=-1=(-1)^1,\ a_2=1=(-1)^2,$
$a_3=-1=(-1)^3,\ a_4=1=(-1)^4,$
$a_5=-1=(-1)^5,\ \cdots$
따라서 일반항 a_n은
$a_n=(-1)^n$

008 답 $a_n=\frac{n}{n+1}$

$a_1=\frac{1}{2}=\frac{1}{1+1},\ a_2=\frac{2}{3}=\frac{2}{2+1},$
$a_3=\frac{3}{4}=\frac{3}{3+1},\ a_4=\frac{4}{5}=\frac{4}{4+1},$
$a_5=\frac{5}{6}=\frac{5}{5+1},\ \cdots$
따라서 일반항 a_n은
$a_n=\frac{n}{n+1}$

009 답 **5, 7**

$3-1=2$에서 공차가 2이므로 주어진 수열은
1, 3, 5, 7, 9, ⋯

010 답 **−3, 7**

$17-12=5$에서 공차가 5이므로 주어진 수열은
−3, 2, 7, 12, 17, ⋯

011 답 **−2, −5**

$-11-(-8)=-3$에서 공차가 −3이므로 주어진 수열은
−2, −5, −8, −11, −14, ⋯

012 답 $1,\ \frac{3}{2}$

$\frac{5}{2}-2=\frac{1}{2}$에서 공차가 $\frac{1}{2}$이므로 주어진 수열은
$\frac{1}{2},\ 1,\ \frac{3}{2},\ 2,\ \frac{5}{2},\ \cdots$

013 답 $a_n=7n-10$

$a_n=-3+(n-1)\times7=7n-10$

014 답 $a_n=-2n+12$

$a_n=10+(n-1)\times(-2)=-2n+12$

015 답 $a_n=4n-24$

첫째항이 −20, 공차가 $-4-(-8)=4$이므로 일반항 a_n은
$a_n=-20+(n-1)\times4=4n-24$

016 답 $a_n=-\frac{3}{2}n+\frac{17}{2}$

첫째항이 7, 공차가 $1-\frac{5}{2}=-\frac{3}{2}$이므로 일반항 a_n은
$a_n=7+(n-1)\times\left(-\frac{3}{2}\right)=-\frac{3}{2}n+\frac{17}{2}$

017 답 6

공차를 d라고 하면 $a_6=33$에서

$3+5d=33 \quad \therefore d=6$

018 답 -3

공차를 d라고 하면 $a_9=-8$에서

$16+8d=-8 \quad \therefore d=-3$

019 답 4, 1, 3, 1, 3, $3n-2$

020 답 $a_n=2n-9$

첫째항을 a, 공차를 d라고 하면 $a_3=-3$, $a_{10}=11$에서

$a+2d=-3$, $a+9d=11$

두 식을 연립하여 풀면

$a=-7$, $d=2$

따라서 일반항 a_n은

$a_n=-7+(n-1)\times 2=2n-9$

021 답 $a_n=-4n+29$

첫째항을 a, 공차를 d라고 하면 $a_5=9$, $a_9=-7$에서

$a+4d=9$, $a+8d=-7$

두 식을 연립하여 풀면

$a=25$, $d=-4$

따라서 일반항 a_n은

$a_n=25+(n-1)\times(-4)=-4n+29$

022 답 $a_n=-\frac{1}{3}n$

첫째항을 a, 공차를 d라고 하면 $a_3=-1$, $a_8=-\frac{8}{3}$에서

$a+2d=-1$, $a+7d=-\frac{8}{3}$

두 식을 연립하여 풀면

$a=-\frac{1}{3}$, $d=-\frac{1}{3}$

따라서 일반항 a_n은

$a_n=-\frac{1}{3}+(n-1)\times\left(-\frac{1}{3}\right)=-\frac{1}{3}n$

023 답 -16

$a_{10}=11+9\times(-3)=-16$

024 답 $\frac{7}{2}$

$a_{10}=-1+9\times\frac{1}{2}=\frac{7}{2}$

025 답 43

첫째항이 -20, 공차가 $8-1=7$이므로

$a_{10}=-20+9\times 7=43$

026 답 -33

첫째항이 12, 공차가 $7-12=-5$이므로

$a_{10}=12+9\times(-5)=-33$

027 답 -17

첫째항을 a, 공차를 d라고 하면 $a_2=-1$, $a_5=-7$에서

$a+d=-1$, $a+4d=-7$

두 식을 연립하여 풀면

$a=1$, $d=-2$

$\therefore a_{10}=1+9\times(-2)=-17$

028 답 10

첫째항을 a, 공차를 d라고 하면 $a_3=\frac{33}{4}$, $a_6=9$에서

$a+2d=\frac{33}{4}$, $a+5d=9$

두 식을 연립하여 풀면

$a=\frac{31}{4}$, $d=\frac{1}{4}$

$\therefore a_{10}=\frac{31}{4}+9\times\frac{1}{4}=10$

029 답 7

x는 3과 11의 등차중항이므로

$x=\frac{3+11}{2}=7$

030 답 -6

x는 2와 -14의 등차중항이므로

$x=\frac{2+(-14)}{2}=-6$

031 답 2

4는 x와 $3x$의 등차중항이므로

$4=\frac{x+3x}{2}$, $4x=8$

$\therefore x=2$

032 답 $-\frac{8}{3}$

$3x+2$는 $x-1$과 $2x-3$의 등차중항이므로

$3x+2=\frac{(x-1)+(2x-3)}{2}$

$6x+4=3x-4$, $3x=-8$

$\therefore x=-\frac{8}{3}$

033 답 $x=5$, $y=11$

x는 2와 8의 등차중항이므로

$x=\frac{2+8}{2}=5$

y는 8과 14의 등차중항이므로

$y=\frac{8+14}{2}=11$

034 답 $x=-5$, $y=-13$

x는 -1과 -9의 등차중항이므로

$x=\frac{-1+(-9)}{2}=-5$

y는 -9와 -17의 등차중항이므로

$y=\frac{-9+(-17)}{2}=-13$

035 답 $x=-4$, $y=2$, $z=8$

y는 -1과 5의 등차중항이므로

$y=\frac{-1+5}{2}=2$

-1은 x와 y의 등차중항이므로

$-1=\frac{x+y}{2}$, $-1=\frac{x+2}{2}$ $\quad\therefore x=-4$

5는 y와 z의 등차중항이므로

$5=\frac{y+z}{2}$, $5=\frac{2+z}{2}$ $\quad\therefore z=8$

036 답 $x=16$, $y=4$, $z=-8$

y는 10과 -2의 등차중항이므로

$y=\frac{10+(-2)}{2}=4$

10은 x와 y의 등차중항이므로

$10=\frac{x+y}{2}$, $10=\frac{x+4}{2}$ $\quad\therefore x=16$

-2는 y와 z의 등차중항이므로

$-2=\frac{y+z}{2}$, $-2=\frac{4+z}{2}$ $\quad\therefore z=-8$

037 답 a, a, a, 28, 4, 4, 4, 4, 4, 9, ±3, 4, 7

038 답 -5, -3, -1

세 수를 $a-d$, a, $a+d$로 놓으면

$(a-d)+a+(a+d)=-9$ …… ㉠

$(a-d)\times a\times(a+d)=-15$ …… ㉡

㉠에서 $3a=-9$ $\quad\therefore a=-3$

$a=-3$을 ㉡에 대입하면

$(-3-d)\times(-3)\times(-3+d)=-15$

$d^2=4$ $\quad\therefore d=\pm2$

따라서 구하는 세 수는 -5, -3, -1이다.

039 답 -2, 2, 6

세 수를 $a-d$, a, $a+d$로 놓으면

$(a-d)+a+(a+d)=6$ …… ㉠

$(a-d)\times a\times(a+d)=-24$ …… ㉡

㉠에서 $3a=6$ $\quad\therefore a=2$

$a=2$를 ㉡에 대입하면

$(2-d)\times2\times(2+d)=-24$

$d^2=16$ $\quad\therefore d=\pm4$

따라서 구하는 세 수는 -2, 2, 6이다.

040 답 $a+d$, $a+d$, 40, 7, 7, 7, 7, 1, ±1, 4, 6, 10

041 답 -5, -1, 3, 7

네 수를 $a-3d$, $a-d$, $a+d$, $a+3d$로 놓으면

$(a-3d)+(a-d)+(a+d)+(a+3d)=4$ …… ㉠

$(a-d)(a+d)=(a-3d)(a+3d)+32$ …… ㉡

㉠에서 $4a=4$ $\quad\therefore a=1$

$a=1$을 ㉡에 대입하면

$(1-d)(1+d)=(1-3d)(1+3d)+32$

$d^2=4$ $\quad\therefore d=\pm2$

따라서 구하는 네 수는 -5, -1, 3, 7이다.

042 답 -1, 1, 3, 5

네 수를 $a-3d$, $a-d$, $a+d$, $a+3d$로 놓으면

$(a-3d)+(a-d)+(a+d)+(a+3d)=8$ …… ㉠

$(a-3d)^2+(a-d)^2+(a+d)^2+(a+3d)^2=36$ …… ㉡

㉠에서 $4a=8$ $\quad\therefore a=2$

$a=2$를 ㉡에 대입하면

$(2-3d)^2+(2-d)^2+(2+d)^2+(2+3d)^2=36$

$d^2=1$ $\quad\therefore d=\pm1$

따라서 구하는 네 수는 -1, 1, 3, 5이다.

043 답 165

$S_{10}=\frac{10\times(3+30)}{2}=165$

044 답 32

$S_8=\frac{8\times\{12+(-4)\}}{2}=32$

045 답 276

$S_{12}=\frac{12\times\{2\times1+(12-1)\times4\}}{2}=276$

046 답 -18

$S_9=\frac{9\times\{2\times10+(9-1)\times(-3)\}}{2}=-18$

047 답 616

첫째항이 1, 공차가 $6-1=5$이므로

$S_{16}=\frac{16\times\{2\times1+(16-1)\times5\}}{2}=616$

048 답 -140

첫째항이 12, 공차가 $10-12=-2$이므로

$S_{20}=\frac{20\times\{2\times12+(20-1)\times(-2)\}}{2}=-140$

049 답 408

첫째항이 1, 공차가 $7-1=6$인 등차수열의 n번째 항을 67이라고 하면

$1+(n-1)\times 6=67$

$n-1=11 \qquad \therefore n=12$

$\therefore 1+7+13+19+\cdots+67=\frac{12\times(1+67)}{2}=408$

050 답 −85

첫째항이 $\frac{1}{2}$, 공차가 $0-\frac{1}{2}=-\frac{1}{2}$인 등차수열의 n번째 항을 -9라고 하면

$\frac{1}{2}+(n-1)\times\left(-\frac{1}{2}\right)=-9$

$n-1=19 \qquad \therefore n=20$

$\therefore \frac{1}{2}+0+\left(-\frac{1}{2}\right)+(-1)+\cdots+(-9)=\frac{20\times\left\{\frac{1}{2}+(-9)\right\}}{2}$

$=-85$

051 답 7

공차를 d라고 하면 $S_8=220$에서

$\frac{8\times\{2\times3+(8-1)d\}}{2}=220$

$6+7d=55 \qquad \therefore d=7$

052 답 3

공차를 d라고 하면 $S_{10}=125$에서

$\frac{10\times\{2\times(-1)+(10-1)d\}}{2}=125$

$-2+9d=25 \qquad \therefore d=3$

053 답 2, 1, 3, −1, 3, −1, −30

054 답 510

첫째항을 a, 공차를 d라고 하면 $S_{10}=70$, $S_{20}=240$에서

$\frac{10\{2a+(10-1)d\}}{2}=70$, $\frac{20\{2a+(20-1)d\}}{2}=240$

$\therefore 2a+9d=14$, $2a+19d=24$

두 식을 연립하여 풀면

$a=\frac{5}{2}$, $d=1$

$\therefore S_{30}=\frac{30\times\left\{2\times\frac{5}{2}+(30-1)\times1\right\}}{2}=510$

055 답 −390

첫째항을 a, 공차를 d라고 하면 $S_6=30$, $S_{18}=-126$에서

$\frac{6\{2a+(6-1)d\}}{2}=30$, $\frac{18\{2a+(18-1)d\}}{2}=-126$

$\therefore 2a+5d=10$, $2a+17d=-14$

두 식을 연립하여 풀면

$a=10$, $d=-2$

$\therefore S_{26}=\frac{26\times\{2\times10+(26-1)\times(-2)\}}{2}=-390$

056 답 81

일반항 a_n은

$a_n=17+(n-1)\times(-2)=-2n+19$

이때 제n항에서 처음으로 음수가 된다고 하면

$a_n=-2n+19<0$

$\therefore n>\frac{19}{2}=9.5$

따라서 첫째항부터 제9항까지가 양수이고 제10항부터 음수이므로 구하는 최댓값은

$S_9=\frac{9\times\{2\times17+(9-1)\times(-2)\}}{2}=81$

057 답 91

첫째항을 a, 공차를 d라고 하면 $a_2=21$, $a_6=5$에서

$a+d=21$, $a+5d=5$

두 식을 연립하여 풀면

$a=25$, $d=-4$

$\therefore a_n=25+(n-1)\times(-4)=-4n+29$

이때 제n항에서 처음으로 음수가 된다고 하면

$a_n=-4n+29<0$

$\therefore n>\frac{29}{4}=7.25$

따라서 첫째항부터 제7항까지가 양수이고 제8항부터 음수이므로 구하는 최댓값은

$S_7=\frac{7\times\{2\times25+(7-1)\times(-4)\}}{2}=91$

058 답 −70

일반항 a_n은

$a_n=-19+(n-1)\times3=3n-22$

이때 제n항에서 처음으로 양수가 된다고 하면

$a_n=3n-22>0$

$\therefore n>\frac{22}{3}=7.3\times\times$

따라서 첫째항부터 제7항까지가 음수이고 제8항부터 양수이므로 구하는 최솟값은

$S_7=\frac{7\times\{2\times(-19)+(7-1)\times3\}}{2}=-70$

059 답 −78

첫째항을 a, 공차를 d라고 하면 $a_3=-15$, $a_8=5$에서

$a+2d=-15$, $a+7d=5$

두 식을 연립하여 풀면

$a=-23$, $d=4$

$\therefore a_n=-23+(n-1)\times4=4n-27$

이때 제n항에서 처음으로 양수가 된다고 하면

$a_n=4n-27>0$

$\therefore n>\frac{27}{4}=6.75$

따라서 첫째항부터 제6항까지가 음수이고 제7항부터 양수이므로 구하는 최솟값은

$S_6=\frac{6\times\{2\times(-23)+(6-1)\times4\}}{2}=-78$

060 답 **4, 8**

$\frac{2}{1}=2$에서 공비가 2이므로 주어진 수열은

1, 2, 4, 8, 16, ⋯

061 답 **1, $\frac{1}{27}$**

$\frac{\frac{1}{9}}{\frac{1}{3}}=\frac{1}{3}$에서 공비가 $\frac{1}{3}$이므로 주어진 수열은

3, 1, $\frac{1}{3}$, $\frac{1}{9}$, $\frac{1}{27}$, ⋯

062 답 **−10, 20**

$\frac{80}{-40}=-2$에서 공비가 −2이므로 주어진 수열은

5, −10, 20, −40, 80, ⋯

063 답 **$\sqrt{2}$, 2**

$\frac{4\sqrt{2}}{4}=\sqrt{2}$에서 공비가 $\sqrt{2}$이므로 주어진 수열은

$\sqrt{2}$, 2, $2\sqrt{2}$, 4, $4\sqrt{2}$, ⋯

064 답 $a_n=3^{n-1}$

065 답 $a_n=5\times\left(\frac{1}{2}\right)^{n-1}$

066 답 $a_n=2\times(-3)^{n-1}$

첫째항이 2, 공비가 $\frac{-6}{2}=-3$이므로 일반항 a_n은

$a_n=2\times(-3)^{n-1}$

067 답 $a_n=7\times(\sqrt{7})^{n-1}$

첫째항이 7, 공비가 $\frac{7\sqrt{7}}{7}=\sqrt{7}$이므로 일반항 a_n은

$a_n=7\times(\sqrt{7})^{n-1}$

068 답 **2**

공비를 r라고 하면 $a_6=64$에서

$2\times r^5=64$, $r^5=32$ $\quad\therefore r=2$

069 답 $\frac{1}{2}$

공비를 r라고 하면 $a_8=\frac{1}{8}$에서

$16\times r^7=\frac{1}{8}$, $r^7=\frac{1}{128}$ $\quad\therefore r=\frac{1}{2}$

070 답 **4, 3, 3, 2, 2**

071 답 $a_n=(-\sqrt{2})^{n-1}$

첫째항을 a, 공비를 r라고 하면 $a_3=2$, $a_6=-4\sqrt{2}$에서

$ar^2=2$ ⋯⋯ ㉠

$ar^5=-4\sqrt{2}$ ⋯⋯ ㉡

㉡÷㉠을 하면

$r^3=-2\sqrt{2}$ $\quad\therefore r=-\sqrt{2}$

$r=-\sqrt{2}$를 ㉠에 대입하여 풀면 $a=1$

따라서 일반항 a_n은

$a_n=1\times(-\sqrt{2})^{n-1}=(-\sqrt{2})^{n-1}$

072 답 $a_n=(-1)^{n-1}$

첫째항을 a, 공비를 r라고 하면 $a_3=1$, $a_8=-1$에서

$ar^2=1$ ⋯⋯ ㉠

$ar^7=-1$ ⋯⋯ ㉡

㉡÷㉠을 하면

$r^5=-1$ $\quad\therefore r=-1$

$r=-1$을 ㉠에 대입하여 풀면 $a=1$

따라서 일반항 a_n은

$a_n=1\times(-1)^{n-1}=(-1)^{n-1}$

073 답 $a_n=64\times\left(\frac{1}{2}\right)^{n-1}$

첫째항을 a, 공비를 r라고 하면 $a_4=8$, $a_9=\frac{1}{4}$에서

$ar^3=8$ ⋯⋯ ㉠

$ar^8=\frac{1}{4}$ ⋯⋯ ㉡

㉡÷㉠을 하면

$r^5=\frac{1}{32}$ $\quad\therefore r=\frac{1}{2}$

$r=\frac{1}{2}$을 ㉠에 대입하여 풀면 $a=64$

따라서 일반항 a_n은

$a_n=64\times\left(\frac{1}{2}\right)^{n-1}$

074 답 $\frac{1}{256}$

$a_9=1\times\left(\frac{1}{2}\right)^8=\frac{1}{256}$

075 답 **243**

$a_9=\frac{1}{27}\times3^8=243$

076 답 **64**

첫째항이 $\frac{1}{4}$, 공비가 $\frac{-2}{1}=-2$이므로

$a_9=\frac{1}{4}\times(-2)^8=64$

077 답 $\frac{\sqrt{5}}{625}$

첫째항이 $\sqrt{5}$, 공비가 $\frac{-1}{\sqrt{5}}=-\frac{1}{\sqrt{5}}$이므로

$a_9=\sqrt{5}\times\left(-\frac{1}{\sqrt{5}}\right)^8=\frac{\sqrt{5}}{625}$

078 답 $\frac{1}{81}$

첫째항을 a, 공비를 r라고 하면 $a_3=9$, $a_4=3$에서

$ar^2=9$ ...... ㉠

$ar^3=3$ ...... ㉡

㉡÷㉠을 하면 $r=\frac{1}{3}$

$r=\frac{1}{3}$을 ㉠에 대입하여 풀면 $a=81$

$\therefore a_9=81\times\left(\frac{1}{3}\right)^8=\frac{1}{81}$

079 답 $27\sqrt{3}$

첫째항을 a, 공비를 r라고 하면 $a_2=1$, $a_5=3\sqrt{3}$에서

$ar=1$ ...... ㉠

$ar^4=3\sqrt{3}$ ...... ㉡

㉡÷㉠을 하면

$r^3=3\sqrt{3}$ $\therefore r=\sqrt{3}$

$r=\sqrt{3}$을 ㉠에 대입하여 풀면 $a=\frac{\sqrt{3}}{3}$

$\therefore a_9=\frac{\sqrt{3}}{3}\times(\sqrt{3})^8=27\sqrt{3}$

080 답 -6 또는 6

x는 3과 12의 등비중항이므로

$x^2=3\times12=36$

$\therefore x=-6$ 또는 $x=6$

081 답 -10 또는 10

x는 2와 50의 등비중항이므로

$x^2=2\times50=100$

$\therefore x=-10$ 또는 $x=10$

082 답 $-8\sqrt{5}$ 또는 $8\sqrt{5}$

x는 -4와 -80의 등비중항이므로

$x^2=(-4)\times(-80)=320$

$\therefore x=-8\sqrt{5}$ 또는 $x=8\sqrt{5}$

083 답 $x=-4$, $y=-64$ 또는 $x=4$, $y=64$

x는 1과 16의 등비중항이므로

$x^2=1\times16=16$

$\therefore x=-4$ 또는 $x=4$

16은 x와 y의 등비중항이므로

$16^2=xy$

(i) $x=-4$일 때

$-4y=256$ $\therefore y=-64$

(ii) $x=4$일 때

$4y=256$ $\therefore y=64$

$\therefore x=-4$, $y=-64$ 또는 $x=4$, $y=64$

084 답 2

4는 a와 $4a$의 등비중항이므로

$4^2=a\times4a$, $a^2=4$

$\therefore a=2$ ($\because a>0$)

085 답 3

$3\sqrt{2}$는 a와 $a+3$의 등비중항이므로

$(3\sqrt{2})^2=a(a+3)$

$a^2+3a-18=0$, $(a+6)(a-3)=0$

$\therefore a=3$ ($\because a>0$)

086 답 1

$a+3$은 $2a$와 $8a$의 등비중항이므로

$(a+3)^2=2a\times8a$

$5a^2-2a-3=0$, $(5a+3)(a-1)=0$

$\therefore a=1$ ($\because a>0$)

087 답 $\frac{1}{3}$

$a+1$은 $a-1$과 $a-3$의 등비중항이므로

$(a+1)^2=(a-1)(a-3)$

$6a=2$ $\therefore a=\frac{1}{3}$

088 답 $\frac{8}{9}$, $\frac{8}{9}$, $\frac{8}{9}$, $\left(\frac{8}{9}\right)^n$, $\left(\frac{8}{9}\right)^{10}$

089 답 $\left(\frac{2}{3}\right)^{20}$

1회 시행 후 남아 있는 선분의 길이는

$1\times\frac{2}{3}=\frac{2}{3}$

2회 시행 후 남아 있는 선분의 길이는

$\frac{2}{3}\times\frac{2}{3}=\left(\frac{2}{3}\right)^2$

3회 시행 후 남아 있는 선분의 길이는

$\left(\frac{2}{3}\right)^2\times\frac{2}{3}=\left(\frac{2}{3}\right)^3$

⋮

n회 시행 후 남아 있는 선분의 길이는

$\left(\frac{2}{3}\right)^n$

따라서 20회 시행 후 남아 있는 선분의 길이는

$\left(\frac{2}{3}\right)^{20}$

090 답 $\left(\frac{1}{2}\right)^7$

한 변의 길이가 2인 정사각형의 둘레의 길이는

$2\times4=8$

1회 시행 후 남아 있는 도형의 둘레의 길이는

$8\times\frac{1}{2}$

2회 시행 후 남아 있는 도형의 둘레의 길이는

$8\times\frac{1}{2}\times\frac{1}{2}=8\times\left(\frac{1}{2}\right)^2$

3회 시행 후 남아 있는 도형의 둘레의 길이는

$8\times\left(\frac{1}{2}\right)^2\times\frac{1}{2}=8\times\left(\frac{1}{2}\right)^3$

⋮

n회 시행 후 남아 있는 도형의 둘레의 길이는

$8\times\left(\frac{1}{2}\right)^n$

따라서 10회 시행 후 남아 있는 도형의 둘레의 길이는

$8\times\left(\frac{1}{2}\right)^{10}=\left(\frac{1}{2}\right)^7$

091 답 $4\sqrt{3}\times\left(\frac{3}{4}\right)^{10}$

한 변의 길이가 4인 정삼각형의 넓이는

$\frac{\sqrt{3}}{4}\times4^2=4\sqrt{3}$

1회 시행 후 남아 있는 종이의 넓이는

$4\sqrt{3}\times\frac{3}{4}$

2회 시행 후 남아 있는 종이의 넓이는

$4\sqrt{3}\times\frac{3}{4}\times\frac{3}{4}=4\sqrt{3}\times\left(\frac{3}{4}\right)^2$

3회 시행 후 남아 있는 종이의 넓이는

$4\sqrt{3}\times\left(\frac{3}{4}\right)^2\times\frac{3}{4}=4\sqrt{3}\times\left(\frac{3}{4}\right)^3$

⋮

n회 시행 후 남아 있는 종이의 넓이는

$4\sqrt{3}\times\left(\frac{3}{4}\right)^n$

따라서 10회 시행 후 남아 있는 종이의 넓이는

$4\sqrt{3}\times\left(\frac{3}{4}\right)^{10}$

092 답 $S_n=7n$

첫째항이 7, 공비가 1이므로

$S_n=7n$

093 답 $S_n=2\times(3^n-1)$

첫째항이 4, 공비가 $\frac{12}{4}=3$이므로

$S_n=\frac{4\times(3^n-1)}{3-1}=2\times(3^n-1)$

094 답 $S_n=1-(-2)^n$

첫째항이 3, 공비가 $\frac{-6}{3}=-2$이므로

$S_n=\frac{3\times\{1-(-2)^n\}}{1-(-2)}=1-(-2)^n$

095 답 $S_n=\frac{1}{9}\times\left\{1-\left(\frac{1}{10}\right)^n\right\}$

첫째항이 $0.1=\frac{1}{10}$, 공비가 $\frac{0.01}{0.1}=\frac{1}{10}$이므로

$S_n=\frac{\frac{1}{10}\times\left\{1-\left(\frac{1}{10}\right)^n\right\}}{1-\frac{1}{10}}=\frac{1}{9}\times\left\{1-\left(\frac{1}{10}\right)^n\right\}$

096 답 364

$S_6=\frac{1\times(3^6-1)}{3-1}=364$

097 답 -682

$S_{10}=\frac{2\times\{1-(-2)^{10}\}}{1-(-2)}=-682$

098 답 762

첫째항이 6, 공비가 $\frac{12}{6}=2$인 등비수열의 n번째 항을 384라고 하면

$6\times2^{n-1}=384$

$2^{n-1}=2^6\qquad\therefore n=7$

$\therefore 6+12+24+48+\cdots+384=\frac{6\times(2^7-1)}{2-1}=762$

099 답 $\frac{255}{4}$

첫째항이 32, 공비가 $\frac{16}{32}=\frac{1}{2}$인 등비수열의 n번째 항을 $\frac{1}{4}$이라고 하면

$32\times\left(\frac{1}{2}\right)^{n-1}=\frac{1}{4}$

$\left(\frac{1}{2}\right)^{n-1}=\left(\frac{1}{2}\right)^7\qquad\therefore n=8$

$\therefore 32+16+8+4+\cdots+\frac{1}{4}=\frac{32\times\left\{1-\left(\frac{1}{2}\right)^8\right\}}{1-\frac{1}{2}}=\frac{255}{4}$

100 답 3, r^3-1, 104

101 답 21

첫째항을 a, 공비를 r라고 하면 $S_4=3$, $S_8=9$에서

$\frac{a(r^4-1)}{r-1}=3\qquad\cdots\cdots$ ㉠

$\frac{a(r^8-1)}{r-1}=9\qquad\cdots\cdots$ ㉡

㉡에서 $\frac{a(r^4-1)(r^4+1)}{r-1}=9$에 ㉠을 대입하면

$3(r^4+1)=9\qquad\therefore r^4=2$

$\therefore S_{12}=\frac{a(r^{12}-1)}{r-1}$

$=\frac{a(r^4-1)(r^8+r^4+1)}{r-1}$

$=3(r^8+r^4+1)$

$=3\times(2^2+2+1)=21$

102 답 91

첫째항을 a, 공비를 r라고 하면 $S_{10}=7$, $S_{20}=28$에서

$\frac{a(r^{10}-1)}{r-1}=7\qquad\cdots\cdots$ ㉠

$\frac{a(r^{20}-1)}{r-1}=28\qquad\cdots\cdots$ ㉡

㉡에서 $\frac{a(r^{10}-1)(r^{10}+1)}{r-1}=28$에 ㉠을 대입하면

$7(r^{10}+1)=28\qquad\therefore r^{10}=3$

$\therefore S_{30}=\frac{a(r^{30}-1)}{r-1}$

$=\frac{a(r^{10}-1)(r^{20}+r^{10}+1)}{r-1}$

$=7(r^{20}+r^{10}+1)$

$=7\times(3^2+3+1)=91$

103 답 8, 2, 2, $\frac{1}{3}$, $\frac{1}{3}$, 2, 85

104 답 $\frac{121}{2}$

첫째항을 a, 공비를 r라고 하면

$a_1+a_2=2$에서 $a+ar=2$

$\therefore a(1+r)=2$ ...... ㉠

$a_4+a_5=54$에서 $ar^3+ar^4=54$

$\therefore ar^3(1+r)=54$ ...... ㉡

㉡÷㉠을 하면

$r^3=27$ $\therefore r=3$

$r=3$을 ㉠에 대입하여 풀면

$a=\frac{1}{2}$

$\therefore S_5=\frac{\frac{1}{2}\times(3^5-1)}{3-1}=\frac{121}{2}$

105 답 341

첫째항을 a, 공비를 r라고 하면

$a_2+a_5=6$에서 $ar+ar^4=6$

$\therefore ar(1+r^3)=6$ ...... ㉠

$a_5+a_8=48$에서 $ar^4+ar^7=48$

$\therefore ar^4(1+r^3)=48$ ...... ㉡

㉡÷㉠을 하면

$r^3=8$ $\therefore r=2$

$r=2$를 ㉠에 대입하여 풀면

$a=\frac{1}{3}$

$\therefore S_{10}=\frac{\frac{1}{3}\times(2^{10}-1)}{2-1}=341$

106 답 0.05, 10, 10, 126

107 답 10, 10, 120

108 답 260만 원

$20\times(1+0.04)+20\times(1+0.04)^2+\cdots+20\times(1+0.04)^{10}$

$=\frac{20\times(1+0.04)\times\{(1+0.04)^{10}-1\}}{(1+0.04)-1}$

$=\frac{20\times1.04\times(1.04^{10}-1)}{0.04}$

$=\frac{20\times1.04\times(1.5-1)}{0.04}$

$=260$(만 원)

109 답 250만 원

$20+20\times(1+0.04)+\cdots+20\times(1+0.04)^9$

$=\frac{20\times\{(1+0.04)^{10}-1\}}{(1+0.04)-1}$

$=\frac{20\times(1.04^{10}-1)}{0.04}$

$=\frac{20\times(1.5-1)}{0.04}$

$=250$(만 원)

110 답 103만 원

$10\times(1+0.03)+10\times(1+0.03)^2+\cdots+10\times(1+0.03)^9$

$=\frac{10\times(1+0.03)\times\{(1+0.03)^9-1\}}{(1+0.03)-1}$

$=\frac{10\times1.03\times(1.03^9-1)}{0.03}$

$=\frac{10\times1.03\times(1.3-1)}{0.03}$

$=103$(만 원)

111 답 100만 원

$10+10\times(1+0.03)+\cdots+10\times(1+0.03)^8$

$=\frac{10\times\{(1+0.03)^9-1\}}{(1+0.03)-1}$

$=\frac{10\times(1.03^9-1)}{0.03}$

$=\frac{10\times(1.3-1)}{0.03}$

$=100$(만 원)

112 답 $2n-4$, -2, $2n-4$

113 답 $a_n=4n-1$

(i) $n\ge2$일 때

$a_n=S_n-S_{n-1}$

$=2n^2+n-\{2(n-1)^2+(n-1)\}$

$=4n-1$ ...... ㉠

(ii) $n=1$일 때

$a_1=S_1=2\times1^2+1=3$ ...... ㉡

이때 ㉡은 ㉠에 $n=1$을 대입한 것과 같으므로 일반항 a_n은

$a_n=4n-1$

114 답 $a_1=4$, $a_n=2n+1$ $(n\ge2)$

(i) $n\ge2$일 때

$a_n=S_n-S_{n-1}$

$=n^2+2n+1-\{(n-1)^2+2(n-1)+1\}$

$=2n+1$ ...... ㉠

(ii) $n=1$일 때

$a_1=S_1=1^2+2\times1+1=4$ ...... ㉡

이때 ㉡은 ㉠에 $n=1$을 대입한 것과 같지 않으므로 일반항 a_n은

$a_1=4$, $a_n=2n+1$ $(n\ge2)$

115 답 $a_n=2\times3^{n-1}$

(i) $n\ge2$일 때

$a_n=S_n-S_{n-1}$
$=3^n-1-(3^{n-1}-1)$
$=3\times3^{n-1}-3^{n-1}$
$=2\times3^{n-1}$ …… ㉠

(ii) $n=1$일 때

$a_1=S_1=3^1-1=2$ …… ㉡

이때 ㉡은 ㉠에 $n=1$을 대입한 것과 같으므로 일반항 a_n은
$a_n=2\times3^{n-1}$

116 답 $a_n=3\times4^n$

(i) $n\ge2$일 때

$a_n=S_n-S_{n-1}$
$=4^{n+1}-4-(4^n-4)$
$=4\times4^n-4^n$
$=3\times4^n$ …… ㉠

(ii) $n=1$일 때

$a_1=S_1=4^2-4=12$ …… ㉡

이때 ㉡은 ㉠에 $n=1$을 대입한 것과 같으므로 일반항 a_n은
$a_n=3\times4^n$

117 답 $a_1=5$, $a_n=2^n$ $(n\ge2)$

(i) $n\ge2$일 때

$a_n=S_n-S_{n-1}$
$=2^{n+1}+1-(2^n+1)$
$=2\times2^n-2^n$
$=2^n$ …… ㉠

(ii) $n=1$일 때

$a_1=S_1=2^2+1=5$ …… ㉡

이때 ㉡은 ㉠에 $n=1$을 대입한 것과 같지 않으므로 일반항 a_n은
$a_1=5$, $a_n=2^n$ $(n\ge2)$

연산유형 최종 점검하기 123~125쪽

1 ③	2 ②	3 ②	4 ③	5 ⑤	6 ④
7 7	8 ①	9 270	10 ①	11 ②	12 ④
13 4	14 $\frac{3}{1024}$	15 ④	16 ①	17 ③	
18 424만 원		19 ③			

1 $a_n=\frac{1}{2n+1}$이므로

$\frac{1}{2n+1}=\frac{1}{101}$, $2n+1=101$
$\therefore n=50$

2 $a_{10}=-6+9\times4=30$

3 공차를 d라고 하면 $a_{13}=-10$에서
$-2+12d=-10$
$\therefore d=-\frac{2}{3}$

4 첫째항을 a, 공차를 d라고 하면 $a_6=32$, $a_{10}=20$에서
$a+5d=32$, $a+9d=20$
두 식을 연립하여 풀면
$a=47$, $d=-3$
$\therefore a_n=47+(n-1)\times(-3)=-3n+50$
이때 제n항에서 처음으로 음수가 된다고 하면
$a_n=-3n+50<0$
$\therefore n>\frac{50}{3}=16.6\times\times$
따라서 처음으로 음수가 되는 항은 제17항이다.

5 첫째항을 a, 공차를 d라고 하면
$a_2+a_5=6$에서 $(a+d)+(a+4d)=6$
$\therefore 2a+5d=6$ …… ㉠
$a_7+a_{10}=-14$에서 $(a+6d)+(a+9d)=-14$
$\therefore 2a+15d=-14$ …… ㉡
㉠, ㉡을 연립하여 풀면
$a=8$, $d=-2$
$\therefore a_{16}=8+15\times(-2)=-22$

6 a^2+2a는 $6a$와 4의 등차중항이므로
$a^2+2a=\frac{6a+4}{2}$
$a^2-a-2=0$, $(a+1)(a-2)=0$
$\therefore a=-1$ 또는 $a=2$
따라서 모든 a의 값의 합은
$-1+2=1$

7 세 수를 $a-d$, a, $a+d$로 놓으면
$(a-d)+a+(a+d)=9$ …… ㉠
$(a-d)^2+a^2+(a+d)^2=59$ …… ㉡
㉠에서 $3a=9$ $\therefore a=3$
$a=3$을 ㉡에 대입하면
$(3-d)^2+3^2+(3+d)^2=59$
$d^2=16$ $\therefore d=\pm4$
따라서 세 수는 -1, 3, 7이므로 가장 큰 수는 7이다.

8 첫째항을 a, 공차를 d라고 하면 $a_2=-2$, $a_5=10$에서
$a+d=-2$, $a+4d=10$
두 식을 연립하여 풀면
$a=-6$, $d=4$
$\therefore S_{20}=\frac{20\times\{2\times(-6)+(20-1)\times4\}}{2}=640$

9 첫째항을 a, 공차를 d라고 하면 $S_{10}=-10$, $S_{20}=80$에서

$$\frac{10\{2a+(10-1)d\}}{2}=-10,\ \frac{20\{2a+(20-1)d\}}{2}=80$$

$\therefore 2a+9d=-2,\ 2a+19d=8$

두 식을 연립하여 풀면

$a=-\frac{11}{2},\ d=1$

$$\therefore S_{30}=\frac{30\times\left\{2\times\left(-\frac{11}{2}\right)+(30-1)\times1\right\}}{2}=270$$

10 일반항 a_n은

$a_n=-23+(n-1)\times2=2n-25$

이때 제n항에서 처음으로 양수가 된다고 하면

$a_n=2n-25>0 \quad \therefore n>\frac{25}{2}=12.5$

따라서 첫째항부터 제12항까지가 음수이고 제13항부터 양수이므로 구하는 최솟값은

$$S_{12}=\frac{12\times\{2\times(-23)+(12-1)\times2\}}{2}=-144$$

11 $a_3=9$, $a_6=243$에서

$ar^2=9$ …… ㉠

$ar^5=243$ …… ㉡

㉡÷㉠을 하면

$r^3=27 \quad \therefore r=3$

$r=3$을 ㉠에 대입하여 풀면 $a=1$

$\therefore a+r=4$

12 공비를 r라고 하면 $a_5=4$에서

$\frac{1}{4}\times r^4=4,\ r^4=16 \quad \therefore r=2\ (\because r>0)$

$\therefore a_n=\frac{1}{4}\times2^{n-1}$

제n항에서 처음으로 100보다 커진다고 하면

$a_n=\frac{1}{4}\times2^{n-1}>100$

$2^{n-1}>400$

이때 $2^8=256$, $2^9=512$이므로

$n-1\geq9 \quad \therefore n\geq10$

따라서 처음으로 100보다 커지는 항은 제10항이다.

13 $x+8$은 x와 $9x$의 등비중항이므로

$(x+8)^2=x\times9x$

$x^2-2x-8=0,\ (x+2)(x-4)=0$

$\therefore x=4\ (\because x>0)$

14 한 변의 길이가 2인 정삼각형의 둘레의 길이는

$2\times3=6$

1회 시행에서 그린 정삼각형의 둘레의 길이는

$6\times\frac{1}{2}$

2회 시행에서 그린 정삼각형의 둘레의 길이는

$6\times\frac{1}{2}\times\frac{1}{2}=6\times\left(\frac{1}{2}\right)^2$

3회 시행에서 그린 정삼각형의 둘레의 길이는

$6\times\left(\frac{1}{2}\right)^2\times\frac{1}{2}=6\times\left(\frac{1}{2}\right)^3$

⋮

n회 시행에서 그린 정삼각형의 둘레의 길이는

$6\times\left(\frac{1}{2}\right)^n$

따라서 11회 시행에서 그린 정삼각형의 둘레의 길이는

$6\times\left(\frac{1}{2}\right)^{11}=\frac{3}{1024}$

15 첫째항이 2, 공비가 $\frac{1}{2}$인 등비수열이므로

$$S_{10}=\frac{2\times\left\{1-\left(\frac{1}{2}\right)^{10}\right\}}{1-\frac{1}{2}}=\frac{1023}{256}$$

16 제n항이 끝항이라고 하면

$3\times(-3)^{n-1}=-729$

$(-3)^{n-1}=(-3)^5 \quad \therefore n=6$

$$\therefore S_6=\frac{3\times\{1-(-3)^6\}}{1-(-3)}=-546$$

17 첫째항을 a, 공비를 r라고 하면 $S_3=21$, $S_6=189$에서

$\frac{a(r^3-1)}{r-1}=21$ …… ㉠

$\frac{a(r^6-1)}{r-1}=189$ …… ㉡

㉡에서 $\frac{a(r^3-1)(r^3+1)}{r-1}=189$에 ㉠을 대입하면

$21(r^3+1)=189$

$r^3=8 \quad \therefore r=2$

$r=2$를 ㉠에 대입하여 풀면 $a=3$

$\therefore a_4=3\times2^3=24$

18 $30\times(1+0.06)+30\times(1+0.06)^2+\cdots+30\times(1+0.06)^{10}$

$$=\frac{30\times(1+0.06)\times\{(1+0.06)^{10}-1\}}{(1+0.06)-1}$$

$$=\frac{30\times1.06\times(1.06^{10}-1)}{0.06}$$

$$=\frac{30\times1.06\times(1.8-1)}{0.06}$$

$=424$(만 원)

19 (i) $n\geq2$일 때

$a_n=S_n-S_{n-1}$

$=2^n-1-(2^{n-1}-1)$

$=2\times2^{n-1}-2^{n-1}$

$=2^{n-1}$ …… ㉠

(ii) $n=1$일 때

$a_1=S_1=2^1-1=1$ …… ㉡

이때 ㉡은 ㉠에 $n=1$을 대입한 것과 같으므로 일반항 a_n은

$a_n=2^{n-1}$

$\therefore a_1+a_3+a_5+a_7=2^0+2^2+2^4+2^6=85$

09 수열의 합

128~135쪽

001 답 $\sum_{k=1}^{n} 2^k$

002 답 $\sum_{k=1}^{5} 3$

3이 5개 있으므로

$3+3+3+3+3=\sum_{k=1}^{5} 3$

003 답 $\sum_{k=1}^{10} 5k$

수열 5, 10, 15, …의 일반항을 a_n이라고 하면

$a_n=5n$

이때 $5n=50$에서 $n=10$

따라서 첫째항부터 제10항까지의 합이므로

$5+10+15+\cdots+50=\sum_{k=1}^{10} 5k$

004 답 $\sum_{k=1}^{12} (k^2+2k)$

$$1\times3+2\times4+3\times5+\cdots+12\times14=\sum_{k=1}^{12} k(k+2)=\sum_{k=1}^{12}(k^2+2k)$$

005 답 $3+6+9+12+15$

$$\sum_{k=1}^{5} 3k=3\times1+3\times2+3\times3+3\times4+3\times5=3+6+9+12+15$$

006 답 $1+3+5+\cdots+19$

$$\sum_{k=1}^{10}(2k-1)=(2\times1-1)+(2\times2-1)+(2\times3-1)+\cdots+(2\times10-1)=1+3+5+\cdots+19$$

007 답 $5^3+5^4+5^5+5^6+5^7$

008 답 $5^2+6^2+7^2+\cdots+16^2$

$$\sum_{m=4}^{15}(m+1)^2=(4+1)^2+(5+1)^2+(6+1)^2+\cdots+(15+1)^2=5^2+6^2+7^2+\cdots+16^2$$

009 답 5

$$\sum_{k=1}^{10}(a_k+b_k)=\sum_{k=1}^{10}a_k+\sum_{k=1}^{10}b_k=2+3=5$$

010 답 -1

$$\sum_{k=1}^{10}(a_k-b_k)=\sum_{k=1}^{10}a_k-\sum_{k=1}^{10}b_k=2-3=-1$$

011 답 13

$$\sum_{k=1}^{10}(2a_k+3b_k)=2\sum_{k=1}^{10}a_k+3\sum_{k=1}^{10}b_k=2\times2+3\times3=13$$

012 답 34

$$\sum_{k=1}^{10}(-a_k+2b_k+3)=-\sum_{k=1}^{10}a_k+2\sum_{k=1}^{10}b_k+\sum_{k=1}^{10}3=-2+2\times3+3\times10=34$$

013 답 37

$$\sum_{k=1}^{5}(a_k+2)^2=\sum_{k=1}^{5}(a_k^2+4a_k+4)=\sum_{k=1}^{5}a_k^2+4\sum_{k=1}^{5}a_k+\sum_{k=1}^{5}4=5+4\times3+4\times5=37$$

014 답 0

$$\sum_{k=1}^{5}(a_k+1)(a_k-1)=\sum_{k=1}^{5}(a_k^2-1)=\sum_{k=1}^{5}a_k^2-\sum_{k=1}^{5}1=5-5=0$$

015 답 120

$$\sum_{k=1}^{10}(k+7)-\sum_{k=1}^{10}(k-5)=\sum_{k=1}^{10}\{k+7-(k-5)\}=\sum_{k=1}^{10}12=12\times10=120$$

016 답 $9n$

$$\sum_{k=1}^{n}(k+3)^2-\sum_{k=1}^{n}(k^2+6k)=\sum_{k=1}^{n}\{k^2+6k+9-(k^2+6k)\}=\sum_{k=1}^{n}9=9n$$

017 답 3, 3, $\frac{3}{2}\times(3^n-1)$

018 답 $2\times\left\{1-\left(\frac{2}{3}\right)^n\right\}$

첫째항이 $\frac{2}{3}$, 공비가 $\frac{2}{3}$인 등비수열의 합이므로

$$\sum_{k=1}^{n}\left(\frac{2}{3}\right)^k=\frac{\frac{2}{3}\times\left\{1-\left(\frac{2}{3}\right)^n\right\}}{1-\frac{2}{3}}=2\times\left\{1-\left(\frac{2}{3}\right)^n\right\}$$

019 답 247

$$\sum_{k=1}^{7}(2^k-1)=\sum_{k=1}^{7}2^k-\sum_{k=1}^{7}1=\frac{2\times(2^7-1)}{2-1}-7=254-7=247$$

020 답 **1, 2^n-1, 2^k-1, 2^k, 20, 20, 21**

021 답 $\dfrac{3^{21}-43}{4}$

주어진 수열의 일반항을 a_n이라고 하면

$$a_n=1+3+3^2+\cdots+3^{n-1}=\frac{1\times(3^n-1)}{3-1}=\frac{1}{2}\times(3^n-1)$$

따라서 첫째항부터 제20항까지의 합은

$$\sum_{k=1}^{20}a_k=\sum_{k=1}^{20}\left\{\frac{1}{2}\times(3^k-1)\right\}=\frac{1}{2}\times\left(\sum_{k=1}^{20}3^k-\sum_{k=1}^{20}1\right)=\frac{1}{2}\times\left\{\frac{3\times(3^{20}-1)}{3-1}-20\right\}=\frac{3^{21}-43}{4}$$

022 답 **88**

$$\sum_{k=1}^{11}(k+2)=\sum_{k=1}^{11}k+\sum_{k=1}^{11}2=\frac{11\times12}{2}+2\times11=66+22=88$$

023 답 **96**

$$\sum_{k=1}^{8}(k^2-3k)=\sum_{k=1}^{8}k^2-3\sum_{k=1}^{8}k=\frac{8\times9\times17}{6}-3\times\frac{8\times9}{2}=204-108=96$$

024 답 **462**

$$\sum_{k=1}^{6}(k^3+k)=\sum_{k=1}^{6}k^3+\sum_{k=1}^{6}k=\left(\frac{6\times7}{2}\right)^2+\frac{6\times7}{2}=441+21=462$$

025 답 **1015**

$$\sum_{k=1}^{10}(k+3)(2k-1)=\sum_{k=1}^{10}(2k^2+5k-3)=2\sum_{k=1}^{10}k^2+5\sum_{k=1}^{10}k-\sum_{k=1}^{10}3=2\times\frac{10\times11\times21}{6}+5\times\frac{10\times11}{2}-3\times10=770+275-30=1015$$

026 답 ***k*, 11, 2, 96**

027 답 **322**

$$\sum_{k=4}^{10}(k^2-k)=\sum_{k=1}^{10}(k^2-k)-\sum_{k=1}^{3}(k^2-k)=\sum_{k=1}^{10}k^2-\sum_{k=1}^{10}k-\left(\sum_{k=1}^{3}k^2-\sum_{k=1}^{3}k\right)=\frac{10\times11\times21}{6}-\frac{10\times11}{2}-\left(\frac{3\times4\times7}{6}-\frac{3\times4}{2}\right)=330-8=322$$

028 답 **1935**

$$\sum_{k=5}^{9}(k^3+2)=\sum_{k=1}^{9}(k^3+2)-\sum_{k=1}^{4}(k^3+2)=\sum_{k=1}^{9}k^3+\sum_{k=1}^{9}2-\left(\sum_{k=1}^{4}k^3+\sum_{k=1}^{4}2\right)=\left(\frac{9\times10}{2}\right)^2+2\times9-\left\{\left(\frac{4\times5}{2}\right)^2+2\times4\right\}=2043-108=1935$$

029 답 ***n*, *k*, *k*, $2n+1$, $n+1$, $n+2$**

030 답 $\dfrac{n(n+1)(n-7)}{3}$

주어진 수열의 일반항을 a_n이라고 하면

$a_n=n^2-5n$

따라서 첫째항부터 제n항까지의 합은

$$\sum_{k=1}^{n}a_k=\sum_{k=1}^{n}(k^2-5k)=\sum_{k=1}^{n}k^2-5\sum_{k=1}^{n}k=\frac{n(n+1)(2n+1)}{6}-5\times\frac{n(n+1)}{2}=\frac{n(n+1)(2n-14)}{6}=\frac{n(n+1)(n-7)}{3}$$

031 답 $\dfrac{n(n+1)(n+2)}{6}$

주어진 수열의 일반항을 a_n이라고 하면

$$a_n=1+2+3+\cdots+n=\frac{n(n+1)}{2}=\frac{n^2+n}{2}$$

따라서 첫째항부터 제n항까지의 합은

$$\sum_{k=1}^{n}a_k=\sum_{k=1}^{n}\frac{k^2+k}{2}=\frac{1}{2}\left(\sum_{k=1}^{n}k^2+\sum_{k=1}^{n}k\right)=\frac{1}{2}\left\{\frac{n(n+1)(2n+1)}{6}+\frac{n(n+1)}{2}\right\}=\frac{1}{2}\times\frac{n(n+1)(2n+4)}{6}=\frac{n(n+1)(n+2)}{6}$$

032 답 **715**

수열 1×1, 2×3, 3×5, 4×7, $\cdots$의 일반항을 a_n이라고 하면

$a_n=n(2n-1)=2n^2-n$

$\therefore$ $1\times1+2\times3+3\times5+\cdots+10\times19$

$$=\sum_{k=1}^{10}a_k=\sum_{k=1}^{10}(2k^2-k)=2\sum_{k=1}^{10}k^2-\sum_{k=1}^{10}k=2\times\frac{10\times11\times21}{6}-\frac{10\times11}{2}=770-55=715$$

09

033 답 455

수열 1^2, 3^2, 5^2, 7^2, $\cdots$의 일반항을 a_n이라고 하면

$a_n=(2n-1)^2=4n^2-4n+1$

이때 $2n-1=13$에서 $n=7$

$$\begin{aligned}\therefore\ 1^2+3^2+5^2+\cdots+13^2&=\sum_{k=1}^{7}a_k=\sum_{k=1}^{7}(4k^2-4k+1)\\&=4\sum_{k=1}^{7}k^2-4\sum_{k=1}^{7}k+\sum_{k=1}^{7}1\\&=4\times\frac{7\times8\times15}{6}-4\times\frac{7\times8}{2}+7\\&=560-112+7=455\end{aligned}$$

034 답 1740

수열 1×2^2, 2×3^2, 3×4^2, 4×5^2, $\cdots$의 일반항을 a_n이라고 하면

$a_n=n(n+1)^2=n^3+2n^2+n$

$$\begin{aligned}&\therefore\ 1\times2^2+2\times3^2+3\times4^2+\cdots+8\times9^2\\&=\sum_{k=1}^{8}a_k=\sum_{k=1}^{8}(k^3+2k^2+k)\\&=\sum_{k=1}^{8}k^3+2\sum_{k=1}^{8}k^2+\sum_{k=1}^{8}k\\&=\left(\frac{8\times9}{2}\right)^2+2\times\frac{8\times9\times17}{6}+\frac{8\times9}{2}\\&=1296+408+36=1740\end{aligned}$$

035 답 $k+1$, $n+1$, $\frac{1}{n+1}$, n

036 답 $\frac{n}{2(n+2)}$

$$\begin{aligned}&\frac{1}{2\times3}+\frac{1}{3\times4}+\frac{1}{4\times5}+\cdots+\frac{1}{(n+1)(n+2)}\\&=\sum_{k=1}^{n}\frac{1}{(k+1)(k+2)}\\&=\sum_{k=1}^{n}\left(\frac{1}{k+1}-\frac{1}{k+2}\right)\\&=\left(\frac{1}{2}-\frac{1}{3}\right)+\left(\frac{1}{3}-\frac{1}{4}\right)+\left(\frac{1}{4}-\frac{1}{5}\right)+\cdots+\left(\frac{1}{n+1}-\frac{1}{n+2}\right)\\&=\frac{1}{2}-\frac{1}{n+2}\\&=\frac{n}{2(n+2)}\end{aligned}$$

037 답 $\frac{n}{2n+1}$

$$\begin{aligned}&\frac{1}{1\times3}+\frac{1}{3\times5}+\frac{1}{5\times7}+\cdots+\frac{1}{(2n-1)(2n+1)}\\&=\sum_{k=1}^{n}\frac{1}{(2k-1)(2k+1)}\\&=\frac{1}{2}\sum_{k=1}^{n}\left(\frac{1}{2k-1}-\frac{1}{2k+1}\right)\\&=\frac{1}{2}\times\left\{\left(1-\frac{1}{3}\right)+\left(\frac{1}{3}-\frac{1}{5}\right)+\left(\frac{1}{5}-\frac{1}{7}\right)\right.\\&\qquad\left.+\cdots+\left(\frac{1}{2n-1}-\frac{1}{2n+1}\right)\right\}\\&=\frac{1}{2}\times\left(1-\frac{1}{2n+1}\right)\\&=\frac{n}{2n+1}\end{aligned}$$

038 답 $\frac{5n^2+13n}{12(n+2)(n+3)}$

$$\begin{aligned}&\frac{1}{2\times4}+\frac{1}{3\times5}+\frac{1}{4\times6}+\cdots+\frac{1}{(n+1)(n+3)}\\&=\sum_{k=1}^{n}\frac{1}{(k+1)(k+3)}\\&=\frac{1}{2}\sum_{k=1}^{n}\left(\frac{1}{k+1}-\frac{1}{k+3}\right)\\&=\frac{1}{2}\times\left\{\left(\frac{1}{2}-\frac{1}{4}\right)+\left(\frac{1}{3}-\frac{1}{5}\right)+\left(\frac{1}{4}-\frac{1}{6}\right)+\left(\frac{1}{5}-\frac{1}{7}\right)\right.\\&\qquad\left.+\cdots+\left(\frac{1}{n}-\frac{1}{n+2}\right)+\left(\frac{1}{n+1}-\frac{1}{n+3}\right)\right\}\\&=\frac{1}{2}\times\left(\frac{1}{2}+\frac{1}{3}-\frac{1}{n+2}-\frac{1}{n+3}\right)\\&=\frac{5n^2+13n}{12(n+2)(n+3)}\end{aligned}$$

039 답 $k+2$, $\frac{1}{10}$, $\frac{1}{10}$, $\frac{58}{45}$

040 답 $\frac{9}{10}$

$$\begin{aligned}&\frac{1}{2^2-2}+\frac{1}{3^2-3}+\frac{1}{4^2-4}+\cdots+\frac{1}{10^2-10}\\&=\sum_{k=2}^{10}\frac{1}{k^2-k}\\&=\sum_{k=2}^{10}\frac{1}{k(k-1)}\\&=\sum_{k=2}^{10}\left(\frac{1}{k-1}-\frac{1}{k}\right)\\&=\left(1-\frac{1}{2}\right)+\left(\frac{1}{2}-\frac{1}{3}\right)+\left(\frac{1}{3}-\frac{1}{4}\right)+\cdots+\left(\frac{1}{9}-\frac{1}{10}\right)\\&=1-\frac{1}{10}\\&=\frac{9}{10}\end{aligned}$$

041 답 $\frac{10}{21}$

$$\begin{aligned}&\frac{1}{2^2-1}+\frac{1}{4^2-1}+\frac{1}{6^2-1}+\cdots+\frac{1}{20^2-1}\\&=\sum_{k=1}^{10}\frac{1}{(2k)^2-1}\\&=\sum_{k=1}^{10}\frac{1}{(2k-1)(2k+1)}\\&=\frac{1}{2}\sum_{k=1}^{10}\left(\frac{1}{2k-1}-\frac{1}{2k+1}\right)\\&=\frac{1}{2}\times\left\{\left(1-\frac{1}{3}\right)+\left(\frac{1}{3}-\frac{1}{5}\right)+\left(\frac{1}{5}-\frac{1}{7}\right)+\cdots+\left(\frac{1}{19}-\frac{1}{21}\right)\right\}\\&=\frac{1}{2}\times\left(1-\frac{1}{21}\right)\\&=\frac{10}{21}\end{aligned}$$

042 답 $\sqrt{k}$, $\sqrt{n}$, $\sqrt{n+1}-1$

043 답 $\dfrac{\sqrt{2n+1}-1}{2}$

$\dfrac{1}{1+\sqrt{3}}+\dfrac{1}{\sqrt{3}+\sqrt{5}}+\dfrac{1}{\sqrt{5}+\sqrt{7}}+\cdots+\dfrac{1}{\sqrt{2n-1}+\sqrt{2n+1}}$

$=\sum_{k=1}^{n}\dfrac{1}{\sqrt{2k-1}+\sqrt{2k+1}}$

$=\sum_{k=1}^{n}\dfrac{\sqrt{2k-1}-\sqrt{2k+1}}{(\sqrt{2k-1}+\sqrt{2k+1})(\sqrt{2k-1}-\sqrt{2k+1})}$

$=\dfrac{1}{2}\sum_{k=1}^{n}(\sqrt{2k+1}-\sqrt{2k-1})$

$=\dfrac{1}{2}\times\{(\sqrt{3}-1)+(\sqrt{5}-\sqrt{3})+(\sqrt{7}-\sqrt{5})$
$+\cdots+(\sqrt{2n+1}-\sqrt{2n-1})\}$

$=\dfrac{\sqrt{2n+1}-1}{2}$

044 답 $\dfrac{\sqrt{3n+2}-\sqrt{2}}{3}$

$\dfrac{1}{\sqrt{2}+\sqrt{5}}+\dfrac{1}{\sqrt{5}+\sqrt{8}}+\dfrac{1}{\sqrt{8}+\sqrt{11}}+\cdots+\dfrac{1}{\sqrt{3n-1}+\sqrt{3n+2}}$

$=\sum_{k=1}^{n}\dfrac{1}{\sqrt{3k-1}+\sqrt{3k+2}}$

$=\sum_{k=1}^{n}\dfrac{\sqrt{3k-1}-\sqrt{3k+2}}{(\sqrt{3k-1}+\sqrt{3k+2})(\sqrt{3k-1}-\sqrt{3k+2})}$

$=\dfrac{1}{3}\sum_{k=1}^{n}(\sqrt{3k+2}-\sqrt{3k-1})$

$=\dfrac{1}{3}\times\{(\sqrt{5}-\sqrt{2})+(\sqrt{8}-\sqrt{5})+(\sqrt{11}-\sqrt{8})$
$+\cdots+(\sqrt{3n+2}-\sqrt{3n-1})\}$

$=\dfrac{\sqrt{3n+2}-\sqrt{2}}{3}$

045 답 3, 1, n, 1, $\dfrac{(2n-1)3^n+1}{4}$

046 답 $\dfrac{2^{n+1}-n-2}{2^{n-1}}$

구하는 합을 S로 놓으면

$S=1+2\times\dfrac{1}{2}+3\times\left(\dfrac{1}{2}\right)^2+\cdots+n\times\left(\dfrac{1}{2}\right)^{n-1}$ …… ㉠

㉠의 양변에 $\dfrac{1}{2}$을 곱하면

$\dfrac{1}{2}S=\dfrac{1}{2}+2\times\left(\dfrac{1}{2}\right)^2+3\times\left(\dfrac{1}{2}\right)^3+\cdots+n\times\left(\dfrac{1}{2}\right)^n$ …… ㉡

㉠−㉡을 하면

$\dfrac{1}{2}S=1+\dfrac{1}{2}+\left(\dfrac{1}{2}\right)^2+\left(\dfrac{1}{2}\right)^3+\cdots+\left(\dfrac{1}{2}\right)^{n-1}-n\times\left(\dfrac{1}{2}\right)^n$

$=\dfrac{1\times\left\{1-\left(\dfrac{1}{2}\right)^n\right\}}{1-\dfrac{1}{2}}-n\times\left(\dfrac{1}{2}\right)^n$

$=\dfrac{2^{n+1}-n-2}{2^n}$

$\therefore S=\dfrac{2^{n+1}-n-2}{2^{n-1}}$

047 답 $13\times2^{14}+1$

구하는 합을 S로 놓으면

$S=1+2\times2+3\times2^2+\cdots+14\times2^{13}$ …… ㉠

㉠의 양변에 2를 곱하면

$2S=2+2\times2^2+3\times2^3+\cdots+14\times2^{14}$ …… ㉡

㉠−㉡을 하면

$-S=1+2+2^2+2^3+\cdots+2^{13}-14\times2^{14}$

$=\dfrac{1\times(2^{14}-1)}{2-1}-14\times2^{14}$

$=-13\times2^{14}-1$

$\therefore S=13\times2^{14}+1$

048 답 $\dfrac{3^{11}-23}{4\times3^9}$

구하는 합을 S로 놓으면

$S=1+2\times\dfrac{1}{3}+3\times\left(\dfrac{1}{3}\right)^2+\cdots+10\times\left(\dfrac{1}{3}\right)^9$ …… ㉠

㉠의 양변에 $\dfrac{1}{3}$을 곱하면

$\dfrac{1}{3}S=\dfrac{1}{3}+2\times\left(\dfrac{1}{3}\right)^2+3\times\left(\dfrac{1}{3}\right)^3+\cdots+10\times\left(\dfrac{1}{3}\right)^{10}$ …… ㉡

㉠−㉡을 하면

$\dfrac{2}{3}S=1+\dfrac{1}{3}+\left(\dfrac{1}{3}\right)^2+\left(\dfrac{1}{3}\right)^3+\cdots+\left(\dfrac{1}{3}\right)^9-10\times\left(\dfrac{1}{3}\right)^{10}$

$=\dfrac{1\times\left\{1-\left(\dfrac{1}{3}\right)^{10}\right\}}{1-\dfrac{1}{3}}-10\times\left(\dfrac{1}{3}\right)^{10}$

$=\dfrac{3^{11}-23}{2\times3^{10}}$

$\therefore S=\dfrac{3^{11}-23}{4\times3^9}$

연산 유형 **최종 점검하기** 136~137쪽

1 ① **2** ④ **3** ④ **4** ③ **5** ② **6** ③
7 ③ **8** ⑤ **9** ⑤ **10** ⑤ **11** $5-\sqrt{2}$
12 ①

1 $\sum_{k=1}^{5}(a_k-1)(a_k+3)=\sum_{k=1}^{5}(a_k^2+2a_k-3)$

$=\sum_{k=1}^{5}a_k^2+2\sum_{k=1}^{5}a_k-\sum_{k=1}^{5}3$

$=10+2\times4-3\times5$

$=3$

2 $\sum_{k=1}^{10}(2k+2^{k-1})=2\sum_{k=1}^{10}k+\sum_{k=1}^{10}2^{k-1}$

$=2\times\dfrac{10\times11}{2}+\dfrac{1\times(2^{10}-1)}{2-1}$

$=110+(2^{10}-1)$

$=2^{10}+109$

3 $9=10-1$, $99=10^2-1$, $999=10^3-1$, $9999=10^4-1$, $\cdots$이므로 주어진 수열의 일반항을 a_n이라고 하면

$a_n=10^n-1$

따라서 첫째항부터 제10항까지의 합은

$$\sum_{k=1}^{10}a_k=\sum_{k=1}^{10}(10^k-1)$$
$$=\sum_{k=1}^{10}10^k-\sum_{k=1}^{10}1$$
$$=\frac{10\times(10^{10}-1)}{10-1}-10$$
$$=\frac{10^{11}-100}{9}$$

4 $$\sum_{k=1}^{9}k^2(k-1)+\sum_{k=1}^{9}k(k+1)=\sum_{k=1}^{9}(k^3-k^2+k^2+k)$$
$$=\sum_{k=1}^{9}(k^3+k)$$
$$=\sum_{k=1}^{9}k^3+\sum_{k=1}^{9}k$$
$$=\left(\frac{9\times10}{2}\right)^2+\frac{9\times10}{2}$$
$$=2025+45$$
$$=2070$$

5 $$\sum_{k=1}^{20}\frac{1+2+3+\cdots+k}{k}=\sum_{k=1}^{20}\frac{\frac{k(k+1)}{2}}{k}$$
$$=\sum_{k=1}^{20}\frac{k+1}{2}$$
$$=\frac{1}{2}\left(\sum_{k=1}^{20}k+\sum_{k=1}^{20}1\right)$$
$$=\frac{1}{2}\times\left(\frac{20\times21}{2}+20\right)$$
$$=115$$

6 주어진 수열의 일반항을 a_n이라고 하면

$a_n=(2n)^2=4n^2$

따라서 첫째항부터 제n항까지의 합은

$$\sum_{k=1}^{n}a_k=\sum_{k=1}^{n}4k^2$$
$$=4\sum_{k=1}^{n}k^2$$
$$=4\times\frac{n(n+1)(2n+1)}{6}$$
$$=\frac{2n(n+1)(2n+1)}{3}$$

7 일반항 a_n은

$a_n=n(2n+1)=2n^2+n$

$$\therefore \sum_{k=1}^{11}a_k=\sum_{k=1}^{11}(2k^2+k)$$
$$=2\sum_{k=1}^{11}k^2+\sum_{k=1}^{11}k$$
$$=2\times\frac{11\times12\times23}{6}+\frac{11\times12}{2}$$
$$=1012+66$$
$$=1078$$

8 $$\sum_{k=2}^{10}\frac{2}{k^2-1}=\sum_{k=2}^{10}\frac{2}{(k-1)(k+1)}$$
$$=\sum_{k=2}^{10}\left(\frac{1}{k-1}-\frac{1}{k+1}\right)$$
$$=\left(1-\frac{1}{3}\right)+\left(\frac{1}{2}-\frac{1}{4}\right)+\left(\frac{1}{3}-\frac{1}{5}\right)+\left(\frac{1}{4}-\frac{1}{6}\right)+\cdots+\left(\frac{1}{8}-\frac{1}{10}\right)+\left(\frac{1}{9}-\frac{1}{11}\right)$$
$$=1+\frac{1}{2}-\frac{1}{10}-\frac{1}{11}=\frac{72}{55}$$

9 주어진 수열의 일반항을 a_n이라고 하면

$$a_n=\frac{1}{1+2+3+\cdots+n}$$
$$=\frac{1}{\frac{n(n+1)}{2}}=\frac{2}{n(n+1)}$$

따라서 첫째항부터 제19항까지의 합은

$$\sum_{k=1}^{19}a_k=\sum_{k=1}^{19}\frac{2}{k(k+1)}$$
$$=2\sum_{k=1}^{19}\left(\frac{1}{k}-\frac{1}{k+1}\right)$$
$$=2\times\left\{\left(1-\frac{1}{2}\right)+\left(\frac{1}{2}-\frac{1}{3}\right)+\left(\frac{1}{3}-\frac{1}{4}\right)+\cdots+\left(\frac{1}{19}-\frac{1}{20}\right)\right\}$$
$$=2\times\left(1-\frac{1}{20}\right)=\frac{19}{10}$$

10 $$\sum_{k=1}^{n}\frac{1}{\sqrt{k+2}+\sqrt{k+3}}$$
$$=\sum_{k=1}^{n}\frac{\sqrt{k+2}-\sqrt{k+3}}{(\sqrt{k+2}+\sqrt{k+3})(\sqrt{k+2}-\sqrt{k+3})}$$
$$=\sum_{k=1}^{n}(\sqrt{k+3}-\sqrt{k+2})$$
$$=(2-\sqrt{3})+(\sqrt{5}-2)+(\sqrt{6}-\sqrt{5})+\cdots+(\sqrt{n+3}-\sqrt{n+2})$$
$$=\sqrt{n+3}-\sqrt{3}$$

11 $$\frac{1}{\sqrt{2}+\sqrt{3}}+\frac{1}{\sqrt{3}+2}+\frac{1}{2+\sqrt{5}}+\cdots+\frac{1}{\sqrt{24}+5}$$
$$=\sum_{k=1}^{23}\frac{1}{\sqrt{k+1}+\sqrt{k+2}}$$
$$=\sum_{k=1}^{23}\frac{\sqrt{k+1}-\sqrt{k+2}}{(\sqrt{k+1}+\sqrt{k+2})(\sqrt{k+1}-\sqrt{k+2})}$$
$$=\sum_{k=1}^{23}(\sqrt{k+2}-\sqrt{k+1})$$
$$=(\sqrt{3}-\sqrt{2})+(2-\sqrt{3})+(\sqrt{5}-2)+\cdots+(5-\sqrt{24})$$
$$=5-\sqrt{2}$$

12 $S=1-2\times3+3\times3^2-4\times3^3+\cdots-10\times3^9$ …… ㉠

㉠의 양변에 -3을 곱하면

$-3S=-3+2\times3^2-3\times3^3+4\times3^4+\cdots+10\times3^{10}$ …… ㉡

㉠$-$㉡을 하면

$$4S=1-3+3^2-3^3+3^4-\cdots-3^9-10\times3^{10}$$
$$=\frac{1\times\{1-(-3)^{10}\}}{1-(-3)}-10\times3^{10}$$
$$=\frac{1-41\times3^{10}}{4}$$

$\therefore 16S=1-41\times3^{10}$

10 수학적 귀납법

140~147쪽

001 답 9

$a_{n+1}=a_n+n$의 n에 1, 2, 3을 차례로 대입하면
$a_2=a_1+1=3+1=4$
$a_3=a_2+2=4+2=6$
$\therefore a_4=a_3+3=6+3=9$

002 답 12

$a_{n+1}=na_n$의 n에 1, 2, 3을 차례로 대입하면
$a_2=1\times a_1=1\times 2=2$
$a_3=2\times a_2=2\times 2=4$
$\therefore a_4=3\times a_3=3\times 4=12$

003 답 41

$a_{n+1}=2a_n+3n$의 n에 1, 2, 3을 차례로 대입하면
$a_2=2\times a_1+3\times 1=2\times 1+3=5$
$a_3=2\times a_2+3\times 2=2\times 5+6=16$
$\therefore a_4=2\times a_3+3\times 3=2\times 16+9=41$

004 답 3

$a_{n+2}=a_{n+1}+a_n$의 n에 1, 2를 차례로 대입하면
$a_3=a_2+a_1=2-1=1$
$\therefore a_4=a_3+a_2=1+2=3$

005 답 3, 4, 3, 1, 3

006 답 $a_1=-2$, $a_{n+1}=a_n+7$ $(n=1, 2, 3, \cdots)$

첫째항은 $a_1=-2$이고, 이웃하는 항들 사이의 관계를 살펴보면
$a_2-a_1=5-(-2)=7$
$a_3-a_2=12-5=7$
$a_4-a_3=19-12=7$
$\vdots$
$a_{n+1}-a_n=7$ $(n=1, 2, 3, \cdots)$
따라서 수열 $\{a_n\}$의 귀납적 정의는
$a_1=-2$, $a_{n+1}=a_n+7$ $(n=1, 2, 3, \cdots)$

007 답 $a_1=11$, $a_{n+1}=a_n-4$ $(n=1, 2, 3, \cdots)$

첫째항은 $a_1=11$이고, 이웃하는 항들 사이의 관계를 살펴보면
$a_2-a_1=7-11=-4$
$a_3-a_2=3-7=-4$
$a_4-a_3=-1-3=-4$
$\vdots$
$a_{n+1}-a_n=-4$ $(n=1, 2, 3, \cdots)$
따라서 수열 $\{a_n\}$의 귀납적 정의는
$a_1=11$, $a_{n+1}=a_n-4$ $(n=1, 2, 3, \cdots)$

008 답 $a_1=\frac{3}{2}$, $a_{n+1}=a_n-\frac{1}{2}$ $(n=1, 2, 3, \cdots)$

첫째항은 $a_1=\frac{3}{2}$이고, 이웃하는 항들 사이의 관계를 살펴보면
$a_2-a_1=1-\frac{3}{2}=-\frac{1}{2}$
$a_3-a_2=\frac{1}{2}-1=-\frac{1}{2}$
$a_4-a_3=0-\frac{1}{2}=-\frac{1}{2}$
$\vdots$
$a_{n+1}-a_n=-\frac{1}{2}$ $(n=1, 2, 3, \cdots)$
따라서 수열 $\{a_n\}$의 귀납적 정의는
$a_1=\frac{3}{2}$, $a_{n+1}=a_n-\frac{1}{2}$ $(n=1, 2, 3, \cdots)$

009 답 -1, 5, -1, $-n+6$

010 답 $a_n=2n+1$

$a_{n+1}-a_n=2$에서 주어진 수열은 공차가 2인 등차수열이다.
이때 첫째항이 $a_1=3$이므로
$a_n=3+(n-1)\times 2$
$=2n+1$

011 답 $a_n=n$

$2a_{n+1}=a_n+a_{n+2}$에서 주어진 수열은 등차수열이다.
이때 첫째항이 $a_1=1$, 공차가 $a_2-a_1=1$이므로
$a_n=1+(n-1)\times 1$
$=n$

012 답 $a_n=-2n+5$

$a_{n+1}-a_n=a_{n+2}-a_{n+1}$에서 주어진 수열은 등차수열이다.
이때 첫째항이 $a_1=3$, 공차가 $a_2-a_1=-2$이므로
$a_n=3+(n-1)\times(-2)$
$=-2n+5$

013 답 2, 3, 2, 2, 2

014 답 $a_1=3$, $a_{n+1}=\frac{1}{3}a_n$ $(n=1, 2, 3, \cdots)$

첫째항은 $a_1=3$이고, 이웃하는 항들 사이의 관계를 살펴보면
$a_2\div a_1=1\div 3=\frac{1}{3}$
$a_3\div a_2=\frac{1}{3}\div 1=\frac{1}{3}$
$a_4\div a_3=\frac{1}{9}\div\frac{1}{3}=\frac{1}{3}$
$\vdots$
$a_{n+1}\div a_n=\frac{1}{3}$ $(n=1, 2, 3, \cdots)$
따라서 수열 $\{a_n\}$의 귀납적 정의는
$a_1=3$, $a_{n+1}=\frac{1}{3}a_n$ $(n=1, 2, 3, \cdots)$

015 답 $a_1=1,\ a_{n+1}=-3a_n\ (n=1,\ 2,\ 3,\ \cdots)$

첫째항은 $a_1=1$이고, 이웃하는 항들 사이의 관계를 살펴보면

$a_2\div a_1=(-3)\div 1=-3$

$a_3\div a_2=9\div(-3)=-3$

$a_4\div a_3=(-27)\div 9=-3$

$\vdots$

$a_{n+1}\div a_n=-3\ (n=1,\ 2,\ 3,\ \cdots)$

따라서 수열 $\{a_n\}$의 귀납적 정의는

$a_1=1,\ a_{n+1}=-3a_n\ (n=1,\ 2,\ 3,\ \cdots)$

016 답 $a_1=25,\ a_{n+1}=-\frac{1}{5}a_n\ (n=1,\ 2,\ 3,\ \cdots)$

첫째항은 $a_1=25$이고, 이웃하는 항들 사이의 관계를 살펴보면

$a_2\div a_1=(-5)\div 25=-\frac{1}{5}$

$a_3\div a_2=1\div(-5)=-\frac{1}{5}$

$a_4\div a_3=\left(-\frac{1}{5}\right)\div 1=-\frac{1}{5}$

$\vdots$

$a_{n+1}\div a_n=-\frac{1}{5}\ (n=1,\ 2,\ 3,\ \cdots)$

따라서 수열 $\{a_n\}$의 귀납적 정의는

$a_1=25,\ a_{n+1}=-\frac{1}{5}a_n\ (n=1,\ 2,\ 3,\ \cdots)$

017 답 $-2,\ 1,\ -2,\ (-2)^{n-1}$

018 답 $a_n=3\times\left(\frac{1}{2}\right)^{n-1}$

$a_{n+1}\div a_n=\frac{1}{2}$에서 주어진 수열은 공비가 $\frac{1}{2}$인 등비수열이다.

이때 첫째항이 $a_1=3$이므로

$a_n=3\times\left(\frac{1}{2}\right)^{n-1}$

019 답 $a_n=5^{n-1}$

${a_{n+1}}^2=a_na_{n+2}$에서 주어진 수열은 등비수열이다.

이때 첫째항이 $a_1=1$, 공비가 $\frac{a_2}{a_1}=5$이므로

$a_n=1\times 5^{n-1}$

$=5^{n-1}$

020 답 $a_n=2\times 3^{n-1}$

$a_{n+1}\div a_n=a_{n+2}\div a_{n+1}$에서 주어진 수열은 등비수열이다.

이때 첫째항이 $a_1=2$, 공비가 $\frac{a_2}{a_1}=3$이므로

$a_n=2\times 3^{n-1}$

021 답 $n(n-1),\ n^2-n+2$

022 답 $a_n=\frac{3n^2-3n+2}{2}$

$a_{n+1}=a_n+3n$의 n에 1, 2, 3, $\cdots$, $n-1$을 차례로 대입하여 변끼리 더하면

$\cancel{a_2}=a_1+3\times 1$

$\cancel{a_3}=\cancel{a_2}+3\times 2$

$\cancel{a_4}=\cancel{a_3}+3\times 3$

$\vdots$

$+\underline{)\ a_n=\cancel{a_{n-1}}+3(n-1)}$

$a_n=a_1+\sum_{k=1}^{n-1}3k$

$=1+3\times\frac{n(n-1)}{2}$

$=\frac{3n^2-3n+2}{2}$

023 답 $a_n=n^2-2n$

$a_{n+1}-a_n=2n-1$의 n에 1, 2, 3, $\cdots$, $n-1$을 차례로 대입하여 변끼리 더하면

$\cancel{a_2}-a_1=2\times 1-1$

$\cancel{a_3}-\cancel{a_2}=2\times 2-1$

$\cancel{a_4}-\cancel{a_3}=2\times 3-1$

$\vdots$

$+\underline{)\ a_n-\cancel{a_{n-1}}=2(n-1)-1}$

$a_n-a_1=\sum_{k=1}^{n-1}(2k-1)$

$=2\sum_{k=1}^{n-1}k-\sum_{k=1}^{n-1}1$

$=2\times\frac{n(n-1)}{2}-(n-1)$

$=n^2-2n+1$

$\therefore\ a_n=n^2-2n+1+(-1)$

$=n^2-2n$

024 답 $a_n=2^n+1$

$a_{n+1}-a_n=2^n$의 n에 1, 2, 3, $\cdots$, $n-1$을 차례로 대입하여 변끼리 더하면

$\cancel{a_2}-a_1=2$

$\cancel{a_3}-\cancel{a_2}=2^2$

$\cancel{a_4}-\cancel{a_3}=2^3$

$\vdots$

$+\underline{)\ a_n-\cancel{a_{n-1}}=2^{n-1}}$

$a_n-a_1=\sum_{k=1}^{n-1}2^k$

$=\frac{2\times(2^{n-1}-1)}{2-1}$

$=2^n-2$

$\therefore\ a_n=2^n-2+3$

$=2^n+1$

025 답 $n,\ \frac{5}{n}$

026 답 $a_n=\dfrac{4}{n+1}$

$a_{n+1}=\dfrac{n+1}{n+2}a_n$의 n에 1, 2, 3, ⋯, $n-1$을 차례로 대입하여 변끼리 곱하면

$$a_2=\frac{2}{3}a_1$$
$$a_3=\frac{3}{4}a_2$$
$$a_4=\frac{4}{5}a_3$$
$$\vdots$$
$$\times)\ a_n=\frac{n}{n+1}a_{n-1}$$

$$a_n=\frac{n}{n+1}\times\cdots\times\frac{4}{5}\times\frac{3}{4}\times\frac{2}{3}\times a_1$$
$$=\frac{2}{n+1}\times 2$$
$$=\frac{4}{n+1}$$

027 답 $a_n=\dfrac{n^2+n}{2}$

$a_{n+1}=\dfrac{n+2}{n}a_n$의 n에 1, 2, 3, ⋯, $n-1$을 차례로 대입하여 변끼리 곱하면

$$a_2=\frac{3}{1}a_1$$
$$a_3=\frac{4}{2}a_2$$
$$a_4=\frac{5}{3}a_3$$
$$\vdots$$
$$\times)\ a_n=\frac{n+1}{n-1}a_{n-1}$$

$$a_n=\frac{n+1}{n-1}\times\frac{n}{n-2}\times\cdots\times\frac{6}{4}\times\frac{5}{3}\times\frac{4}{2}\times\frac{3}{1}\times a_1$$
$$=\frac{n(n+1)}{2}\times 1$$
$$=\frac{n^2+n}{2}$$

028 답 1, 2, 2, $2^{n-1}+1$

029 답 $a_n=2^{n+1}-1$

$a_{n+1}=2a_n+1$에서 $a_{n+1}+1=2(a_n+1)$

이때 수열 $\{a_n+1\}$은 첫째항이 $a_1+1=4$, 공비가 2인 등비수열이므로

$a_n+1=4\times 2^{n-1}=2^{n+1}$

$\therefore a_n=2^{n+1}-1$

030 답 $a_n=3^{n-1}+1$

$a_{n+1}=3a_n-2$에서 $a_{n+1}-1=3(a_n-1)$

이때 수열 $\{a_n-1\}$은 첫째항이 $a_1-1=1$, 공비가 3인 등비수열이므로

$a_n-1=1\times 3^{n-1}=3^{n-1}$

$\therefore a_n=3^{n-1}+1$

031 답 ○

$p(1)$이 참이면 $p(3)$, $p(9)$, $p(27)$, ⋯이 참이다.

032 답 ×

$p(2)$가 참이면 $p(6)$, $p(18)$, $p(54)$, ⋯가 참이다.

따라서 $p(36)$이 참인지는 알 수 없다.

033 답 ×

$p(3)$이 참일 때, $3n=1$을 만족하는 자연수 n이 존재하지 않으므로 $p(1)$이 참인지는 알 수 없다.

034 답 ×

$p(3)$이 참이면 $p(9)$, $p(27)$, $p(81)$, ⋯이 참이다.

따라서 $p(6)$, $p(12)$, $p(15)$, ⋯가 참인지는 알 수 없다.

035 답 ×

$p(5)$가 참이면 $p(7)$, $p(9)$, $p(11)$, ⋯이 참이다.

따라서 $p(10)$이 참인지는 알 수 없다.

036 답 ○

$p(1)$이 참이면 $p(3)$, $p(5)$, $p(7)$, ⋯이 참이다.

따라서 $p(1)$이 참이면 모든 홀수 k에 대하여 $p(k)$가 참이다.

037 답 ○

$p(2)$가 참이면 $p(4)$, $p(6)$, $p(8)$, ⋯이 참이다.

따라서 $p(2)$가 참이면 모든 짝수 k에 대하여 $p(k)$가 참이다.

038 답 ○

$p(1)$이 참이면 $p(3)$, $p(5)$, $p(7)$, ⋯이 참이고

$p(2)$가 참이면 $p(4)$, $p(6)$, $p(8)$, ⋯이 참이다.

따라서 $p(1)$, $p(2)$가 참이면 모든 자연수 k에 대하여 $p(k)$가 참이다.

039 답 1, $k+1$, $k+1$, $k+1$, $\dfrac{(k+1)(k+2)}{2}$

040 답 풀이 참고

(i) $n=1$일 때

(좌변)=1, (우변)=1

따라서 $n=1$일 때, 주어진 등식이 성립한다.

(ii) $n=k$일 때, 주어진 등식이 성립한다고 가정하면

$1+3+5+\cdots+(2k-1)=k^2$

위의 식의 양변에 $2k+1$을 더하면

$$1+3+5+\cdots+(2k-1)+(2k+1)=k^2+(2k+1)$$
$$=(k+1)^2$$

따라서 $n=k+1$일 때도 주어진 등식이 성립한다.

(i), (ii)에 의하여 주어진 등식은 모든 자연수 n에 대하여 성립한다.

041 답 풀이 참고

(i) $n=1$일 때

(좌변)=1, (우변)=1

따라서 $n=1$일 때, 주어진 등식이 성립한다.

(ⅱ) $n=k$일 때, 주어진 등식이 성립한다고 가정하면

$$1^3+2^3+3^3+\cdots+k^3=\frac{k^2(k+1)^2}{4}$$

위의 식의 양변에 $(k+1)^3$을 더하면

$$1^3+2^3+3^3+\cdots+k^3+(k+1)^3=\frac{k^2(k+1)^2}{4}+(k+1)^3$$
$$=\frac{(k+1)^2(k+2)^2}{4}$$

따라서 $n=k+1$일 때도 주어진 등식이 성립한다.

(ⅰ), (ⅱ)에 의하여 주어진 등식은 모든 자연수 n에 대하여 성립한다.

042 답 풀이 참고

(ⅰ) $n=1$일 때

(좌변)$=1$, (우변)$=1$

따라서 $n=1$일 때, 주어진 등식이 성립한다.

(ⅱ) $n=k$일 때, 주어진 등식이 성립한다고 가정하면

$$1+2+2^2+\cdots+2^{k-1}=2^k-1$$

위의 식의 양변에 2^k을 더하면

$$1+2+2^2+\cdots+2^{k-1}+2^k=2^k-1+2^k$$
$$=2^{k+1}-1$$

따라서 $n=k+1$일 때도 주어진 등식이 성립한다.

(ⅰ), (ⅱ)에 의하여 주어진 등식은 모든 자연수 n에 대하여 성립한다.

043 답 **25, 25, 2, $(k+1)^2$, $(k+1)^2$**

044 답 풀이 참고

(ⅰ) $n=3$일 때

(좌변)$=8$, (우변)$=7$

$8>7$이므로 $n=3$일 때, 주어진 부등식이 성립한다.

(ⅱ) $n=k\,(k\ge3)$일 때, 주어진 부등식이 성립한다고 가정하면

$$2^k>2k+1$$

위의 식의 양변에 2를 곱하면

$$2^{k+1}>2(2k+1)>2(k+1)+1$$

따라서 $n=k+1$일 때도 주어진 부등식이 성립한다.

(ⅰ), (ⅱ)에 의하여 주어진 부등식은 $n\ge3$인 모든 자연수 n에 대하여 성립한다.

045 답 풀이 참고

(ⅰ) $n=4$일 때

(좌변)$=24$, (우변)$=16$

$24>16$이므로 $n=4$일 때, 주어진 부등식이 성립한다.

(ⅱ) $n=k\,(k\ge4)$일 때, 주어진 부등식이 성립한다고 가정하면

$$1\times2\times3\times\cdots\times k>2^k$$

위의 식의 양변에 $k+1$을 곱하면

$$1\times2\times3\times\cdots\times k\times(k+1)>2^k(k+1)$$
$$>2^k\times2=2^{k+1}$$

따라서 $n=k+1$일 때도 주어진 부등식이 성립한다.

(ⅰ), (ⅱ)에 의하여 주어진 부등식은 $n\ge4$인 모든 자연수 n에 대하여 성립한다.

046 답 풀이 참고

(ⅰ) $n=2$일 때

(좌변)$=1+\frac{1}{4}=\frac{5}{4}$, (우변)$=2-\frac{1}{2}=\frac{3}{2}$

$\frac{5}{4}<\frac{3}{2}$이므로 $n=2$일 때, 주어진 부등식이 성립한다.

(ⅱ) $n=k\,(k\ge2)$일 때, 주어진 부등식이 성립한다고 가정하면

$$1+\frac{1}{2^2}+\frac{1}{3^2}+\cdots+\frac{1}{k^2}<2-\frac{1}{k}$$

위의 식의 양변에 $\frac{1}{(k+1)^2}$을 더하면

$$1+\frac{1}{2^2}+\frac{1}{3^2}+\cdots+\frac{1}{k^2}+\frac{1}{(k+1)^2}<2-\frac{1}{k}+\frac{1}{(k+1)^2}\quad\cdots\cdots ㉠$$

이때 $2-\frac{1}{k}+\frac{1}{(k+1)^2}-\left(2-\frac{1}{k+1}\right)=-\frac{1}{k(k+1)^2}<0$이므로

$$2-\frac{1}{k}+\frac{1}{(k+1)^2}<2-\frac{1}{k+1}\quad\cdots\cdots ㉡$$

㉠, ㉡에서

$$1+\frac{1}{2^2}+\frac{1}{3^2}+\cdots+\frac{1}{k^2}+\frac{1}{(k+1)^2}<2-\frac{1}{k+1}$$

따라서 $n=k+1$일 때도 주어진 부등식이 성립한다.

(ⅰ), (ⅱ)에 의하여 주어진 부등식은 $n\ge2$인 모든 자연수 n에 대하여 성립한다.

연산 유형 최종 점검하기 148~149쪽

1 ② **2** $a_1=23$, $a_{n+1}=a_n-6$ $(n=1, 2, 3, \cdots)$ **3** 59
4 $a_1=6$, $a_{n+1}=2a_n$ $(n=1, 2, 3, \cdots)$ **5** ① **6** ③
7 26 **8** ⑤ **9** ⑤ **10** 풀이 참고
11 (가) 9 (나) 7 (다) 3^{2k-1} **12** (가) $1+kh$ (나) kh^2 (다) $k+1$

1 $a_{n+2}=a_{n+1}+a_n$의 n에 1, 2, 3을 차례로 대입하면

$a_3=a_2+a_1=1-2=-1$

$a_4=a_3+a_2=-1+1=0$

$\therefore a_5=a_4+a_3=0-1=-1$

2 첫째항은 $a_1=23$이고, 이웃하는 항들 사이의 관계를 살펴보면

$a_2-a_1=17-23=-6$

$a_3-a_2=11-17=-6$

$a_4-a_3=5-11=-6$

⋮

$a_{n+1}-a_n=-6$ $(n=1, 2, 3, \cdots)$

따라서 수열 $\{a_n\}$의 귀납적 정의는

$a_1=23$, $a_{n+1}=a_n-6$ $(n=1, 2, 3, \cdots)$

3 $2a_{n+1}=a_n+a_{n+2}$에서 주어진 수열은 등차수열이다.
이때 첫째항이 $a_1=2$, 공차가 $a_2-a_1=3$이므로
$a_{20}=2+19\times3=59$

4 첫째항은 $a_1=6$이고, 이웃하는 항들 사이의 관계를 살펴보면
$a_2\div a_1=12\div6=2$
$a_3\div a_2=24\div12=2$
$a_4\div a_3=48\div24=2$
⋮
$a_{n+1}\div a_n=2\ (n=1,\ 2,\ 3,\ \cdots)$
따라서 수열 $\{a_n\}$의 귀납적 정의는
$a_1=6,\ a_{n+1}=2a_n\ (n=1,\ 2,\ 3,\ \cdots)$

5 $\frac{a_n}{a_{n+1}}=3$에서 주어진 수열은 등비수열이다.
이때 첫째항이 $a_1=3$, 공비가 $\frac{a_{n+1}}{a_n}=\frac{1}{3}$이므로
$a_{50}=3\times\left(\frac{1}{3}\right)^{49}=\frac{1}{3^{48}}$
$\therefore k=48$

6 $a_{n+1}=a_n+2n$의 n에 1, 2, 3, ⋯, $n-1$을 차례로 대입하여 변끼리 더하면

$$\begin{aligned} a_2&=a_1+2\times1\\ a_3&=a_2+2\times2\\ a_4&=a_3+2\times3\\ &\ \vdots\\ +)\ a_n&=a_{n-1}+2(n-1)\\ \hline a_n&=a_1+\sum_{k=1}^{n-1}2k\\ &=3+2\times\frac{n(n-1)}{2}\\ &=n^2-n+3 \end{aligned}$$

$\therefore a_{100}=10000-100+3=9903$

7 $a_{n+1}=\frac{2n+1}{2n-1}a_n$의 n에 1, 2, 3, ⋯, $n-1$을 차례로 대입하여 변끼리 곱하면

$$\begin{aligned} a_2&=\frac{3}{1}a_1\\ a_3&=\frac{5}{3}a_2\\ a_4&=\frac{7}{5}a_3\\ &\ \vdots\\ \times)\ a_n&=\frac{2n-1}{2n-3}a_{n-1}\\ \hline a_n&=\frac{2n-1}{2n-3}\times\cdots\times\frac{7}{5}\times\frac{5}{3}\times\frac{3}{1}\times a_1\\ &=(2n-1)\times1\\ &=2n-1 \end{aligned}$$

$a_k>50$에서 $2k-1>50$
$\therefore k>\frac{51}{2}=25.5$
따라서 자연수 k의 최솟값은 26이다.

8 $a_{n+1}=-3a_n+4$에서
$a_{n+1}-1=-3(a_n-1)$
이때 수열 $\{a_n-1\}$은 첫째항이 $a_1-1=1$, 공비가 -3인 등비수열이므로
$a_n-1=1\times(-3)^{n-1}$
$\quad=(-3)^{n-1}$
$\therefore a_n=(-3)^{n-1}+1$
$\therefore a_{11}=(-3)^{10}+1=3^{10}+1$

9 ㄱ. $p(1)$이 참이면 $p(4)$, $p(7)$, $p(10)$, ⋯이 참이므로 모든 자연수 k에 대하여 $p(3k)$가 참인지는 알 수 없다.
ㄴ. $p(3)$이 참이면 $p(6)$, $p(9)$, $p(12)$, ⋯가 참이므로 모든 3의 배수 k에 대하여 $p(k)$가 참이다.
ㄷ. $p(1)$이 참이면 $p(4)$, $p(7)$, $p(10)$, ⋯이 참,
$p(2)$가 참이면 $p(5)$, $p(8)$, $p(11)$, ⋯이 참,
$p(3)$이 참이면 $p(6)$, $p(9)$, $p(12)$, ⋯가 참이다.
따라서 $p(1)$, $p(2)$, $p(3)$이 참이면 모든 자연수 k에 대하여 $p(k)$가 참이다.
따라서 보기 중 옳은 것은 ㄴ, ㄷ이다.

10 (i) $n=1$일 때
(좌변)$=\frac{1}{2}$, (우변)$=\frac{1}{2}$
따라서 $n=1$일 때, 주어진 등식이 성립한다.
(ii) $n=k$일 때, 주어진 등식이 성립한다고 가정하면

$$\frac{1}{1\times2}+\frac{1}{2\times3}+\frac{1}{3\times4}+\cdots+\frac{1}{k(k+1)}=\frac{k}{k+1}$$

위의 식의 양변에 $\frac{1}{(k+1)(k+2)}$을 더하면

$$\begin{aligned} &\frac{1}{1\times2}+\frac{1}{2\times3}+\frac{1}{3\times4}+\cdots+\frac{1}{k(k+1)}+\frac{1}{(k+1)(k+2)}\\ &=\frac{k}{k+1}+\frac{1}{(k+1)(k+2)}\\ &=\frac{(k+1)^2}{(k+1)(k+2)}\\ &=\frac{k+1}{k+2}\\ &=\frac{k+1}{(k+1)+1} \end{aligned}$$

따라서 $n=k+1$일 때도 주어진 등식이 성립한다.
(i), (ii)에 의하여 주어진 등식은 모든 자연수 n에 대하여 성립한다.

· MEMO ·

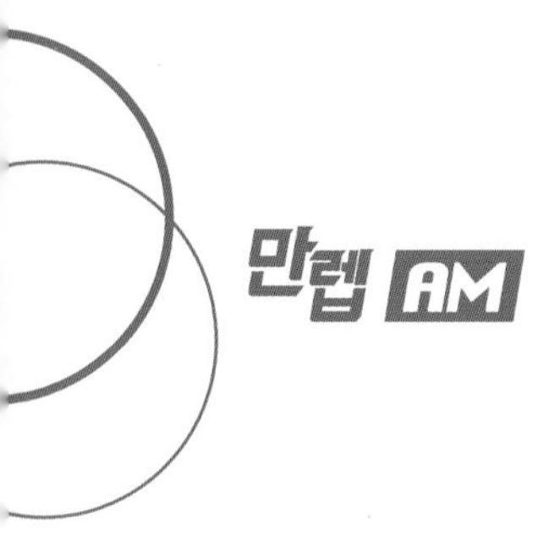

visang

발행일 2018년 5월 1일 **펴낸날** 2018년 5월 1일
펴낸곳 (주)비상교육 **펴낸이** 양태회 **신고번호** 제2002-000048호
출판사업총괄 최대찬 **개발총괄** 채진희 **개발책임** 고경진
디자인책임 김재훈 **영업책임** 이지웅 **품질책임** 석진안
마케팅책임 이은진 **대표전화** 1544-0554
주소 서울특별시 구로구 디지털로33길 48 대륭포스트타워 7차 20층

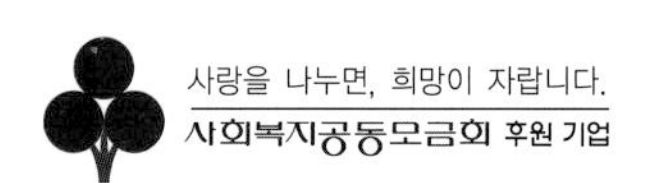